JN205117

ジェレミー・マンデイ

翻訳学入門

鳥飼玖美子監訳

みすず書房

INTRODUCING TRANSLATION STUDIES

by

Jeremy Munday

First published by Routledge
Taylor & Francis Group, LLC, New York, 2008

目　次

謝　辞

本書で以下を使用するにあたり，著作権所有者の方々に許諾を得たことを感謝したい．

図 1.1　G.Toury, “Descriptive Translation Studies – And Beyond” から採録．著作権，1995, Amsterdam and Philadelphia, PA: John Benjamins.

図 3.1　E.Nida and C.R.Taber, “The Theory and Practice of Translation” から採録．著作権，1969, Leiden:E.J.Brill.

図 5.1　A.Chesterman（ed.），“Readings in Translation Theory” から採録．著作権，1989, Helsinki: Finn Lectura; Roland Freihoff により準備された配布資料より．著者からの使用許可取得．

図 5.2　M.Snell-Hornby, “Translation Studies: An Integrated Approach” から採録．著作権，1995, Amsterdam and Philadelphia, PA: John Benjamins.

図 6.2　J.House, “Translation Quality Assessment: A Model Revisited” から採録．著作権，1997, Tübingen: Gunter Narr.

表 5.1　K.Reiss, “Möglichkeiten und Grenzen der Übersetzungskritik” を翻訳・改訂．オリジナル著作権は K.Reiss.

第 8 章の事例研究は，著者自身の論文を改訂した短縮版である．‘The Caribbean conquers the world? An analysis of the reception of García Márquez in translation,’ in “Bulletin of Hispanic Studies”，75.1: 137-44.

初版では，Lawrence Venuti（Temple University, USA）に，この出版企画について激励していただいたこと，最初の草稿段階で詳細にわたるコメントやアドバイスを下さったことに対し心から謝した．ここで再び同じ感謝を表するものである．ただし，第二版で加えた修正については特に氏の意見は求めなかった．

Rana Nayar（Reader, Department of English, Panjab University, Chandigarh, India）からは第 9 章の事例研究で協力いただいたことを謝したい．さらに，Leeds, Surrey, Bradford の各大学での同僚諸氏には，本書の初版，第二版に取り組んでいる間，支援をいただき，学生たちにも，原稿を改訂するごとに感想を述べてもらったことを感謝する．さらに初版を読んで意見や修正のアドバイスを寄せて下さったすべての方々（John Denton, Gerhard Heupel, David Large, Anita Weston）にお礼を申し上げたい．建設的なアドバイスを下さった学術誌の査読者や，この第二版の出版計画書を査読した覆面審査員の方々にも感謝する．他にも多くの翻訳学の仲間が様々な方法で私を助けアドバイスを下さった．すべての方々にお礼を申し上げる．

また，執筆と編集の過程で非常に忍耐強く支援して下さったRoutledge社のLouisa Semlyen, Nadia Seemungal, Ursula Mellowsに深甚なる謝意を表したい．コピー・エディターのRosemary Morlinおよび校閲のMary Daltonには，細部にわたる綿密な仕事に感謝したい．無論，何か過誤が残っていれば，それは著者一人の責任である．

最後に，特に感謝したいのが，私にとってかけがえのない愛と助力を与えてくれたCristina，私の人生をこれほど豊かにしてくれたNuriaとMarinaである．

2007年11月，ロンドンにて

ジェレミー・マンデイ　Jeremy Munday

図表リスト

図

表

凡 例

＊人名など固有名詞は，定着しているもの以外は，原音を優先させた．

＊人名は各章の初出で可能な限りフルネームを掲載した．

＊人名は読み方が確認できたものについてはカタカナ表記を入れた．読み方が不明なもの，文献引用紹介の場合は，原語のまま用いた．

＊論文などの文献は，日本語訳が刊行されている場合のみ日本語訳を付け，それ以外は原文のまま掲載しているが，マンデイが英訳したタイトルには日本語訳を加えた．

＊文献スタイルは原則として原語のままである．

＊団体名は一般的なもの以外は，原文での名称を入れた．

＊一般的に知られていない地名は原語を入れた．

＊原文にある誤植や誤りは，著者の了解を得て，修正したものを訳出に反映させている．

＊原注に誤りがある場合は（　）内に訳注を入れ，修正を明記した．

＊著者マンデイ氏による訳や強調は「著者による」と記し，引用元文献の原著者による強調などは「筆者による」と記すことを原則とする．

はじめに

翻訳学とは，翻訳の現象と理論の研究に関する学問分野である．その性質からして，この分野は多言語であり，かつ学際的であり，いかなる言語の組み合わせも包含し，多様に枝分かれした言語学や比較文学，コミュニケーション学，哲学，そしてポストコロニアリズムやポストモダニズムを含む各種のカルチュラル・スタディーズ，さらには社会学や歴史学にも及ぶ．

このような多様性のゆえに，翻訳学を学習し教授するにあたって最大の問題のひとつは，この分野の研究の大半が広範囲の書籍や学術誌に拡散していることである．したがって，翻訳というテーマについての主要文献を集めた「リーダー（読本）」が，これまでいくつも出ている．例えば以下がある．Hans-Joachim Störig “Das Problem des Übersetzens”（1963），Andrew Chesterman “Readings in Translation Theory”（1989），André Lefevere “Translation/History/Culture：A Sourcebook”（1992b），Rainer Schulte and John Biguenet “Theories of Translation: An Anthology of Essays from Dryden to Derrida”（1992），Douglas Robinson “Western Translation Theory from Herodotus to Nietzsche”（1997b），Lawrence Venuti “The Translation Studies Reader”（2000, 2nd edition 2004）．他にも，“The Routledge Encyclopedia of Translation Studies”（Baker 1998），“An Encyclopedia of Translation”（Chan and Pollard 1995），“The Dictionary of Translation Studies”（Shuttleworth and Cowie 1997）などが主要な概念をまとめ，この分野の記述を試みた．他の言語での調査としては，スペイン語で Hurtado Albir（2001），ドイツ語で Snell-Hornby et al.（1999），Stolze（2001），そして多言語の「ハンドブック」第一巻が Mouton de Gruyter から 2004 年に刊行されている（Kittel et al. 2004）．

“Introducing Translation Studies” の初版（2001）は，すでに多様化していた翻訳学の実用的な紹介であった．第二版の本書は全面的に改訂されているが，翻訳学の重要な流れや文献の多くを取り上げ，批判的にかつバランスよく概観したものを読みやすい文章で書いて一冊にまとめる，という目的は同じである．最近の様々な翻訳モデルが，実際にどのように使われるか読者に分かるよう，簡単な事例研究として例文が添えられている．これらの事例研究に含まれる新しい研究は，「討論と研究のために」の部分と合わせて，翻訳学のさらなる探究と理解を促すことを意図している．

この新版は，初版の基本的な構成を踏襲しているが，参考文献をすべて最新のものにし，全体を通して重要な新文献についての記述を入れてある．例えば第2章では，歴史的な出典，特に中国を増やし，第4章では認知理論を少し考察し，第7章では「翻訳の普遍的特性」についての記述を更新し，第8章と第9章では，倫理，イデオロギー，社会学，歴史学，ゲイ・テクストの翻訳についての新たな研究を加えた．初版の最終章で取り上げた学際性については第1章に組み込み，新たな最終章では，新技術の急速な発達が新たな挑戦を生み，翻訳学の新分野を拓いていることを論じた．最終章の焦点は，視聴覚翻訳とローカリゼーション，そしてコーパス言語学である．

本書は，翻訳，翻訳学，翻訳理論に関する学部・大学院コースの教科書として使用されることを考えているのと同時に，学生，研究者，教師，プロ翻訳者を対象にした，理論への確固たる入門となることを念頭において書かれている．本書の目的は読者が，翻訳の問題と関連するメタ言語を理解し，モデルを自身で使うようになることにある．そして，特定の問題をより深く検討し，個々の学生が自分に関心のある分野をさらに読み進むようになることを望んでいる．このようにして本書は，翻訳の学術研究に携わっている研究者や言語を職業としている専門家の双方に関係する，翻訳の理論的アプローチへの刺激的な入門となるであろう．

各章はそれぞれが翻訳学分野の主要領域を検討している．一つ一つの章は独立しており，特定の問題を調べたい読者が関心のある説明をすぐに探せるようになっている．しかし，各章間の概念的な連関はクロス参照されており，全体として翻訳，翻訳学，翻訳理論コースの教科書として機能するように構成されている．本書は12章から成り，ひとつの章を1～2週間で終えられるので，コースの長さにもよるが，セメスター制に組み込むことが可能であろう．「討論と研究のために」が付いているので，本書は学生が自身の研究を進めるにあたっての実質的な最初の文献となる．考察についても，導入（第1章で翻訳学の主要問題を扱っている）から，学生が専門用語や概念に慣れるのに合わせ，より複雑な内容へ進む．その進展は概ね時系列的で，第2章で扱う20世紀以前の理論から，言語学志向の理論（第3章から第6章の随所），より最近のポストコロニアリズムなどのカルチュラル・スタディーズ（第8章）からの展開へと進む．しかし同時に，この進展は概念的でもある．初期の理論や概念のいくつかは，等価や翻訳の普遍的特性などのように，常に再考されているからである．

分かりやすさを重視し，各章とも同様の構成にしてある．

- 冒頭で，主要な概念と用語を明確に提示する
- 本文では，論点となっているモデルや問題を詳細に説明する
- 分かりやすく説明した事例研究により，その章で扱った主要モデルを応用し評価する
- さらに読むべき文献のアドバイス
- 各章の簡単なまとめ
- さらなる考察と研究を促す為の「討論と研究のために」

冒頭に挙げた各種の読本は必然的に紹介文献の取捨選択を余儀なくされており，本書も例外ではない．取り上げた理論家やモデルは，翻訳研究に及ぼした強い影響に鑑み，また，各章で取り上げたアプローチを特に代表するものとして選んだ．他の価値ある文献を入れることが叶わなかったのは，紙幅の制約と，理論的アプローチをいくつか選んで分かりやすく紹介するという本書の趣旨によるものである．初版刊行以降この何年かにわたり，翻訳学は発展を続け，出版数も相当に増えており（モノグラフ，編纂書，学術誌，オンライン出版），認知科学，社会学，文学理論，コーパス言語学など新しい分野からの知見を援用することも多くなった．完璧に包括的であろうと試みることは実際的ではないし，そもそも不可能である．さらに本書の構成からして，主要な新考察を進めた理論家を優先することが避けられず，翻訳学分野で詳細な事例研究を行なったり知られていない研究を行なっている研究者が多いこともあり，十分に取り上げるこ

とができなかったことは認識している．

このような理由から，さらに読むべき文献として詳しいアドバイスを入れた．これは，学生が主要文献にあたり，各章で挙げられた考察を確認し，自国で自分の言語で行われている研究を調べるように意図されている．このように，本書は先に言及した読本と併せて使い，図書館の蔵書を活用することが望ましい．本書では，最新刊にせよ，アンソロジーとして再版されたにせよ，入手可能な文献を多く引用するように努めた．包括的な文献目録が本書の末尾に付いており，役に立つウェブサイトの簡単なリストも掲載されている．翻訳学分野の学会，出版物，団体に関する最新の情報はここで得られる．さらに，この分野が急速に変化し広がっていることから，最新の出版物など追加の情報はRoutledge ホームページ（http://www.routledge.com/textbooks/its.html）で得られる．重要なのは，省察と調査，そして新分野への認識であり，理論を研究と実践双方に応用することである．

説明の為の事例研究で使用するテクストの言語の選択は，大きな問題であった．英語，フランス語，ドイツ語，イタリア語，ポルトガル語，スペイン語からの例や文章があり，その他の追加例として，ベンガル語，オランダ語，パンジャブ語およびロシア語がある．しかしながら，事例研究は理論的な問題に焦点を合わせるように書かれており，特定の言語の組み合わせになじみがない読者を除外するものではない．テクストの種類は，聖書，『ベーオウルフ』，ガルシア・マルケスやプルーストの作品，EU とユネスコの文書，旅行パンフレット，児童向け料理本，『ハリー・ポッター』の翻訳，ベンガル語，フランス語，ドイツ語からの映画字幕翻訳など，広範なタイプが提供されている．

私の願いは何よりも，翻訳学を知っている読者も初めて知る読者も含め，翻訳学というダイナミックな分野への関心を追求することを奨め，助けることにより，本書が翻訳学の継続的な発展に寄与することである．

ジェレミー・マンデイ

第1章　翻訳学における主要な論点

主要な概念

* 翻訳実践は古くから確立しているが，翻訳学という分野は新しい．
* 学術界において翻訳は，かつては単に言語学習活動とされてきた．
* 翻訳の実践と理論は長らく分離されてきた．
* （通常は文芸）翻訳の研究は，比較文学，翻訳「ワークショップ」や対照分析を通して始まった．
* ホームズ（James S. Holmes）による‘The name and nature of translation studies’は，新しい学問分野としての翻訳学「創立の辞」とされている．
* 翻訳学は大きく拡大し，現在では学際的な分野であると考えられることが多い．

主要文献

Chesterman, A. (2002) 'On the interdisciplinarity of translation studies', *Logos* 3.1: 1–9.
Ferreira Duarte, J., A. Assis Rosa and **T. Seruya** (eds) (2006) *Translation Studies at the Interface of Disciplines*, Amsterdam and Philadelphia: John Benjamins.
Gile, D. (2004) 'Translation research versus interpreting research: kinship, differences and prospects for partnership', in Christina Schäffner (ed.), pp. 10–34.
Holmes, J. S. (1988b/2004) 'The name and nature of translation studies', in L. Venuti (ed.) (2004), pp. 180–92.
Jakobson, R. (1959/2004) 'On linguistic aspects of translation', in L. Venuti (ed.) (2004), pp. 138–43.
Snell-Hornby, M. (2006) *The Turns of Translation Studies*, Amsterdam and Philadelphia: John Benjamins, Chapter 1.

1.1　翻訳という概念

本書の主要な目的は，翻訳学における主要な概念やモデルを読者に紹介することにある．この分野における，特にこの10年の急速な発展により，取り上げる素材を選択する決定には困難が伴った．紙幅の都合とアプローチの一貫性という理由から，口頭翻訳（一般に通訳［interpreting, interpretation］として知られる）ではなく，文書翻訳に焦点を合わせることに決定した．但し，両者は重複することがあるので，明確に区別することは不可能である（Gile 2004 参照）．

「翻訳（translation）」という用語自体にいくつかの意味がある．一般的な分野名を指すこともできるし，産出物（訳出されたテクスト），もしくはプロセス（翻訳を生み出す行為，別の表現では，訳出［translating］としても知られる）を言うこともある．ふたつの異なった書記言語間での「訳出過程（process of translation）」では，翻訳者が元の言語（起点言語［source language=SL］）での原語書記テクスト（起点テクスト［source text=ST］）を他の言語（目標言語［target language=TL］）で書かれたテクスト（目標テクスト［target text=TT］）に変更することになる．このタイプは，ロシア系アメリカ人構造言語学者のヤーコブソン（Roman Jakobson）が，今では古典となっている **'On linguistic aspects of translation'**（Jakobson 1959/2004:139）（「翻訳の言語学的側面について」(訳注1)）で述べた3種類の翻訳のひとつである，「言語間翻訳（interlingual translation）」と合致する．ヤーコブソンによる翻訳の3種とは次の通りである．

(1) 言語内翻訳（intralingual translation），または「言い換え（rewording）」：同一言語内の他の記号により言語記号を解釈すること．
(2) 言語間翻訳（interlingual translation），または「翻訳そのもの（translation proper）」：他言語により，言語記号を解釈すること．
(3) 記号法間翻訳（intersemiotic translation），または「移し換え（transmutation）」：非言語記号体系により言語記号を解釈すること．

言語内翻訳が起こるのは，例えば，同じ言語で，ある表現を言い換えたり，要約したり，或いはテクストを書き換えたりする時である．記号法間翻訳が起こるのは，書かれたテクストが例えば，音楽や映画，絵画に訳される場合である．

（訳注1）ヤーコブソン，R．（1973）．『一般言語学』みすず書房，収録．「言語内翻訳」，「言語間翻訳」，「記号法間翻訳」などの訳語は既訳に従った．

異なった言語間で起こる言語間翻訳こそが伝統的な翻訳学の焦点であるが，決して他を排除するわけではない．本書を読み進むと分かるように，特に第8章から第10章にかけては，「翻訳そのもの」という考え自体，そして起点と目標の安定が現在では再考を求められており，「翻訳」とは何を意味するのか，それは「翻案（adaptation, version）」などとどのように異なるのか，という疑問は現実のものとなっている．かくして，Sandra Halverson（1999）が，翻訳とはプロトタイプ分類と考えられるとしたものの（例：翻訳のプロトタイプとして考える基本的なコアとなる特徴があり，他の翻訳形態は周辺に位置する），Anthony Pym（2004a: 52）は，例えば翻訳—ローカリゼーションなど新しい方法には明確に「断絶（discontinuities）」があるとしている．さらに「理論」の多くは西洋的視点に由来しているが，Maria Tymoczko（2005, 2006）は，他文化における「翻訳」についての非常に異なった言葉やメタファーについて論じている．これは，概念志向を示しており，原文に近づける語彙的な忠実性という目標は必ずしも共有されないかもしれず，殊に聖典や文芸テクストの翻訳実践では，そうであろう．例えば，インドでは **'rupantar'**（change of form= 形態の変化），**'anuvad'**（speaking after, following = 後につく）があり，アラブ世界では **'tarjama'**（biography = 伝記），中国では **'fan yi'**（turning over = ひっくり返す）がある（Ramakrishna 2000, Trivedi 2006 も参照）．

1.2　翻訳学とは何か？

歴史を通して，口頭にせよ書かれたものにせよ，翻訳は人間同士のコミュニケーションで重大な役割を果たしてきた．学術研究や宗教的な目的にとって重要な文書へのアクセスを提供してきたことは言うまでもない．それにもかかわらず，学術分野として翻訳を研究することは，この60年間にようやく本格的に始まった．英語圏では，この分野は現在では一般的に「翻訳学（translation studies）」として知られている．これは，オランダ在住アメリカ人研究者であるホームズ（James S. Holmes）のお蔭である．1972年に発表された要となる論文は1988年になって広範に入手できるようになったが，この中でホームズは，当時，誕生したばかりの分野を「翻訳という現象と翻訳者にまつわる複雑な問題」（Holmes 1988b/2004: 181）に関わる，と描写した．1988年になると，Mary Snell-

Hornby（1988:preface）は，自身が編纂した“Translation Studies: An Integrated Approach”初版の中で，「翻訳学を独立した分野として考えるべきだという要求は，[…] 最近，いくつかの方面から出てきている」と述べている．1995年に改訂された第二版の「まえがき」の中で，スネル＝ホーンビーは「独立した学問分野としての翻訳学の息を呑むような発展」，さらに翻訳というテーマについての「国際的な討論の数々」と述べるまでになった（Snell-Hornby 1995: preface）．ベーカー（Mona Baker）は，“The Routledge Encyclopedia of Translation Studies”（1998）初版の序文で，「1990年代の分野ともいえる，刺激的な新しい学問分野」が，より伝統的な分野からも幅広く学者を集め，豊穣な分野となっていることを力強く語った．

翻訳学が注目されるに至るまでには，二つの道程が顕著である．まず，翻訳と通訳を専門にしたコースが学部・大学院の両レベルで普及したことがある．何千人もの学生を惹きつけているこれらのコースは，将来のプロフェッショナルとしての翻訳者と通訳者を訓練し，翻訳職・通訳職へ向けて重視されている入門レベルの資格を与えることを主眼としている．Monique Caminade and Anthony Pym（1995）は，4年間の学士コースや大学院での翻訳コースをリストアップし，少なくとも250の大学レベルの訓練機関が60カ国以上にわたって存在していると報告している．この数字は伸び続けている．英国を例にとると，大学での現代語研究は衰退気味であるのに，通訳と翻訳の大学院に関する限り，1960年代にその最初のものが設立されて以来，全く様相を異にしている．本書の初版刊行当時，英国では20校が大学院レベルの翻訳コースを設け，「翻訳学センター」と称する組織がいくつかあった．2007－08年現在，‘translation’でキーワード検索すると，翻訳が中心となっている大学院ばかりではないにしても，20校以上で提供している修士課程が総計135にのぼる.(1)

数は少なくなるが，文芸翻訳の実践に焦点を当てたコースもあり，英国ではこの中に，Middlesex University や University of East Anglia（Norwich）での主専攻が入る．後者は British Centre for Literary Translation を擁している．ヨーロッパ

(1) 英国およびアイルランド　Find a Masters.com で検索実施．http://www.findamasters.com/search/search.asp 2007年11月14日．

には，現在，文芸翻訳の研究・実践・普及を行うセンターのネットワークがある．このネットワークに入っているのは，ノーウィッチ（Norwich）の他に，Amsterdam（オランダ），Arles（フランス），Bratislava（スロバキア），Monaghan（アイルランド），Rhodes（ギリシャ），Sineffe（ベルギー），Strälen（ドイツ），Tarazona（スペイン），Visby（スウェーデン）である．

この20年で，翻訳に関する多言語での会議や書籍，学術誌も増えた．国際的な翻訳学の学術誌としては，“Babel”（オランダ）や“Meta”（カナダ）が最近50周年を祝ったほど歴史が長いが，1988年には“TTR”（カナダ），1989年に“Target”（オランダ），1995年“The Translator”（英国）が続き，他にも“Across Languages and Cultures”（ハンガリー），“Cadernos de Tradução”（ブラジル），“Translation and Literature”（英国），“Perspectives”（デンマーク），“Rivista Inter-nazionale di Tecnica della Traduzione”（イタリア），“Translation Studies”（英国），“Turjuman”（モロッコ），そしてスペイン語の“Hermeneus Livius”と“Sendebar”など，数多くが刊行されている．オンラインでのアクセスを特徴としている出版も増えており，“Meta”の全内容はオンラインで読むことができるし，2000年以降の“Babel”と“Target”は定期購読することによって見ることができる．今や，“The Journal of Specialized Translation”，“New Voices”（付録参照）など，完全なオンライン・ジャーナルも登場している．加えて，単一言語，現代語研究，応用言語学，比較文学，その他の学術誌が数多あり，必ずしも翻訳に特化していないにしても，翻訳に関する論文がしばしば掲載されている．Continuum, John Benjamins, Multilingual Matters, Rodopi, Routledge, St. Jeromeなどヨーロッパの出版社の最新出版情報，バックナンバーには翻訳学分野の書籍が相当数含まれていることが，検索可能なオンライン文献“Translation Studies Bibliography”（John Benjamins）や“Translation Studies Abstracts”（St.Jerome）（付録参照）などで分かる．加えて，翻訳実践の為の専門誌も各種出版されている．英国では，“The Linguist”（Chartered Institute of Linguists），“The ITI Bulletin”（Institute for Translating and Interpreting），文学志向の“In Other Words”（Translators Association）などがある．

国際的な団体も普及している．国際翻訳家連盟（Fédération Internationale des Traducteurs = FIT）は1953年，Scociété Française des Traducteursにより設立され，カイエ初代会長（Pierre-François Caillé）が各国の翻訳者協会を結集した．最近では，

翻訳学研究者が国家レベルや国際レベルで集まり，例えばCanadian Association for Translation Studies/ Association Canadienne de Traductologie（1987年オタワで設立），European Society for Translation Studies（1992年，ウィーン），European Association for Studies in Screen Translation（1995年，カーディフ），International Association of Translation and Intercultural Studies（2004年，韓国で設立大会）などの組織がある．広範囲にわたるテーマで国際会議が開催されており，開催国も増加の一途である．中国，インド，アラブ世界，南アフリカ，スペイン，ギリシャ，イタリアなどを始め，各国で活動が飛躍的に増えている．比較的最近になって小さく始まった分野であるのに，翻訳学はいまや最も活発でダイナミックな新しい研究分野として，多彩なアプローチを劇的に包含している．

本章は，この急速に成長している分野が正確にどのように理解されているかを検討し，この分野の歴史と目標を簡単に説明する．

1.3　翻訳小史

翻訳について書かれたものは，有史のかなり初期に遡る．例えば，翻訳の実践についてはキケロとホラティウス（Cicero and Horace 紀元前1世紀）及び聖ヒエロニムス（St.Jerome 紀元4世紀）が議論している．第2章で見るように，これらの文章は20世紀に至るまで重要な影響を及ぼすことになる．聖ヒエロニムスの場合は，ギリシャ語『七十人訳聖書（the Septuagint）[訳注2]』をラテン語に翻訳した方法が後世の聖書翻訳に影響する．西ヨーロッパでは聖書翻訳が実に千年を超える歴史を有し，特に16世紀の宗教改革（the Reformation）時は，対立するイデオロギーの戦場となった．中国では仏典の翻訳が，紀元1世紀から始まる翻訳実践についての長い議論を生んだ．

しかしながら，翻訳の実践は長く定着してきたものの，翻訳の研究が学術分野に発展したのは，せいぜい20世紀後半になってからのことである．それ以前は，翻訳は通常，現代語コースでの単なる言語学習の1要素であった．事実，18世紀末から1960年代にかけて多くの国で，中等教育における言語学習は，

(訳注2) 旧約の最古のギリシャ語訳．70（72）人のユダヤ人が70（72）日かけて訳了したと伝えられている　(大修館『ジーニアス英和大辞典』)．

いわゆる文法訳読法に占有されるに至った．この教授法はラテン語とギリシャ語という古典語，それから現代外国語の教育に応用され，中心は外国語の文法規則と構文の暗記による学習であった．学習中の構文を例示する人工的に作られた繋がりのない一連の文章を訳すことで，文法と構文の規則についての指導と試験が行われ，国やコンテクストによっては最近でも続いているアプローチである．その典型を以下に示す．脱コンテクスト化された奇妙な文章を集めてスペイン語に訳し，スペイン語時制の用法を学ぶという例である．出典はK.Mason “Advanced Spanish Course” であり，英国の中等学校で未だ使っているところがある．

(1)その城は雲ひとつない空を背景にそびえていた．
(2)農民たちは市場へ毎週行くのを楽しんでいた．
(3)彼女は通常，朝食後に寝室の掃除をした．
(4)エバンス夫人はフランス語を地域の小学校で教えた．

（Mason 1969/74: 92）

翻訳が言語の教育と学習に向けられたことは，なぜ学術界が翻訳を二次的な地位に置いたのかを部分的に説明することになるかもしれない．翻訳活動は新しい言語を学ぶ方法であり，原書を読めるようになるまでの間，外国語のテクストを読む手段であるとみなされたのである．いったん原書を読む技能を獲得した後に翻訳書で何かを研究することは一般的に眉をひそめられることであった．しかし1960年代70年代にコミュニカティブ・アプローチのような新しい英語教育が盛んになると[訳注3]，文法訳読法は，とりわけ英語圏の多くで，次第に支持を失った．新たなアプローチは学習者の持って生まれた言語学習能力を重視し，「現実の」言語学習環境を教室で再現しようと試みた．多くの場合，少なくとも導入期は，文字よりは話し言葉を優先し，学習者の母語使用を避けることが一般的であった[訳注4]．指導の焦点が移ったことで，言語学習における翻訳は捨て去られることになった．教育指導に関する限り，翻訳はより上級レベルの，大学での言語コースかプロ翻訳者養成に限定される傾向となり，今では英国の大学1年生は実際に翻訳した経験を期待できないほどである．

米国では，翻訳—特に文芸翻訳—は，翻訳ワークショップ（translation workshop）という構想で1960年代の大学で普及した．I. A. Richardsによるリーディング・ワークショップと，1920年代に始まった実践的な批評アプローチ，その後の他のクリエイティブ・ライティング・ワークショップに基づき，翻訳ワークショップは当初，アイオワ大学とプリンストン大学で始められた．趣旨は，新しい翻訳を目標言語文化に紹介し，よりきめ細かい訳出プロセスの原理とテクストの理解を議論する場を設けることにあった（この背景についての詳しい論は，Edwin Gentzler 2001: 第2章参照）．このアプローチと並行して起きたのが比較文学であり，国や文化を超えて比較しつつ文学を研究することから，翻訳で文学を読む必要性が生まれた．

他に翻訳が研究対象となった分野は，対照分析である．これは二つの言語を比較して研究し，言語間の一般的もしくは特定の差異を同定しようという試みである．1930年代以降，米国で体系的な研究分野に発展し，1960年代70年代に脚光を浴びた．この分野の研究には，翻訳と訳出例がデータの多くを提供した（例：Di Pietro 1971, James 1980）．この対照分析手法は他の研究に大きな影響を与え，例えばJean-Paul Vinay and Jean Darbelnet（1958）やJohn C. Catford（1965）などは，翻訳研究を支援するという目的を明らかにしていた．しかし対照分析は有用ではあったが，社会文化的，語用的な要素を取り入れず，コミュニケー

（訳注3）原著では‘direct method and communicative approach’として両メソッドが同列に記載されていたが，ディレクト・メソッドとコミュニカティブ・アプローチは同じではなく，時代も異なる為，著者の了解を得て訳書では削除した．ディレクト・メソッドは，母語習得と同じように外国語を学ぶというナチュラル・メソッドの一種であり20世紀初頭にドイツ，フランスの語学校で使用された．コミュニカティブ・アプローチは1970年代から世界的に普及している．この二つの教授法は時代も指導方法も異なるが，「オーラル・コミュニケーション重視」で文法訳読法ではないという共通点はある為，同じものとして混同される場合がある．著者と協議の結果，原文を次のように変更するとのことであったので，そのように訳出した．‘with the rise of alternative forms of language teaching such as the communicative approach from the 1960s and 1970s.’

（訳注4）翻訳を禁止したディレクト・メソッドと異なり，コミュニカティブ・アプローチでは母語使用や翻訳を全面的に排除しているわけではない．著者と協議の結果，原文の‘shunned the use of the students' mother tongue’を，‘generally avoided....’と変更するとのことであり，そのように訳出した．

ション行動としての翻訳の役割にも触れなかった．とはいえ，時に批判されながらも，一般的な言語学的手法及び生成文法や機能文法など特定の言語モデルの応用（第3章・第5章・第6章参照）は続いており，翻訳との内在的かつ根本的な連関を示している．

より体系的で，主として言語学志向の翻訳研究アプローチは1950年代から60年代にかけて登場した．今では古典となっている例がいくつもある．

* Jean-Paul Vinay and Jean Darbelnet：“Stylistique comparée du français et de l'anglais”（1958）フランス語－英語間の翻訳実践で起こることを対照アプローチで分類した．
* Alfred Malblanc（1963）フランス語－ドイツ語間で同様の研究を行った．
* Georges Mounin “Les problèmes théoriques de la traduction”（1963）翻訳の言語的問題を考察した．
* Eugene Nida（1964a）当時流行していたチョムスキーによる生成文法の要素を理論ベースに組み込んだ書を，聖書翻訳者の実践手引きとして出版した．

この，より「科学的」なアプローチは，いろいろな意味で，翻訳の学術研究という分野を際立たせることになった．ナイダ（Eugene Nida）は1964年の書名（“Toward a Science of Translating”，1964a）で「科学」という用語を使用した．相当するドイツ語の“Übersetzungswissenschaft”はヴィルス（Wolfram Wilss）によりUniversität des Saarlandes at Saarbrückenでの教育と研究で使われ，ハイデルベルクではコラー（Werner Koller），さらにカーデ（Otto Kade）やノイバート（Albrecht Neubert）などの研究者が活躍したライプツィヒ学派で使用された（Snell-Hornby 2006参照）．その頃，萌芽的なこの分野の名称でさえもが未定であり，英語では‘translatology’，それに対応する言葉としてフランス語では‘traductologie’[訳注5]，スペイン語では‘traductología’などが候補にあがった（例：Vázquez Ayora 1977とHurtado Albir 2001に多くの説明）．

（訳注5）訳注 原文では‘translatologie’とあるが，これはドイツ語であるので，著者の了解を得てフランス語の‘traductologie’を入れた．

1.4　ホームズ/トゥーリーによる「地図」

翻訳学が確固とした分野として発達する上で影響があったのは，Holmes による ‘The name and nature of translation studies’（1988b/2004）であった．Gentzler（2001: 93）は自身の手による “Contemporary Translation Theories” で，ホームズの論文を「翻訳分野の創立を謳った文書として一般的に認められている」と形容している．Snell-Hornby（2006: 3）もこれに賛同する．翻訳学分野が先に述べたように他分野から発展したことを鑑みると興味深いことであるが，刊行されたホームズの論文は，もともとは 1972 年第三回国際応用言語学会コペンハーゲン大会翻訳分科会での発表に加筆したものである．ホームズは翻訳研究が既成の学問分野に拡散している当時の状況からくる制約について指摘し，「既成の分野を横断し，どのような学問的背景を有していようと翻訳に関わっているすべての研究者に届くような他のコミュニケーション・チャンネル」を形成する必要性を強調した（1988b/2004: 181）．

重要なのは，ホームズが全体的な枠組みを提唱し，翻訳学が何を網羅するかを記述したことである．この枠組みは，その後，イスラエルの第一級の翻訳学者であるトゥーリー（Gideon Toury）が，図 1.1 のように説明した．ホームズの説明によると，この枠組み（Holmes1988b/2004: 184-90）における「純粋な」研究分野の目標は次の通りである．

(1) 翻訳という現象の記述（記述的翻訳理論）
(2) そのような現象を説明し予測する為の一般的な原理の確立（翻訳理論）

「理論」部門は一般的と部分的理論に分けられている．「一般的」とホームズが考えたのは，あらゆる種類の翻訳を記述し説明することをめざす研究であり，翻訳全体に関係するような一般化をめざすものである．「部分的」な理論研究とは，以下で論じるパラメータにより規定されるものである．

ホームズの地図で「純粋」な研究とされるもうひとつの部門は，記述的なものである．記述的翻訳研究（descriptive translation studies=DTS）には，三つの焦点が考えられる．(1) 産出物，(2) 機能，(3) 過程の検証である．

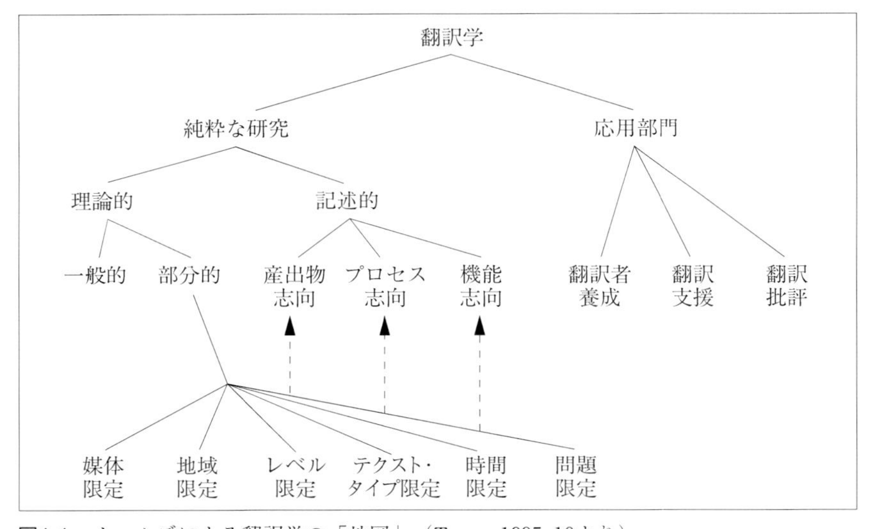

図1.1　ホームズによる翻訳学の「地図」（Toury 1995: 10より）

(1) 産出物志向の記述研究では，既存の翻訳を検討する．起点テクスト－目標テクストの組み合わせ一つを記述し分析することもあれば，同じ起点テクスト（を一つかそれ以上の目的言語へ訳出）の複数の目標テクストを比較分析することもある．このような小規模の研究を積み重ね，特定の時期，言語，もしくはテクスト / ディスコースのタイプ別翻訳分析をより大規模に実施することが可能である．大規模な研究は，通時的（時間の経過に従って発展を追跡する）でも，共時的（特定の時点や時期）でも良い．さらに Holmes（p.185）が予見したように，「産出物志向の記述研究の究極の目的のひとつは，もしかすると翻訳の一般的歴史かも知れない—そのような目標は，今は野心的に聞こえるかもしれないが」．

(2) 機能志向の記述研究は，ホームズによれば「受容側の社会文化的状況での（翻訳の）機能の記述であり，テクストではなくコンテクストの研究」（p.185）を意味する．研究対象となる問題として考えられるのは，いつ，どこで，どの書籍が翻訳され，どのような影響を与えたかなどである．この領域は，ホームズによれば「社会的－翻訳研究」であるが，今日では恐らくカルチュラル・スタディーズ志向翻訳とでも呼ばれるであろう．ホームズの論文が発表された当時は余り研究されていない分野であったが，最近の翻訳研究では人気が出てきている（第8章・第9章参照）．

(3) プロセス志向の記述研究は，ホームズの枠組みでは，翻訳の心理学に関わる．例えば，翻訳者の頭の中で何が起こるかを発見しようとするなど．TAP（think aloud protocols 翻訳者が訳しながら訳出プロセスを言語化したものを録音する）などの認知的視点からの研究が後に出たにも関わらず，この分野での体系的な分析は始まったばかりである（第4章4節参照）．

記述的研究の結果は，理論部門に入れられ，翻訳の一般理論となるか，可能性としては，図1.1の小部門に「限定された」翻訳の部分的理論になる場合が多いであろう．

* 媒体限定の理論は，機械翻訳と人間による翻訳とに下位分類され，さらに機械/コンピューターだけで作業するのか，人間の翻訳者を支援するのかによって分けられ，人間による翻訳が書記言語か音声言語かによっても，また音声言語（通訳）の場合，逐次なのか同時なのかによっても分類される．
* 地域限定理論は，特定の言語や，言語/文化集団によって限定される．ホームズによれば，言語限定理論は対照言語学や文体論の研究と密接な関係がある．
* レベル限定理論は，（通常は）単語や文章など特定のレベルに限定された言語学理論である．ホームズがこれを書いていた頃は，既にテクスト言語学，例えばテクスト・レベルの分析への傾向が見られつつあり，以後，さらに人気を博した（本書第5章・第6章参照）．
* テクスト・タイプ限定理論では，特定のディスコース・タイプやジャンル，例えば文学，ビジネス，技術翻訳などを見る．テクスト・タイプ・アプローチはライス（Katharina Reiss）やフェルメール（Hans J. Vermeer）をはじめとする研究により1970年代に知られるようになった（第5章参照）．
* 時間限定理論という用語は，読んで字の如しであり，特定の時間枠や期間に限定される翻訳と理論を指す．翻訳の歴史などはこのカテゴリーに属する．
* 問題限定理論は，1960年代70年代に主要な論点となった等価など，特定の

問題，もしくは翻訳言語に普遍性はあるのか，というより広い問題を指す．

このような分類をしてはいるが，ホームズ自身，いくつかの異なった制約が同時点で適用されることもきちんと指摘している．したがって，プルースト（Marcel Proust）による小説の新英語訳のまえがきの研究は，第2章で分析している通り，地域限定（パリジャンのフランス語から英語への翻訳）であり，テクスト・タイプ限定（小説のまえがき）であり，さらに時間限定（1981年から2003年）である．

ホームズの枠組みでの「応用」部門には，次がある．

＊翻訳者養成：指導法，テスト技術，カリキュラム・デザイン
＊翻訳支援：辞書，文法や情報技術など
＊翻訳批評：翻訳の評価，これには学生の翻訳を採点すること，出版された翻訳の書評が入る．

ホームズが言及したもう一つの領域は，翻訳政策である．社会における翻訳の位置，もし言語教育の中だとしたら，カリキュラムのどのような場にあるかなどを含め，翻訳研究者が提言することとしている．

これらの応用部門の側面が発達すれば，図1.1の右側は，図1.2のようになるはずである．全体の「地図」上での分け方は，多くの点で人工的であり，ホームズ自身が理論，記述，応用という領域は相互に影響し合う点を指摘している．しかし，区分の主たる利点は，Toury（1991: 180, 1995: 9）が述べているように，かつては混乱することが多かった翻訳研究の多様な領域間での作業分担と分類を可能にしたことである．それでも，この区分は柔軟性があるので，最近の技術進歩による発展を組み込むことができる．このような進歩はさらなる研究を必要としていることは確かであるが．

ホームズの論文が決定的な役割を果たしたのは，翻訳学の可能性を詳細に説明したことにある．描かれた地図は今もって議論の出発点として頻繁に使われている．その後の理論的な議論（例：Pym 1998, Hatim and Munday 2004: 8, Snell-Hornby 2006）が部分的にせよ修正しようと試みてきたのにも拘わらず，である．

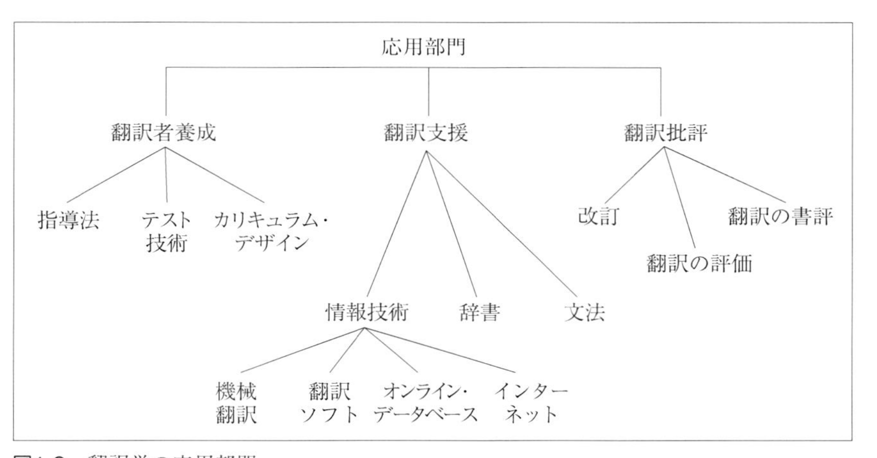

図1.2　翻訳学の応用部門

但し，現在の研究は1972年の視点を変容させている．ホームズが関心の3分の2を理論と記述の「純粋」な面に費やしている事実は，応用面での可能性の欠如というよりは，ホームズの関心領域を示しているのは確かである．「翻訳政策」は今日では，翻訳を決定づける言語政策やヘゲモニーを含むイデオロギーと関連する可能性が，ホームズが述べたよりはるかに大きい．異なる制約について，トゥーリーは記述的のみならず純粋に理論的な部門にも関係するとしているが（図1.1の垂直な点線），ディスコース・タイプやテクスト・タイプの制約も包含するであろう．通訳を，人間による翻訳の下位カテゴリーとして入れることは，多くの学者が反論するであろう．通訳が非常に異なる要件や活動と考えられていることを見れば，重複は不可避であるとしても，通訳は「通訳学（interpreting studies）」という並行した分野として考えることが恐らくは最善であろう（Pöchhacker 2004 参照）．加えて，Pym（1998: 4）が指摘するようにホームズの地図は，人間の翻訳者が訳出プロセスに関わる際の，スタイルの個性，決定の過程，仕事をするやり方についての言及を全く抜かしている．しかしながら，理論と実践の分裂こそ，自身が文芸翻訳者であり研究者の両方であるホームズが乗り越えようと模索したことである．翻訳学への関心が高まるにつれ，このような分裂の顕現と影響はより明らかになり，Kitty van Leuven-Zwart（1991: 6）が明確に表現しているように，翻訳を教える教師は，理論が実践的な訓練に取って代わることを恐れ，文芸翻訳者は，翻訳は技能であり理論化などできないと考えている．そのような意見は書かれたものの多くに未だに表れている（第 9 章参照）．他方，長い歴史を持つ既存分野の研究者は，翻訳学について「大いなる疑義」を抱くか，翻訳は既に言語カリキュラムの一環として位置づけられていると感じている．

1. 5　1970 年代以降の進展

1970 年代以降の翻訳学の隆盛は，ホームズの地図の各種領域が注目されることにつながった．対照分析は脇へ退いた．言語学志向の翻訳の「科学」はドイツでは強力に継続されたが，それに関連した等価という概念は疑問を呈され，再考された（ピム：第 11 章参照）．ドイツでは，テクスト・タイプを中心とする理論（ライス：第 5 章参照）やテクストの目的（ライスとフェルメールのスコポス理論：第 5 章参照）に関する理論が生まれた．他方，ハリデー（M. A. K. Halliday）の影響により，言語を社会文化的コンテクストにおけるコミュニケーション行為と見る談話分析と選択体系機能文法が 1960 年代初めから，特にオーストラリアと英国で大きく取り上げられるようになり，Roger Bell（1991），Baker（1992），Hatim and Mason（1990, 1997）など，何人もの研究者により翻訳に応用された．1970 年代後半から 1980 年代は，比較文学やロシアのフォルマリズムを起源とする記述的アプローチも盛んになった．パイオニア的な中心となったのはテル・アビブであり，イーヴン = ゾウハー（Itamar Even-Zohar）やトゥーリーが，文学の多元システム（polysystem）という考えを追究した．これは，翻訳も翻訳でない作品も含めて，異なる文学やジャンルが支配を求めて競合する，というものである．多元システム学派は，ランベール（José Lambert）や故ルフェーヴル（André Lefevere）（後にテキサスのオースティン大学に移籍）などベルギーのグループや，英国のバスネット（Susan Bassnett），ハーマンズ（Theo Hermans）と共に研究を行った．主要な書は，ハーマンズ編集による“The Manipulation of Literature: Studies in Literary Translation”（Hermans 1985a）であり，これにより「操作学派（Manipulation School）」という呼称が生まれた．このダイナミックな文化志向アプローチは続く 10 年のほとんどの間，影響力を及ぼし，言語学は古色蒼然の趣となった．

1990 年代になると，新しい学派と概念が統合された．カナダでサイモン（Sherry Simon）が率いる翻訳とジェンダーに関する研究，Else Vieira が中心のブラジルのカンニバル学派，ベンガルの著名な研究者であるニランジャナ（Tejaswini Niranjana）とスピヴァク（Gayatri Spivak）によるポストコロニアル翻訳理論，米国ではヴェヌティ（Lawrence Venuti）によるカルチュラル・スタディーズ志向の分析が，さらなる可視性と翻訳者の認知を求めた．この傾向は新世紀初めの 10 年間さかんに続き，翻訳，グローバリゼーションと抵抗（Cronin 2003, Baker 2006），翻訳の社会学と歴史学（例：Inghilleri 2005a, Wolf and Fukari 2007）に特別な関心が寄せられ，さらに視聴覚翻訳，ローカリゼーション，コンピューター支援翻訳研究を盛んにした新しいテクノロジーへの関心も生まれた（第 11 章参照）．

特に顕著な特徴として最近の研究で見られるのは，その学際性である．本書の初版では，翻訳学が，学術分野であるのか，学際分野であるのか，下位分野かについて議論し，学際性にこそ未来がある，と締めくくった．これは当時，既に“Translation Studies: An Interdiscipline”（Snell-Hornby et al.（eds.）1994）などが出版され，ピム（Anthony Pym）が“Method in Translation History”（1998）で「学際性」という用語を使用し，ニランジャナ，ハティムとメイソン（Basil Hatim and Ian Mason），ハーヴィー（Keith Harvey），ティモツコ（Maria Tymoczko）などますます多くの研究でも証明されている．初版では，学際性の性質についても議論し，マッカーティ（Willard McCarty）による論文‘Humanities computing as interdiscipline’（1999）に言及した．学術の世界における学際性の役割は次のように説明されている．

> もっともらしく学際性を唱えるのは常であるが，分野的境界線で既に分けられている世界で，真の学際性が理解され，資金を獲得したり運用していくことは容易ではない．[…] むしろ学際性とは，既成分野の隙間に存在するものであり，そのいくつか，多くを，もしくはすべてを扱う．これはフェニキアの商人のようである．移住先の世界ではなぞめいた存在であるフェニキアの商人．そのなぞは我々をして知識をいかに体系化し制度化するかを考え直させる．
>
> （McCarty 1999）

学際性とは，したがって，異なる種類の知識や技術の間の新たな繋がりに応え，促進することで，現在の伝統的な思考方法に異議を唱えるものである．分野のヒエラルキーを体系的な秩序とみなすマッカーティは，「従来の」分野は，新たな分野と「主たる」もしくは「二義的な」関係を持つ，と考える．我々にとっては，翻訳学自体が既成学問分野の中のフェニキア商人となろう．言語学（特に意味論，語用論，応用言語学，対照言語学，認知言語学），現代語と言語研究，比較文学，カルチュラル・スタディーズ（ジェンダー研究とポストコロニアル研究を含む），哲学（解釈学と脱構築を含む言語と意味の哲学）及び，最近では社会学と歴史のような分野と主たる関係を結ぶ．

しかし，ここで重要なのは，翻訳学と他分野との関係は固定してはいないと指摘することである．そうすることで，これまでの間，1960年代の対照言語学との強い結びつきから現在のようなカルチュラル・スタディーズの視座への焦点の移動，さらには最近のコンピューターやメディアのような領域への移行（第11章）が説明できる．他の二義的な関係は，翻訳者養成など応用翻訳学の領域を扱う際に前面に出る．例えば翻訳専門科目では，法学，政治学，医学，会計学，科学など訓練生が予定している翻訳分野や，コンピューター支援による翻訳に関する問題を扱う情報テクノロジーからの増える一方のインプットなどを授業に組み入れるべきである．このような学際性に関する議論は，次のような論文で主張されている．'Humor and translation: an interdiscipline'（Zabalbeascoa 2005），"Translation Studies at the Interface of Disciplines"（Ferreira Duarte et al.（eds.）2006）と題された巻，そして，学際性が翻訳学だけの関心事ではないことを示す為に別の角度から，"Cultural Studies: Interdisciplinarity and Translation"（Herbrechter（ed.）2002）．とはいえ，中にはジル（Daniel Gile）のように，学際性を脅威と考える向きもある．

> 他の分野とのパートナーシップは，ほぼ常にバランスを欠く．地位，権力，資金調達法，そして実際の研究能力は，一般的にパートナー側にあることが大半である．その上，学際性によりパラダイムがますます拡散し，それゆえに，自律した分野としての［翻訳研究］と［通訳研究］の地位がさらに弱体

化するかもしれない.

（Gile 2004: 29）

加えて，翻訳学は場所によっては，言語学科に占有されてきたことも事実である．翻訳実践を中心とすることは魅力ある大学教育プログラムだと考えられ，学問的偏見もあいまっての実態である．皮肉にも，これが実践と理論の間の不自然な溝を悪化させることにもなった．例えば，英国での研究評価（公式の外部評価及び個人と学部・学科の研究業績評価）は，未だに学術論文の方を翻訳より高く評価している．たとえ本1冊全部を翻訳しても，評価は変わらない．翻訳の実践は，必須とまでは言わずとも，翻訳理論家と指導者にとって価値ある体験であるにも拘わらず，である．

だが，ここ数年の最も素晴らしい展開は，翻訳学で新しい「パラダイム」を樹立しようと新しい視点が誕生し続けたことである．その模索によって生まれた議論は，Andrew Chesterman and Rosemary Arrojo（2000）で注目を浴び，“Target”のその後の号で続いたもので，バラバラになりかねない翻訳という分野で「共通の基盤」があるとしたら，それは一体何なのか，という問題である．“New Tendencies in Translation Studies”（Aijmer and Alvstad 2005）はスウェーデン Göteborg University で2003年に開催されたワークショップをもとにした書であり，研究方法論を集め評価する共同の試みである．編集者が控えめに「序」（p.1）で述べているように，これまで「翻訳の規定的アプローチから離れ，実際の翻訳がどうなのかという研究へ向かう動きがあった．この枠組みで，理論と方法論の選択は重要である」．そのような選択は肝要であり，それは研究と研究者の目的によって決まる．本書を読み進むにつれ，方法論が徐々に進化し，より精緻になるが，同時に方法論については，かなり多種多様になる．翻訳学が，語レベルの研究から，テクストへ，さらに社会文化的コンテクストから，翻訳者自身の営為と実践，「ハビトゥス（habitus）」にまで，変化してきたことによる．したがって，研究の目的でさえ時間と共に変化し，主として言語の教育と学習に連動している翻訳から，翻訳，翻訳行為，そして今や翻訳者の中で，そしてその周囲で，何が起こっているかについての具体的な研究に移っている．

1.6　本書の目的と各章の紹介

翻訳学は極めて広範な分野を包含し，相当数の学者や実践家が活動している．多くの翻訳者がより伝統的な学問領域を出発点としてこの領域に入ってきた．本書では，現在では確立した分野である翻訳学の主要な領域を網羅する．特に，現在，重要となっている体系的な翻訳理論とモデルを取り上げる．これまで散逸していた翻訳学の主要な流れをまとめ，翻訳学及び必要な背景知識とツールを読者が理解し自身で翻訳についての研究を行うことができるよう，明確に要約することが本書の目的である．加えて，プロ翻訳者と訓練生が自身の実践体験を位置づけることができるように，理論的枠組みを提供することも，本書の目的である．本書は，次のように構成されている．

第2章は，翻訳について20世紀半ばまでに書かれたものの中で主要な論点を説明する．二千年を超える膨大な範囲は紀元前1世紀のキケロから始まり，「直訳（literal）か自由訳（free）か」という翻訳論争に焦点を当てる．これは不鮮明で堂々巡りの議論であったが，その中から，ここ50年になってようやく理論家が登場するに至った．本章では，長年にわたって翻訳について書かれてきた古典の中から，最も著名ですぐに入手できる文献をいくつか選んで説明する．ここでのねらいは，主要な論点について討論を始めることである．

第3章では意味，等価，「等価の効果」などの概念を扱う．ナイダのもとで1960年代の翻訳理論は，重点をメッセージの受け手に移した．本章では，生成文法の影響を受けたナイダの翻訳転移（translation transfer）モデルと，形式等価（formal equivalence）及び動的等価（dynamic equivalence）という概念までを網羅する．ニューマーク（Peter Newmark）による意味重視の翻訳（semantic translation）とコミュニケーション重視の翻訳（communicative translation）という分類も同様に影響があり，コラーによる等価の分析と共に検討する．

第4章では，翻訳の産出物とプロセスを記述しようとした試みを概観する．この中には，翻訳で起こる言語変化，もしくは「シフト（shift ずれ）」の分類も含まれる．主要モデルは，ヴィネイとダルベルネの古典的タクソノミーであるが，キャトフォードの言語学的モデルにも言及する．新しく設けたセクションでは，メッセージ処理と，コミュニケーションとしての翻訳がどう達成されるかを説明しようと，認知的視座から行われた研究をいくつか紹介する．このセクションでは，パリ学派の解釈モデル，ベル（Roger Bell）の心理言語学的モデル，及びガット（Ernst-August Gutt）の関連性理論についての研究も紹介する．

第 5 章は，1970 年代 80 年代の，ライスとフェルメールによるテクスト・タイプとスコポス理論，ノード（Christiane Nord）のテクスト言語学的アプローチを取り上げる．この章では，翻訳をテクスト・タイプと目標言語文化における機能によって分析し，テクスト分析という普及した概念―語順，情報構造，主題（テーマ）展開など―が採用される．

第 6 章は前章と密接に関連しており，ハウス（Juliane House）のレジスター分析モデルと 1990 年代に発展した談話志向アプローチを検討する．後者は，ベーカーやハティムとメイソンによるものであり，ハリデー言語学を用い，翻訳を社会文化的コンテクストにおけるコミュニケーションとして考察している．

第 7 章では，システム理論と目標志向の「記述的」翻訳研究分野を，イーヴン＝ゾウハー，トゥーリー，操作学派の研究に従い，検討する．

第 8 章では，翻訳研究における文化的・イデオロギー的アプローチを検証する．まず 1980 年代から 90 年代初めのルフェーヴルによる研究から始まる．これ自体は比較文学と操作学派の影響から生まれたものである．次に，より最近の（カナダでの）ジェンダー研究と翻訳という展開，ポストコロニアル翻訳理論（インドとアイルランド），そして他のイデオロギー的翻訳論などに移る．さらにアジアからの翻訳事例研究に焦点を当てる．

第 9 章は，翻訳者の役割と翻訳の実践を見る．最初に，ベルマン（Antoine Berman）とヴェヌティに従い，翻訳における異質性の要素と翻訳者の「不可視性」を考察する．翻訳の実践とは，特に英語圏では，派生物であり二級の活動であると考えられ，翻訳の一般的な方法は「同化作用」，という考えを探究する．文芸翻訳家と出版社の役割についても，翻訳の社会学や歴史学についての最近の研究に関連づけ，ブルデュー（Pierre Bourdieu）の理論を組み入れながら，説明する．

第 10 章は，言語と翻訳についての哲学的問題を選んで考察する．スタイナー（George Steiner）の「解釈学的運動（hermeneutic motion）」からパウンド（Ezra Pound）の古語の使用，ベンヤミン（Walter Benjamin）の「純粋言語」，そしてデリダ（Jacques Derrida）と脱構築運動までを取り上げる．

第11章は，新しいテクノロジーの前例のないほどの成長によってもたらされた課題を見る．新分野の中で最も知られている視聴覚翻訳は無論のこと，ローカリゼーションやコーパス・ベースの翻訳研究も論じる．このような技術的進歩は喜ばしいことに，長年の信条を修正し，等価や翻訳の普遍的特性など中心的な問題を見直すことを迫るのである．

まとめ

翻訳学は，最近になって爆発的に拡大した学術研究分野である．翻訳は従来，言語学習の方法論として，或いは比較文学，翻訳「ワークショップ」，そして対照言語学科目の一部として研究されていた．しかし現在ある翻訳学は，ホームズの研究によるところが大きい．'The name and nature of translation studies' では，この分野の名称と構成の双方を提案している．翻訳の理論的，記述的，応用研究における相互に関連する各部門は，この分野における研究を最初に組織立てたものである．しかし，時間の経過と共に，翻訳というテーマの学際性がより顕著になり，一層の専門化と，他分野からの理論やモデルを引き続き取り入れているのが最近の展開である．

討論と研究のために

1．翻訳（そして通訳）の実践は，皆さんの国では，どのようになされているであろうか？　翻訳通訳で学位を出している大学は何校あるだろう？　大学院でのコースはどのくらいあるだろうか？　各コースの違いは何だろう？　プロ翻訳者として仕事をする上で大学院修了の資格は必要だろうか？
2．研究主体の翻訳学が，どのように大学制度に組み込まれているか，自国の場合を調べてみよう．「翻訳学（もしくは似たような）」科目を提供している大学はいくつあるだろうか？　大学によって，翻訳コースはどのように違うのであろうか，同じであろうか？　翻訳関連科目は，大学のどの学部・学科に配置されているだろう？　結論として，皆さんの国で翻訳研究の地位はどのようなものだと考えられるだろう？
3．皆さんの国では，どのような翻訳研究が行われているだろう？　それを調べるには，どうしたら良いのであろうか？　翻訳研究は，個別の研究者が行っているだろうか，もしくは大規模な共同研究がなされているだろうか？　それは，ホームズの翻訳学の「地図」に，どのように当てはまるだろうか？

4．皆さんの国の翻訳と翻訳研究の歴史を調べてみよう．研究の焦点は理論であったろうか，翻訳の実践であったろうか？　なぜ，そうなのだろう？

5．翻訳学の学際性の功罪は何であろう？　翻訳学が，これほど多くの概念やモデルを他の学問領域から導入したのは，なぜだと考えられるであろうか？

6．McCarty（1999）は，人文学とコンピューティングについて論じる中で，学際性とは「知識をどう体系化し制度化するか再考することを迫る」と述べた．どの程度，どのようにして，翻訳学はこれをしたら良いであろうか？

第2章　20世紀以前の翻訳理論

主要な概念

* ＊「逐語訳」（「直訳」）対「意味対応訳」（「自由訳」）の議論.
* ＊中国やヨーロッパにおける聖典翻訳の重要性.
* ＊地域口語の活性化：ルター（Martin Luther）とドイツ語聖書.
* ＊「忠実性」「聖霊」「真理」という鍵概念.
* ＊ドライデン（John Dryden）の影響力と置換訳，換言訳，模造訳.
* ＊ドレー（Etienne Dolet）とティトラー（Alexander Fraser Tytler）による，より体系的な規範的方法の試み.
* ＊シュライアーマハー（Friedrich Schleiermacher）：翻訳用の言葉と異質性の尊重.
* ＊翻訳を記述するために用いられる用語の曖昧性.

主要文献

Baker, M. (ed.) (1998/2008) *The Routledge Encyclopedia of Translation Studies*, Part II: *History and Traditions*, London and New York: Routledge.

Bassnett, S. (1980, revised edition 2002) *Translation Studies*, London and New York: Routledge, Chapter 2.

Cheung, M. (ed.) (2006) *An Anthology of Chinese Discourse on Translation: From Earliest Times to the Buddhist Project*, Manchester: St Jerome.

Dryden, J. (1680/1992) 'Metaphrase, paraphrase and imitation', in R. Schulte and J. Biguenet (eds) (1992), pp. 17–31, also extracted in L. Venuti (ed.) (2004), pp. 38–42.

Gutas, D. (1998) *Greek Thought, Arabic Culture: The Graeco-Arabic Translation Movement in Baghdad and Early 'Abbasid society (2nd–4th/8th–10th centuries)*, London and New York: St Jerome.

Robinson, D. (1997b) *Western Translation Theory from Herodotus to Nietzsche*, Manchester: St Jerome. For extracts from Cicero, St Jerome, Dolet, Bruni, Luther and Tytler.

Schleiermacher, F. (1813/2004) 'On the different methods of translating', in L. Venuti (ed.) (2004), pp. 43–63.

2.0　はじめに

本章の目的は，時代を通して翻訳や翻訳者の包括的な歴史を記そうとするものではない．それはいかなる書物でも扱いきれない．そうではなく，「逐語訳（word-for-word）」か「意味対応訳（sense-for-sense）」かという，Peter Newmark（1981: 4）の言う「翻訳の前言語学的時代」に繰り返し議論の中心になってきたテーマを主に扱う．これは，バスネット（Susan Bassnett）が自らの著書，“Translation Studies”の「翻訳理論史」に関する章で，「言語とコミュニケーションについて考え方が異なれば強調される度合いも異なり，繰り返し現われる」としているテーマである（2002: 50）．本章では，いくつかの影響力のある，そして入手しやすい文献を，翻訳理論史や翻訳研究史に与えた影響を基準にして翻訳の歴史から厳選している．もちろん，これはその一部にすぎず，参考文献案内の一覧には文献として含めるべき正当な理由のあるものを他にいくつか挙げている．また，歴史的にはローマの伝統に端を発して，翻訳に関する文献は西洋のものに片寄る傾向が非常に強い．非西洋の文化の豊かな伝統は最近まで見過ごされてきた．しかしながら，本書の初版刊行以来，地理的な枠を広げた英語出版物のリストはどんどん膨らんでいる．“Translators Through History”（Delisle and Woodsworth 1995）やベーカー（Mona Baker）の“The Routledge Encyclopedia of Translation Studies”（1998/2008）という先行文献をもとに，アジアの伝統に関する文献（Hung and Wakabayashi 2005），特に中国（Chan 2004, Cheung 2006），そして一連の非西洋の翻訳思想に関する文献（Hermans 2006a, 2006b）が出現している．本章は，このような新たに明らかになったことも扱う．読者はこれらの事柄について，自分の国と自分の言語における歴史と翻訳の伝統を関連させながら考えて頂きたいと改めて願うものである．

2.1　「逐語訳」対「意味対応訳」

20世紀後半まで，西洋の翻訳理論はGeorge Steiner（1998: 319）が言うところの「直訳（literal）」，「自由訳（free）」，「忠実な訳（faithful）」という「三つ巴」の関係をめぐる「不毛な」議論で行き詰っていたようだ．「逐語訳」（つまり「直訳」）と「意味対応訳」（つまり「自由訳」）の区別はキケロ（Cicero）（紀元前1世紀）と聖ヒエロニムス（St Jerome）（紀元4世紀後半）に遡り，現代に至る何世紀にもわたって翻訳に関する重要な文献の基礎を成している．

キケロは“De optimo genere oratorum”（紀元前46/1960）で自らの翻訳の方法を素描し，アッティカの雄弁家であるアイスキネス（Aeschines）とデモステネス（Demosthenes）の演説の翻訳を紹介している．

> そして私は訳者（interpreter）としてではなく，雄弁家（orator）として翻訳したのである．同じ考えや形式，あるいは言わば思考「形態」を保ちながら，しかし我々の用法に合致する言葉で訳したのである．そうする中で，私は必ずしも逐語的に訳すことにこだわらず，むしろその言葉の全体的な文体や力を保ったのである．[(1)]
>
> （Cicero 紀元前46/1960: 364）

1行目の「訳者」は直訳（逐語訳）的な翻訳者のことで，他方，「雄弁家」は聴衆の心を動かす演説をしようとする者のことである．ローマ時代には，逐語訳はまさに文字通り，起点テクスト（専らギリシャ語）の個々の単語をラテン語で最も文法的に等価なものに置き換えることであった．これは，ローマ人がよくギリシャ語の起点テクストを脇に置いて翻訳テクストを読んでいたからである．

キケロが逐語訳を軽視し，ホラティウス（Horace）さえも，“Ars Poetica”（紀元前20？）[(2)]の短いが有名な一節のなかで，目標言語で美的に心地よく創造的なテクストを生み出す目標を強調したことが，以後何世紀にもわたって大きな影響を及ぼした．そこで，すべての翻訳者のなかで最も有名な聖ヒエロニムスは権威あるキケロの方法を引用して，キリスト教聖書のラテン語での改訳版を正当化した．これはローマ司教ダマスス（Damasus）による任命で行われた．『ウルガタ聖書（the Latin Vulgate）』[(訳注1)]として知られるようになった翻訳のなかで，聖ヒエロニムスは以前の新約聖書のラテン語訳を修正し改訂した．また，旧約聖書

（1） ‘Nec converti ut interpres, sed ut orator, sententiis isdem et earum formis tamquam figuris, verbis ad nostram consuetudinem aptis. In quibus non verbum pro verbo necesse habui reddere, sed genus omne verborum vimque servavi’（Cicero 46 BCE/1960 CE:364）．H. M. Hubbell による英語訳からの抜粋は，Robinson（1997b: 9）でも引用されている．

（2） Robinson（1997b: 15）での引用．

はヘブライ語に回帰することを決めたが，この決定はギリシャ語の『七十人訳聖書（the Greek Septuagint）』の神聖な力を支持していた人々に対して議論を巻き起こすものであった（Rebenich 2002: 53-4）．その翻訳方略は，紀元395年，友人である元老院議員パマチウス（Pammachius）に宛てた手紙“De optimo genere interpretandi”で示されている[3]．翻訳プロセスに関するおそらく最も有名な説明の中で，聖ヒエロニムスは「不正確な」翻訳であるという批判に対抗して，次のような表現で自分の方略を説明している．

> ここで，自ら認め，率直に発表しておくと，ギリシャ語からの翻訳において―もちろん，統語法さえも神秘を秘めている聖典の場合は除くが―私は逐語ではなく意味対応で翻訳を行っている[4]．
>
> （St Jerome 紀元 395/1997: 25）

この用語は誤って解釈されていると主張する研究者もいるが（例：Lambert 1991: 7）[5]，今では聖ヒエロニムスの説明は「直訳（逐語訳）」と「自由訳（意味対応訳）」として知られるようになったものとして通常取り上げられる．聖ヒエロニムスが逐語訳の方法を拒んだのは，起点テクストの形に密着することによって，不条理な翻訳を生み出し，原文の意味を覆い隠してしまうからだ．他方，意味対応訳の方法なら，起点テクストの意味や内容を翻訳できる．この両極において，「直訳対自由訳」や「形式対内容」といった議論の起源が見られ，現

（訳注1）原文は ‘the Vulgate’．聖ヒエロニムスが4世紀末に訳した教会公認のラテン語訳聖書．

(3) Robinson（1997b: 22-30）での引用．

(4) ‘Ego enim non solum fateor, sed libera voce profiteor, me in interpretatione Graecorum, absque scripturis sanctis, ubi et verborum ordo et misterium est, non verbum e verbo, sed sensum exprimere de sensu’（St Jerome “Epistolae” Vol. II（395 CE/1565: 287））．英語訳はポール・キャロルによる．Robinson（1997b: 25）での引用．

(5) Lambert（1991: 7）は「逐語訳」を形態素ごとに翻訳するプロセスに言及するものであるとして，ギリシャ語の ‘syn-éidêsis’ からラテン語の ‘con-sci-entia’ と訳された例を挙げている．それと比べてランベール（José Lambert）の考える「意味対応」とは，「特定のテクストでの文法形式と意味に従って」個々の語や句を翻訳することを指し，より広い文脈的な意味に従うものではない．

代に至るまで続いている．起点テクストの意味を目標言語が引き継ぐという考え方を説明するために，聖ヒエロニムスは軍隊のイメージを使っている．原文が捕虜のように，征服者によって目標言語へと引っ張っていかれるイメージである（Robinson 1997b: 26）．ところが面白いことに，防御の一環として聖ヒエロニムスは，聖書の意味と統語法の両方の特別な「神秘性」を強調している．意味を変えていると見られると，異端の疑いをかけられることになるからである．

聖ヒエロニムスの説明は通常，翻訳における「直訳」と「自由訳」の両極を最も明確に表現したものだと受け取られているが，中国やアラブ世界のように翻訳が古来からの豊かな伝統を有するところでも同種の関心が生まれていたようである．例えば Eva Hung & David Pollard は，サンスクリット語から中国語に仏典を翻訳する歴史を論じる際に同様の表現を使っている．説明に使われている語彙は（例えば「意譯（意訳）」に関する注釈），西洋近代の翻訳用語の影響を示しており，一般的な議論の進め方が上記のキケロ／聖ヒエロニムスの両極と似通っている．美的で文体的な配慮がここでも注視され，テクスト・タイプの基本的な差異へ向かう最初の一歩があり，文学以外の起点テクストが文学テクストとは異なる形で扱われている．このような問題のいくつか，例えば音訳（transliteration）などについては，表音文字ではなく（中国の漢字のような）表意文字に外国の要素や名前を訳す場合と，最も明確に関係してくる．

こういったテクストの序文では，翻訳にあたっての選択について詳しく解説されており，その中で恐らく最も影響を及ぼしたのは紀元4世紀に仏典の広範な翻訳「事業」を指揮した宗教指導者の釈道安（Dao'an）である．この序文で検討しているのは，「仏典翻訳者が必ず直面するジレンマ，すなわち自由で短く洗練されたものにして中国の大衆の感覚に合わせるか，それとも，忠実で直訳的，繰り返しが多く，したがって読むに耐えない翻訳にするか」である（Zürcher 2007: 203）．興味深いことに，Erik Zürcher によれば，釈道安は新しいテクストを翻訳する際に採るべき方略を制約しようと試みている．“Prajñāpāramitā”（紀元382）の翻訳のまえがきで，釈道安は逸脱が許される五つの要素を列挙し（サンスクリット語構文の柔軟性，起点テクストの文学性の強調，そして論証部分，導入部分，要約での繰り返しの省略），さらに特に注意を要する三要素を挙げた（メッセージを新たな読者に向けること，起点テクスト語の神聖さ，多数の信奉者により蓄積された作品としての起点テクスト自体の特異な地位）．これらの要点は，亀茲国(訳注2)の偉大な翻訳者であり評釈者でもある鳩摩羅什（Kumarajiva）とその後継者に対し，紀元6世紀まで影響を及ぼすことになった．

近年，翻訳に関する中国その他の文献への関心が西洋で高まり，それにより理論的に重要な点が注目されている．紀元1世紀から8世紀にかけての仏典の伝播に特に関連させて，Eva Hung（2005: 84-5）は「原テクスト」と「起点言語」といった概念でさえ問題視されうることを指摘する．このような教えは，元来は口頭で朗誦されたものであることから多様な起点テクストを生み，サンスクリット語が優位に立つまでに「6言語か，それ以上」におよぶ中央アジアの起点言語が関わった可能性がある．多くの場合，サンスクリット語版は姿を消したが，中国語版は生き延びた．ということは当然，想定される起点テクストに照らしてチェックする方法はもはやなく，また多くの言語にとって中国語が起点言語に「なった」．また通常，目標テクストは協同作業によるもので，話し言葉によって語られた起点テクストが二言語話者によって口頭で訳され，アシスタントによって筆記された上で修正された．時には導師により加えられた説明が目標テクストに残る場合もあった（Zürcher 2007: 31）．Chan Leo Tak-hung（2001: 199-204）は，中国語の用語に相当する英語での訳語の問題を論じている．例えば「意譯（意訳）」などはこれまで自由に使われ過ぎており，現実には意味対応訳（sense-for-sense translation）か，あるいは意味的対応（semantic correspondence）とさえ考えられる（第3章参照）と主張する．「意譯（意訳）」の反対は「直譯（直訳）」で，これは「まっすぐな」あるいは「直接的な」翻訳と訳されており，「忠実性」を期するため起点テクストに密接に対応している．

「直訳」対「自由訳」という問題は，豊かな翻訳の伝統があるアラブ世界でも浮上している．バクダッドでは翻訳の大拠点が誕生し，ʻAbbāsid期（750-1250）には盛んに翻訳活動が行われた．その中心はギリシャ語の科学や哲学の文献をアラビア語に翻訳することであり，シリア語を仲介言語とすることが多かった（Delisle and Woodsworth 1995: 112）．Baker（1998: 320-1）は，Franz Rosenthal（1965/94）に依拠し，その時期に採用されていた二種類の翻訳方法について解説している．

（訳注2）現在の中華人民共和国新疆ウイグル自治区アクス地区クチャ県（庫車県）付近．

> 一つめ［の方法］は，Yuḥanna Ibn al-Batrīq and Ibn Nāʿima al-Himsi と関連し，極めて直訳的であり，一つ一つのギリシャ語の単語を等価のアラビア語の単語に訳すことで構成され，等価が存在しない場合はギリシャ語単語をアラビア語へ借用するというものであった．
>
> （Baker 1998: 320-1）

ベーカーによると，この逐語訳の方法は不首尾に終わり，二つめの意味対応訳の方法を使って修正しなければならなかったという．

> 二つめの方法は，Ibn Isḥāq and al-Jawahari と関連し，意味に対応した訳で構成され，流暢な目標テクストを創り出し，目標言語を歪めることなく原文の意味を伝えるものであった．
>
> （Baker 1998: 321）

ここでもまた，このような説明に使われる用語は古典的な西ヨーロッパの翻訳に関する言説の影響を強く受けている．だからといって，キケロや聖ヒエロニムスにより同定された翻訳の二極をアラブ文化に適用する可能性を否定するものではない．この問題を考える方法は当然，他にもある．サラマ＝カー（Myriam Salama-Carr）（Delisle and Woodsworth 1995: 112-15）は，翻訳方略が「概念レベルでも用語レベルでもアラブ・イスラム文化の土台となった新しい思想体系の確立」に貢献した点に，さらなる焦点を当てる．これにより長い年月をかけて，音訳よりもアラビア語の新語を使うことが多くなったという．アラビアの翻訳者も又，非常に創造的になり注釈や注記で教育的な説明を加えるようになった．ところが，グータス（Dimitri Gutas）は歴史的視点から記述し，科学や哲学の作品を古代ギリシャ語から組織的に翻訳する ʻAbbāsid 事業における翻訳スタイルの変遷について，単純な通史的な説明を排し，社会的，政治的，イデオロギー的な要素が関わっている点を強調する．その主張によると（Gutas 1998: 138-50），翻訳者に対し極めて幅広いテクストに取り組む要求がなされたことから一層の職業化が進み，ギリシャ語の知識も向上したが，翻訳スタイルの相違は進化として説明するのではなく，様々な「翻訳複合体」（翻訳者と後援者の集団）があったことから説明すべきである．それぞれの集団が独立して異なった言語資料で作業を行い，例えば，ガレノス（Galen）やヒポクラテス（Hippocrates）の作品の翻訳，哲学的な作品の翻訳，アリストテレス（Aristotle）の“Organon”（『オルガノン』）翻訳，ユークリッド（Euclid）の翻訳など，それぞれが異なった目標を持っていたのである．

2.2　マルティン・ルター

西洋社会において自由訳か直訳かの問題は，聖ヒエロニムス以来1,000年以上にわたって聖書や他の宗教，哲学のテクストの翻訳と密接に関連してきた．当然ながら，すべての文献がこのような制約を受けたわけではない．イタリアの人文主義者ブルーニ（Leonardo Bruni）は，高い聖職に就いていただけでなく古代ギリシャ・ローマ期の哲学作品を翻訳し，特に原著者の文体を保持しようと努めた．原文には言葉の秩序とリズム，そして「洗練と気品」が一体となっていると考えたためである（Robinson 1997b: 59-60）．ブルーニは実のところ，これこそが唯一の「正しい」翻訳方法であると感じており，彼にとって，このような文体上の要求は翻訳者の博識と文学性によってのみ満たされ，翻訳者は原文の言語についての卓越した知識と自分の言語での相当な文学的能力とを持ってこそ可能なのであった．

ところが聖書に関するかぎり，ローマ・カトリック教会が拘泥したのは聖書の確立した「正しい」意味が保護されることであった．一般に認められた解釈から離れた翻訳はどんなものでも異端であると考えられ，譴責（けんせき）されたり禁止されたりする可能性があった．さらに悪い運命が一部の翻訳者を待ち受けていることもあった．最も有名なのは，イギリスの神学者であり翻訳者であるティンダル（William Tyndale）とフランスの人文主義者ドレー（Etienne Dolet）で，両者とも火刑に処せられた．ティンダルはヘブライ語を含む10ヶ国語をマスターしたと言われる驚嘆すべき言語能力を持ち，その卓越した英語聖書は『欽定訳聖書（the King James Version）』の基礎をなすものとして後に使われたのであるが，逮捕され，異端のかどで裁判にかけられ，1536年にオランダで処刑された（Bobrick 2003, 第2章）．ドレーは1546年にソルボンヌの神学教授陣に糾弾された．

プラトン対話篇のひとつの翻訳で ‘rien du tout’（「何もない」）というフレーズを，死後存在するものについての一節の中で書き加えたことが理由とされる．この加筆により，ドレーは不死を信じていないとされ，神の冒瀆だという非難を受けた．このような翻訳の「誤り」によって，ドレーは処刑されたのであった．

しかし聖書の言葉や古代ギリシャ・ローマの学問についての研究や知識が進展を見せ，1516 年エラスムス版のギリシャ語による『新約聖書』や，宗教改革の一般的な機運に見られるように，印刷機の新技術で拍車がかかったこの進展は，ヨーロッパで「16 世紀の書籍の生産を支配していた」聖書翻訳の慣行に革命をもたらした（Bobrick 2003: 81）．文字通りではない，あるいは一般に受け入れられていない翻訳が，教会に対する武器と考えられ，使われるようになった．最も顕著なのはルター（Martin Luther）による極めて影響力のあった，『新約聖書（the New Testament）』（1522），のちに『旧約聖書（the Old Testament）』（1534）の中央東ドイツ語への翻訳である．ルターは宗教改革で中心的な役割を担い，言語的には，地方のものではあるが社会的に広く使われていた方言をルターが使ったことが大いに役立って，この種類のドイツ語が標準的なものとして強化されるに至った．翻訳で聖典が変容されたという非難に応え，ルターは有名な 1530 年の ‘Sendbrief vom Dolmetschen’（「翻訳に関する回状」）で自らを弁護した（Luther 1530/1963）[(6)]．ルターに向けられた特に悪名高い批判はドレーへの批判の引き写しであった．批判が集中したのは，ローマ人への手紙（三章二八節）に出てくるパウロ（Paul）の言葉のルターによる翻訳のあたりである．

Arbitramus hominem iustificari ex fide absque operibus.

Wir halten, da? der Mensch gerecht werde ohne des Gesetzes Werk, allein durch den Glauben.[(7)]

[We hold, that man is justified without the work of the law, only through faith.]

---

(6) Störig（1963: 14-32）で翻刻．現代のアメリカ口語英語の翻訳は Robinson（1997b :83-9）．この箇所のドイツ語の英訳は著者による．

(7) Störig（1963: 15）での引用．

ルターは教会から‘allein’（「唯一」）という語を付け加えたという理由で厳しい批判を受けた．起点テクストにはそれと同義のラテン語の単語（例：‘sola’）はなかったからである．このドイツ語では，良き人生には個人の信念で十分であり，‘the wok of the law’（つまり，宗教法）は不要だという意味になる，という非難である．ルターはこれに対し，「純粋で明瞭なドイツ語」[8]に翻訳しており‘allein’は強調のために使われている，と反論した．

ルターは聖ヒエロニムスに従い逐語訳の方略を拒絶した．逐語訳では起点言語と同じ意味を伝えることができず，時に理解不能になりかねないからであった．ルターが挙げる例は，マタイ（Matthew）による福音書（12章34節）からである．

Ex abundantia cordis os loquitur.

英語の『欽定訳聖書』では文字通りに訳されている．

Out of the abundance of the heart the mouth speaketh.

ルターは一般的なドイツ語のことわざを使って翻訳している．

Wes das Herz voll ist, des geht der mund über.[9]

このイディオムは「心からまっすぐに話す」という意味である．

ルターによる自由訳と直訳の議論の扱いは，聖ヒエロニムスが1100年以上前に書き記していたことを進展させるものではなかったが，聖書に一般の人々の言葉を注入したり，目標言語や目標テクストの読者に焦点を合わせた翻訳に配慮したことは重要であった．その典型が，人々の言葉をルターが称賛している有名な引用である．

---

(8) ‘Rein und klar Deutsch’（Störig（1963: 20）での引用）．
(9) 文字通りには，「心がいっぱいなので，口からあふれ出る」という意味．

家庭にいるお母さんに聞いてみなさい．道端にいる子ども，市場にいる普通の人に聞いてみなさい．その人たちの口元，話しぶりを見なさい．そして，そのように訳しなさい．そうすれば，その人たちにドイツ語で語りかけていると理解し分かってもらえるのです．(10)

その時以降，一般のドイツ語という言語が明瞭で力強いものになった．これはルターの翻訳のお陰である．

2.3 忠実性，聖霊，真理

Flora Amos は著書 “Early Theories of Translation” で，翻訳理論の歴史を，決して容易に区分できるものでもなく秩序だって進展したものでもないと考察している（Amos 1920/73: x）．理論は概して相互のつながりがなく，実務家が書いた序文やコメントは広範にあるが，以前に書かれたものを殆ど無視したり知らなかったりするものばかりであった．ひとつの説明としては以下がある．

このように批評に連続性が欠如しているのは，おそらく部分的な理由として，翻訳者が自分の目的や方法を明確に間違いなく言葉で表現する力を得るのが遅かったということから説明できる．

（Amos 1920/73: x）

例えば，Amos は（p. xi），初期の翻訳者は「忠実性」，「正確性」そして「翻訳」という用語すら，相当に違った意味で使うことが多かったと指摘している．

このような概念を調査したのは，ケリー（Louis Kelly）による “The True Interpreter”（1979）であった．Kelly は西洋の翻訳理論の歴史を詳細に調べ，古代（ギリシャ・ローマ時代）の作家の教えから始め，「密接不可分に絡まった」（p.

---

(10) ‘Man muß die Mutter im Hause, die Kinder auf der Gassen, den gemeinen Mann auf dem Markt drum fragen, und denselbigen auf das Maul sehen, wie sie reden und darnach dolmetschen; da verstehen sie es denn und merken, da? man Deutsch mit ihnen redet’（Störig 1963: 21 での引用）．

205）と形容した「忠実性」,「聖霊」,「真理」などの用語の歴史の跡をたどった.忠実性（fidelity）（もしくは少なくとも ‘fidus interpres’，つまり「忠実な解釈者」である翻訳者）という概念は，逐語的な直訳として当初はホラティウスによって退けられた．確かに17世紀末になって初めて，忠実性が著者の言葉よりはむしろ意味に誠実であることと実際に同一視されるようになった．Kelly（1979: 206）は ‘spirit’ を同様に二つの意味があるものとして記している．ラテン語の ‘spiritus’ は創造的なエネルギーないしひらめきを意味し，文学に特有のものであり，他方，聖アウグスティヌス（St Augustine）は神の聖霊という意味で使った．そして同時代の聖ヒエロニムスは両方の意味で使っていた．聖アウグスティヌスにとって，聖霊と真理（truth, veritas）は密接に絡み合っており，真理は「内容」という意味を持っていた．聖ヒエロニムスにとって真理とは，ウルガタ聖書で回帰した真正なヘブライ語テクストを意味した．12世紀になって初めて真理が「内容」と完全に同一視されるようになった，とケリーは考えている．

「神の言葉」が至高である聖典の翻訳では，忠実性（言葉と，把握した意味の両方に対する），聖霊（言葉のエネルギーと神の聖霊），そして真理（「内容」）がこのように相互に連関していたことは容易に確認できる．ところが，17世紀に至るまでに，忠実性は一般的に言葉に対する単なる忠実性を超えたものとしてとらえられるようになり，‘spirit’ は元々持っていた宗教的な意味を失い，それ以降はテクストや言語の創造的なエネルギーという意味で専ら使われた．

2.4　初期の体系的な翻訳理論の試み：ドライデン，ドレー，ティトラー

Amos（1920/73: 137）によれば，17世紀の英国はデナム（John Denham），カウリー（Abraham Cowley），ドライデン（John Dryden）がいたことから，翻訳理論において重要な前進を見せ，「熟慮を重ねた理にかなった説明は，目的と意味において間違いのないもの」となった．当時，英語への翻訳はギリシャ・ローマ時代の古典の詩の翻訳にほぼ完全に限定されており，その一部は極端な自由訳であった．例えばカウリーは，“Pindaric Odes”（1640）の序文で，「フランス語やイタリア語の散文の形へと忠実に逐語的に変換された」詩を攻撃している（Cowley 1640, Amos 1920/73: 149 から引用）．カウリーの方法はまた，翻訳における

避けられない美の喪失に対処するうえで「機知や創作」を使って新たな美を創り出すというものである．このようにしてカウリーは，頌詩の訳で「好きなように取ったり省いたり加えたり」したことを認めている（Amos, p. 150）．カウリーは，このように非常に自由な翻訳の方法に模造という用語さえ提案している（Amos, p. 151）．この考えはローマ時代とは違い，このように自由な方法により翻訳者が原文を超えることができるというのではなく，むしろ起点テクストの「心（spirit）」がもっともうまく再現される方法ということである（Amos, p. 157）．

このような非常に自由な翻訳手法に反応したのは，もう一人のイギリス詩人であり翻訳者であるドライデンであった．ドライデンによる翻訳プロセスの簡潔な説明は，後に続く翻訳の理論と実践に多大な影響を与えることになる．1680年オウィディウス（Ovid）著“Epistles”の翻訳の序文でDryden（1680/1992: 17）は，すべての翻訳は三種類のカテゴリーに帰するとしている．

(1)「置換訳（メタフレーズ metaphrase）」:「語対語，行対行」の翻訳で，直訳に相当する．
(2)「換言訳（パラフレーズ paraphrase）」:「自由裁量のある翻訳で，翻訳者は著者を見えるままにするので姿が失われることはないが，著者の言葉は，意味に比べ，それほど厳密に従うわけではない」．これはフレーズ全体を変えることにもなり，多かれ少なかれ忠実な訳あるいは意味対応訳に相当する．
(3)「模造訳（イミテーション imitation）」:言葉と意味の両方を「見捨てる」，つまりカウリーの極めて自由な翻訳に相当するもので，多かれ少なかれ翻案（adaptation）である．

ドライデンは，置換訳を採用するジョンソン（Ben Jonson）のような翻訳者を「言葉の模倣者」だとして批判する（Dryden 1680/1992: 18）．このような「隷属的な，文字通りの」翻訳は，「それはまるで足枷をはめられた脚で，綱の上で踊るくらい愚かな仕事だ」という有名な直喩を使って，今では退けられている．同様に，ドライデンは模造訳も拒否する．翻訳者が起点テクストを「著者が同じ時代と国に生きていることを想定して書くための原型として」使うからである（p. 19）．ドライデンの見解では，模造訳は翻訳者がほかの翻訳手法よりも可視化されるが，「亡くなった人の記憶や名声に対して［…］最大の誤り」を行うものであるという（p. 20）．ドライデンはしたがって換言訳を選好し，置換訳や模造訳は避けたほうがよいとしている．

ドライデンによるこの三つ組のモデルは，それ以降の翻訳に関する文章にかなりの影響を及ぼした．しかし，ドライデン自身が立場を変えていることも事実である．ウェルギリウス（Virgil）著 "Aeneid"（1697）の翻訳での献辞で，換言訳と直訳の中間点への移行を示している．

> 私は換言訳と直訳という両極端の間に向かってゆくのが適していると考えた．できるだけ原著者の近くから離れず，著者のすべての気品を失わず，気品の極みが存する言葉の美を保持することである．
>
> （Dryden 1697/1992: 26）

自らの翻訳手法の説明は，実際のところ，上記の模造訳の定義と類似点を有している．「敢えて言うなら［…］ウェルギリウスがイングランドで同時代に生まれていたならば話したであろう英語を話させるように務めた」（Dryden 1697/1992: 26）．

したがって一般的には，ドライデンや当時の翻訳に関する他の文章は非常に規範的であり，翻訳が成功するためには何が必要かを提示するものであった．ところが，ドライデンの文章は翻訳理論にとって重要であったけれども，依然として当時の言葉に満ちたものであった．起点テクスト著者の「才」，原文の「力」と「心」，原文の意味を「完全に理解する」必要性，翻訳の「匠」などである．

翻訳に関する他の著者もまた，同様に規範的な方式で自らの「原理」を表明し始めた．最初のひとりが，上記の通り悲しい運命を迎えたドレーである．1540年の原稿 'La maniére de bien traduire d'une langue en aultre'（「ひとつの言語から別の言語にうまく翻訳する方法」Dolet 1540/1997）で以下のように，重要度の順に五つの原理を打ち出している[11]．

（11）Bassnett（1980/2002: 61）での引用．全文は Robinson（1997b: 95-7）．

(1)翻訳者は原著者の意味と素材を完全に理解しなければならない．もっとも，曖昧な点を明確にするのは自由であってよい．
(2)翻訳者は，言語の尊厳を損ねないためにも，起点言語と目標言語の両方の知識を完全に持っていなければならない．
(3)翻訳者は逐語訳を避けるべきである．
(4)翻訳者はラテン語的な表現や変わった表現形式を避けなければならない．
(5)翻訳者は不自然さを避けるために表現豊かに言葉を組み立て，つなげなければならない．

ここでも，意味を再現すること，逐語訳を避けることに注意が向けられている．しかし，表現豊かで自然な目標言語の形式に重きが置かれた根底には，新しい地域口語としてのフランス語の構造や独立性を強化したいという願いがあった．

英語では，おそらく最初の体系的翻訳研究はティトラー（Alexander Fraser Tytler）の‘Essay on the principles of translation’（1790）である．ドライデンの原著者志向の記述（「原著者が目標言語を知っていたら書いたであろうように書く」）とは違い，ティトラーは「良き翻訳」を目標言語の読者を志向した言葉で次のように定義している．

> 原作品の真価が完全に別の言語に吹き込まれ，原作品の言語を話す人々にその真価がはっきりと理解され，強く感じ取られるのと同程度に，その言語を使う人々にもはっきり理解され，強く感じられるような翻訳．
>
> （Tytler 1797: 14）

そして，ドレーの五「原理」に対し，Tytler（1797: 15）は三つの一般的「法則」または「規則」を提示する．

(1)翻訳は原作品の考えを完全に書き写さなければならない．
(2)書く際の文体や表現様式は原文と同じ特徴をもっていなければならない．
(3)翻訳は原文のもつ読みやすさをすべてもっていなければならない．

ティトラーの第一の規則は，原文の「完全な知識」を有する翻訳者に言及している点で，ドレーによる最初の二原理と一致する（Tytler 1797: 17）．そのテーマにおいて能力があり，著者の「意味や意味づけを忠実に注入」する翻訳者像である．ティトラーの第二の規則は，ドレーの5番目の原理同様，著者の文体に関係する．原著者の文体の「真の特徴」（p. 113）を特定すると共に，それを目標言語で再現する為の能力と「正しい審美眼」を有するというものである．三番目の規則（pp. 199-200）では，起点テクストの「文章の読みやすさをすべて」有することを語っている．ティトラーはこれを最も難しい課題であるとみなし，伝統的な比喩で，絵画の模写を造る画家に喩えている．したがって，「綿密な模倣」は避けなければならない．「原文の読みやすさと心」を損ねるからである．ティトラーの解決法（p. 203）は，翻訳者が「まさに著者の魂を取り込む」ことである．

ティトラー自身は，最初の二つの規則は翻訳に関する二つの大きく異なった見解を表していることを認めている．この二つとは，内容の忠実性と形式の忠実性の両極と見ることもできるし，あるいはキケロと聖ヒエロニムスによる意味対応訳と逐語訳の二項対立を別の言い方で表現したとさえ考えられる．しかし重要なのは，ドレーが自身の原理で行ったように，ティトラーも相対的な重要度によって三つの規則をランク付けしていることである．このような階層的な分類はさらに現代に近い翻訳理論では重要さが増している．例えば，翻訳の「損失（loss）」と「付加（gain）」の議論は現在にまで持ち越されているが，何かを「犠牲」にしなければならない際に決断する方法として規則の重要度の順位をティトラーが示唆していることが，ある意味で布石になっている（p. 215）．したがって，文章の読みやすさも様式を重んじる必要があれば犠牲にされ，意味を重視するために様式から離れる場合もある．

ティトラーの法則は，19世紀から20世紀の変わり目に高名な中国の思想家であり翻訳者である厳復（Yan Fu）に影響を与えたと一部で言われている．ハクスリー（Aldous Huxley）著“Evolution and Ethics”（1895）の翻訳書に寄せた短い序文で，厳復は信（xin），達（da），雅（ya）という三つの翻訳原理を述べ，これが20世紀の中国における翻訳の理論と実践に多大な影響を及ぼした．厳復自身は，「達（流暢さ）」より「信（忠実性）」を重んじることが多かった（Chan 2004: 4-5）．しかし重要性の順序に常に従ったわけではなく，実際には，哲学テクストの選択，そのテクストに操作を加えることを通し，自らの考えを普及させたのである（Sinn 1995）．

2.5 シュライアーマハーと異なるものへの価値付与

17 世紀は模造訳について，18 世紀は同時代の読者のために起点テクストの心を再創造するという翻訳者の任務についてが扱われたが，ゲーテ（Johann Wolfgang von Goethe），フンボルト（Wilhelm von Humboldt），ノヴァーリス（Novalis）(訳注3)，シュレーゲル（August Wilhelm Schlegel）(訳注4) といった 19 世紀初頭のドイツ・ロマン派は，翻訳可能性ないし翻訳不可能性の問題や翻訳の神話的な性質について議論した（Lefevere 1977; Snell-Hornby 2006, 第 1 章参照）．1813 年，神学者であり翻訳者であったシュライアーマハー（Friedrich Schleiermacher）は翻訳に関する極めて影響力のある論文 "Über die verschiedenen Methoden des Übersetzens"（「翻訳のさまざまな方法について」）(12)(訳注5) を執筆した．シュライアーマハーは現代プロテスタント神学や現代解釈学の始祖として認められている．この解釈学は，解釈に対するロマン派的アプローチであり，絶対的真理ではなく，個人の内的な感情や理解に基づいている．

本章でこれまで議論してきた他の翻訳理論とは異なり，シュライアーマハーは最初に二つの異なるテクスト・タイプに携る二つの異なるタイプの翻訳者を区別している．

(1) 'Dolmetscher' 商業テクストを翻訳する者
(2) 'Übersetzer' 学問・芸術系のテクストに携る者

（訳注 3）Novalis は Friedrich von Hardenberg のペンネーム．
（訳注 4）原文では 'Schegel' と表記されているが，正しくは 'Schlegel'．
（12）Störig（1963: 38-70）で翻刻．抄訳は Schulte and Biguenet（1992: 36-54），全文訳は Lefevere（1992b: 141-66）と Robinson（1997b: 225-38）．
（訳注 5）三ッ木道夫訳（2008）『思想としての翻訳：ゲーテからベンヤミン，ブロッホまで』白水社，第 2 章「フリードリヒ・シュライアーマハー：翻訳のさまざまな方法について」．

二つめのタイプがまさにシュライアーマハーが，高度に創造的な地平にあって言語に新たな命を吹き込むもの，と見ているものである（1813/2004: 44）．学問や芸術のテクストを翻訳するのは不可能だと思われるかもしれない．起点テクストの意味が文化的な縛りの非常に強い言語で表現され，目標言語が完全に対応することは決して ないからである．しかし真の問題は，シュライアーマハーによれば，どのように起点テクストの書き手と目標テクストの読み手を引き合わせるか，である．シュライアーマハーは逐語訳や意味対応訳，直訳，忠実な訳，自由訳といった問題を超えたところに進み，「真の」翻訳者には二つの道しか開かれていないと考える．

> 翻訳者は，作者をできるだけそっとしておいて読者を作者に近づけるか，あるいは，読者をできるだけそっとしておいて作者を読者に近づけるか，のいずれかである．[13]
>
> （Schleiermacher 1813/2004: 49）

シュライアーマハーが好んだ方略は，読者を作家に近づけるという，一つめのほうである．これは，原著者がドイツ語で書いたと仮定して翻訳を書くのではなく，「ドイツ人が原語で作品を読んだときに受けるのと同じ印象を，翻訳を通して読者に与える」ことである（p. 50）[14]．これを達成するために，翻訳者は「異化作用（alienating）」（その反対は「同化作用（naturalizing）」）という翻訳手法を採って，自らを起点テクストの言語や内容に向かわせることが必要である．異なるものへの価値付与を行い，それを目標言語に移し変えるのである．

この方法論の結果をいくつか挙げてみる．

（13）‘Entweder der Uebersetzer läßt den Schriftsteller möglichst in Ruhe, und bewegt den Leser ihm entgegen; oder er läßt den Leser möglichst in Ruhe, und bewegt den Schriftsteller ihm entgegen’（Störig 1963: 47 での引用）．

（14）‘Dem Leser durch die Uebersetzung den Eindruck zu geben, den er als Deutscher aus der Lesung des Werkes in der Ursprache empfangen würde’（Störig 1963: 49 での引用）．

(1) もし翻訳者が起点テクストから受けるのと同じ印象を伝達しようとするのであれば，この印象というものは目標テクストの読者の教育レベルや理解の程度にも左右され，それは翻訳者自身の理解と異なったものになる可能性がある．

(2) 翻訳用の特別な言葉が必要なのかもしれない．例えば，ある個所では想像力に富んだ言葉で埋め合わせ，他の場合では異質なものの印象を伝えきれない陳腐な表現で済ませなければならない．（p. 45）

シュライアーマハーの影響は絶大である．実のところ Harald Kittel and Andreas Polterman（1998: 424）によれば，「実質的に近代のあらゆる翻訳理論は，少なくともドイツ語圏では，何らかの点でシュライアーマハーの仮説に応えている．根本的には何も新たな方法論はないと思われる」．シュライアーマハーが異なったテクスト・タイプを考えたことは，ライス（Katharina Reiss）のテクスト・タイプ類型論でさらに注目されるようになった（本書第 5 章参照）．また，「異化作用」と「同化作用」の対義語は，ヴェヌティによって「異質化」と「受容化」として取り上げられている（第 9 章参照）．加えて，「翻訳用の言葉（language of translation）」の展望はベンヤミン（Walter Benjamin）が追究し，翻訳の解釈学の記述はスタイナー（George Steiner）の「解釈学的運動」で明らかに見られる（第 10 章参照）．

2. 6　19 世紀と 20 世紀初頭英国の翻訳理論

英国において，19 世紀及び 20 世紀初頭に中心だったのは，起点テクストの地位と目標言語の形式であった．この典型は，ニューマン（Francis Newman）とアーノルド（Matthew Arnold）との間のホメロスの翻訳をめぐる論争である（Venuti 1995: 118-41, Robinson 1997b: 250-8 参照）．ニューマンは意図的に古風な翻訳をすることによって作品の異質性を強調し，なおかつ広い読者層に訴えられると考えた．このことに対して，アーノルドは “On Translating Homer”（1861/1978）で断固として反対し，透明な翻訳手法を唱道した．アーノルドは議論に勝利を収めたが，重要なことは，読者に対し学者に信頼を置くよう勧めていることである．学者だけが目標テクストの効果を起点テクストと比較する資格があるからだと言う．Susan Bassnett（2002: 75）が指摘しているように，このようなエリート主義的な考え方は翻訳の価値を下げてしまい（目標テクストは起点テクストまでの高水準に到達することはありえず，原文の言語でその作品を読むほうが常に好ましいと感じられてしまった），また翻訳を社会の周辺に追いやってしまった（翻訳は一握りの選ばれたエリートの為だけに生み出されるとされた）．この考え方は今日に至るまで英国で優勢だとさえいえよう．例えば，大学入学前や言語を学ぶ大学生でさえも，翻訳の手を借りないように指導されることがよくある．大衆文学が英語に訳されるのは極めてわずかであり，英国で字幕つきの外国映画が大手の映画館や BBC，ITV など主なテレビ・チャンネルで上映されるのは比較的少数である．

2. 7　現代翻訳理論へ向けて

スタイナーは翻訳理論の黎明期の歴史を詳細に独特のやり方で区分している中で，「翻訳に関して何かしら根本的なことや新しいことを述べたのは全部を合わせたとしても」わずか 14 人しかいないと名前を挙げた（Steiner 1998: 283）．この中には，聖ヒエロニムス，ルター，ドライデン，シュライアーマハー，20 世紀ではとりわけ，パウンド（Ezra Pound）とベンヤミンが入っている．スタイナーは実際，この期間に取り上げられた理論的な考えの範囲は「非常に小さい」としている．

> これまで我々はどれほどの翻訳理論が―もちろん理想化された翻訳の処方箋とは区別される翻訳理論なるものがあるとしての話だが―「文字」か「聖霊」か，あるいは「言葉」か「意味」かといった漠然とした二者択一の周囲を変わりばえもなく旋回しているかを見てきた．こうした二分法に分析可能な意味があると考えられているのだ．しかし，これこそ中心的な認識論的弱点であり，またごまかしなのである．
>
> （Steiner 1998: 290）

他の現代の理論家も賛同しているのは，この期間の翻訳に関する著述の主な問題点は判断基準が曖昧で主観的であったということと（Bassnett 2002: 137），判断そのものも極めて規範的であったことである（Wilss 1996: 128）．このような曖昧さや矛盾に対する反応として，20 世紀後半の翻訳理論は様々な試みを行い，使用できる用語として「直訳」と「自由訳」という概念を再定義することで，「意味」を科学的な用語で記述し，そして翻訳現象の体系的な分類をまとめた．このような方法が，本書の次章の核心となっている．

事例研究

以下の事例研究では簡単に，「直訳対自由訳」の議論が現代の翻訳に関する文章でも使われ続けている二つの分野を検討する．事例研究 1 では翻訳評価基準の二つの例を検討する．事例研究 2 では 1981 年に出版され 1992 年に改訂されたプルースト（Marcel Proust）の "A la recherche du temps perdu"（『失われた時を求めて』）の英語版翻訳(15)から，現代の翻訳者の序文を見る．両事例の狙いは，初期の理論の考え方や語彙がどの程度，それ以降の翻訳に関する文章で影響力を持っているかを確認することにある．

事例研究 1：評価基準

評価基準の分野は，専門性の高い著者（翻訳試験の採点者や実務翻訳の校正者）が，専門性の低い読者（通常は試験の受験者や経験が浅いプロ翻訳者）に宛てて書いている分野である．初期の翻訳理論のかなり曖昧な語彙がどの程度使われているかを見るのも興味深い．

The Chartered Institute of Linguists'（IoL）Diploma in Translation は，翻訳者への登竜門となる英国では最も広く知られた資格である．20 世紀末，IoL の "Notes for Candidates"(16) では翻訳を評価する以下の基準を定めている．

(1)正確性：情報の正確な転移と完全な理解の証左
(2)語彙，イディオム，専門用語，レジスターの適切な選択

---

(15) Marcel Proust（1996）"In Search of Lost Time, Vol. 1: Swann's Way", London: Vintage.
(16) "Diploma in Translation: Notes for Candidates"（1990）London: Institute of Linguists. これらの覚書は後に 1996 年の試験から修正されたが，翻訳を記述するための言葉の種類はほとんど変わっていない．

(3)結束性，一貫性，構成
(4)句読法の技術面の正確性など[17]

「正確性」の問題は2度現われている（基準1と4）.「正確性」はある意味で「忠実性」「聖霊」「真理」などの言葉の現代版である．IoLのテクストでは，正確性をより綿密に定義する試みがなされており，「情報の正確な転移」と「完全な理解」から成るとしている．第3章で議論するように，このような用語は1960年代にナイダ（Eugene Nida）によって提唱された術語の影響を受けている．基準2の「語彙などの適切な選択」は，目標言語寄りの手法を示すものであり，基準3（結束性と一貫性）は談話分析の分野に導くものである（第6章参照）.

したがって，これらの基準は翻訳の明確な規則を形式化する試みである．しかし，受験者の試験結果に関する試験官の報告は，誤りや良い翻訳の例は詳細に記されているが，初期の翻訳理論の曖昧で意見の分かれる語彙が散りばめられている傾向がある．当時の典型的なIoL試験官報告（フランス語から英語，文書1，1997年11月）では，多くの学生の誤りがかなり詳細に説明されているが，目標言語の流暢さの基準もなお強調されている．したがって，「ぎこちなさ」という批判が四つの翻訳に向けられており，「英語でもっと自然な翻訳結果を出すために」センテンス構造を変容させている受験者が賞賛されている．おそらく最も興味深い点は，「直訳（literal translation）」という用語の使用である．「文字通り（literal）」は4回，つねに批判として，例えば類似形異義語[訳注6]を直訳した場合に使われている．ところが興味深いことに，「直訳」は相対的な用語として使われているのである．例えば，「あまりに直訳すぎる翻訳スタイル（*too* literal a style of translating）」（強調は筆者マンデイ）だと「予算を議会に伝達する

(17) 五番目の基準は，文書1の一部である注釈に対して追加されているので，ここでは検討不要.

(訳注6) 原文は ‘false friend’. これは，自国語と類似した形で意味の異なる外国語（大修館『ジーニアス英和大辞典』），自国語内に類似した形の外国語の単語があり，両者は同じ意味だと誤解してしまうもの（ロングマン『現代アメリカ英語辞典』）のことである.

(transmitting the budget to the Chamber)」(「予算を送る (*delivering* the budget)」ではなく) というような目標テクストが生まれ，また ‘déjeuner-débat’ の「完全な直訳 (*totally* literal translation)」(強調は著者マンデイ) は「極めて不自然な英語を生んでしまった」. おそらく，この「完全な直訳」は「ランチタイム・トーク (lunchtime talk)」であるべきを「ランチ・ディベート (lunch-debate)」とするようなものであろう．しかし，‘too’ や ‘totally’ という副詞と共起する形容詞 ‘literal’ の属性は，‘literal’ だけでは今は極端なものと見なされないということを示している．むしろ，上記 2.1 節で示唆したように，‘literal’ は忠実な語彙の翻訳を意味するのに使われており，この方略が極端に採られる場合 (‘too’ や ‘totally’ literal な場合) のみ，目標言語の「自然さ」が侵されるのである．

同様の基準は UNESCO “Guidelines for Translators”[18] でも繰り返されている．ここでも「正確性」が「まず第一の要件」である．翻訳の目標を記述したものによると，起点テクストの著者が「言おうとしていた」ことの理解に達したあと，翻訳者はその意味を (この場合) 英語に訳し，「原文がしかるべきその外国語の読者に対して与える印象と同じ印象を英語の読者にもできるだけ生み出す」べきであるとしている．これは，読者を著者のほうに引き寄せる手法を言うシュライアーマハーの言葉遣いとかなり類似点がある．ところがこれを達成するのに適切な方法としてユネスコ (UNESCO) が提案しているのは，「異化作用」方略に従うことではなく，翻訳「らしき」ものと，翻訳者個人の言葉の使い方が「度を超して特徴がある」ために「変わっている」という印象を読者に与えるものとの中間点を見つけることである．

ユネスコの基準に関して，特に興味深い点をさらにいくつか挙げてみよう．

＊第一に，両極のバランス (「翻訳らしい」ことと「度を超して特徴を表している」こと) が，イメージ (「果てしのない綱渡りの妙技」) を使って説明されている．これは，ぎこちない直訳をする訳者を「足枷をはめられた脚で綱の上を踊る」者に喩えたドライデンの有名な直喩に非常に近い．

(18) Joan Kidd (1981, revised by Janet Doolaege 1990) “Guidelines for Translators”, document for UNESCO translators, Paris: UNESCO.

* 第二に，ユネスコの文書は，目標テクストの読者が目標言語の話者ではない場合があることに配慮している．
* 第三に，テクスト・タイプによって提案される解決策もまちまちである．雑誌用に翻訳される記事の文体は「読みやすい」ものでなければならないが，他方，政治的に微妙な演説は誤解を避ける為，「非常に注意深い翻訳」が必要になる．

三つのポイントの第一は，翻訳についての古い比喩が現代の文章でさえも生き残っていることを示している．第二の点は，より読者を志向した手法について触れている．もっともこの文書では，翻訳用の「特別な」言葉の存在は退けられている．第三の点は，テクストが異なれば妥当な手法も異なるという認識を示している．これはシュライアーマハーがテクストを商業と哲学に分類して特筆した点であるが，第5章で論じるように，ライスのテクスト別アプローチとはるかに関係が深い．

事例研究2：翻訳者による序文

翻訳者による序文は，初期の時代に採られていた翻訳手法に関する広範な情報源である．しかし，英語による現代の出版物で翻訳者の序文はめったに書かれることはなく，今では古典の新訳出版を正当化するのに使われる場合もある．ここで扱うのは，プルーストの“A la recherche du temps perdu”[19]の英語訳改訂版の事例である．最初は1920年代に著名なモンクリーフ（Charles Kenneth Scott Moncrieff）がフランス語から英語に翻訳し，そして英語版が1981年にキルマーチン（Terence Kilmartin）によって，そして1992年にはエンライト（D. J. Enright）によって改訂された．

1981年訳のはしがき（p. x）でKilmartinは改訂する理由を，フランス語原著の改訂・修正版がその後に出版され，翻訳の「間違いや誤った解釈」を訂正する必要があったからだとしている．1981年訳には，4ページにわたる「翻訳に関する注釈」も付けられている．キルマーチンが書いていることで最も興味深

（19）原注15参照．

い点のひとつは，既訳に加えた修正を説明する際に使っている語彙である．

> 私は［翻訳］を差し出がましくいじることを自己目的化するのは控えた．しかし，翻訳者が忠誠であるべきは原著者に対してであり，プルーストの意味や声の調子に忠実であろうとする上で，私はあちこちで広範な修正を余儀なくされた．
>
> （p. ix）

著者に対する「忠誠」と意味に対する「忠実」という考えは，17 世紀に書かれたものを殆どそのまま使ったかのようである．「意味」と「声の調子」を分けることも，形式対内容に関する議論から来ているかのように見える．解説で「調子」といった一般的な用語を使用しているのも，初期の文献での不正確な使用を髣髴とさせる．

起点テクストの「直訳」だと受け取られたものも批判を受けている．Kilmartin（p. x）は 1920 年代の翻訳に言及し，モンクリーフが「フランス語のイディオムや言い回しを文字通りに翻訳する傾向がある」ことから，言い回しが「変に聞こえる」と記している．またモンクリーフが，特に従属節がいくつも入った長文で，原語の統語法に「あまりに密着し過ぎる」ために，目標テクストが「英語らしくない」感じになるとも言う．つまり，「フランス語法のかすかな痕跡が長い掉尾文(訳注7)のいくつかに残っていることで，意味が曖昧になり調子が歪んでしまった」と Kilmartin は主張する（p. x）．「フランス語法のかすかな痕跡」が否定的な意味合いで使われているのは，このコンテクストではかなり驚くべきことに思える．キルマーチンは偉大なフランス人作家の翻訳の構文が明らかに異質性を帯びていることを批判し，英語の文体に完全に（シュライアーマハーの用語を使うと）「同化」する翻訳を選んでいる．

プルーストの名作の重要な新訳が，2002 年ペンギン・ブックス社（Penguin）から複数巻で刊行されるようになった．各巻は違う訳者が担当し，翻訳プロジ

（訳注 7）原文は ‘period’．これは ‘periodic sentence’ とも言い，いくつかの節が複雑に結合してできた複文で，文尾に至って初めて文意が完成するもの．．

ェクト全体は，ケンブリッジ大学のプレンダガスト（Christopher Prendergast）が編集主幹として監修している．プレンダガストと，第一巻“The Way by Swann's”[20]（『スワン家の方へ』）を翻訳したデイヴィス（Lydia Davis）が書いた序文では，直訳－自由訳の理論的な問題に関し，いささか洗練された認識が示されている．したがってプレンダガストは，ナボコフ（Vladimir Nabokov）の直訳の勧めや現在の同化作用と異質化翻訳をめぐる議論を特筆し（第9章参照），キルマーチン／エンライトの手法を次のように退ける．

> プルーストの並外れた統語構造を英語でどのように扱うかは，極めて難しい問題である．フランス人の耳にさえ変に聞こえることもしばしばあり，異質化する力を保持するには英語らしくない奇妙な形が時として最も優れた方法である，というような，もっともな議論もありえる．
>
> （Prendergast in Proust 2003: xi）

デイヴィスも同様に，次の通り狙いを主張する．

> あらゆる面で可能な限りプルーストの原文から離れず，文体さえもできる限り合致するように［…］，プルーストの語彙選択，語順，統語法，言葉の繰り返し，句読点を可能な限り近い形で再現し，可能であれば音の扱い方，文章のリズム，そしてセンテンス内の頭韻や母音押韻さえも再現する．[訳注8]
>
> （Davis in Proust 2003: xxxi）

事例研究の考察

これら二つの短い事例研究が示しているのは，初期の翻訳理論の語彙が現在に至るまで広く使われ続けていることである．「文字通り」，「自由」，「忠誠」，「忠実性」，「正確性」，「意味」，「文体」，「調子」という言葉は何度も繰り返し

（20）Marcel Proust（2003）“The Way by Swann's”, London: Penguin Classics, originally published by Penguin in 2002.

（訳注8）原文では‘Davies’と表記されているが，正しくは‘Davis’である．

出現し，体系的な理論的背景の基盤のある分野（例えば評価基準）でさえも，このような言葉が繰り返し使われている．これまで紹介した意見の大半は，「自然な」目標テクストへ傾いており，元々目標言語で書かれたかのように読めるものをよしとする傾向にある．このような事例では，「直訳」は敗退したと言えるだろうが，アーノルドが提唱したようなエリート主義的なヴィクトリア朝様式の翻訳も，もはや受け入れられるものではない．またシュライアーマハーが推奨した「異化作用」方略は，追随する者がいない．残るは，ルターが提唱した「自然な」，ほとんど「日常的な」口語様式である．しかしペンギン社の新プルースト訳はアプローチの変化の可能性を示唆しており，IoL テクストで「文字通り（literal）」という用語の前につけられた修飾語は，長い時を経る間にこの語の使われ方が変容したことを示している．「文字通り」は現在では，「原文に強く密着する」ことであるが，これよりもさらに進む翻訳者は自らを批判に晒すことになる．「想像力に富み」「こなれた」翻訳が今なお好まれているからである．しかし，この事例研究で検討したテクストは，主に一般読者や駆け出しの翻訳者向けに書かれたものである．次章で見るように，20 世紀後半の翻訳理論の方向は一般的に，翻訳プロセスのさまざまな要素を体系化するほうへと向いている．

まとめ

キケロから 20 世紀に至る西洋の多くの翻訳理論は，翻訳のあるべき姿は直訳（逐語訳）か自由訳（意味対応訳）かという，聖ヒエロニムスがラテン語への聖書翻訳で論じた有名な二者択一に関して繰り返し議論することが中心であった．聖書翻訳をめぐる論争が 1,000 年以上にわたって西洋では翻訳理論の中心であった．初期の理論家というのは，訳書の序文で自分の訳出方法を正当化する理由を提示した翻訳者が多く，それ以前に論じられたことに殆ど関心を払わなかった（ないし入手できなかった）．17 世紀後半にドライデンが提唱した 3 点によって，より体系的で精確な翻訳の定義がなされるようになり，他方，シュライアーマハーが異質なテクストを尊重したことは現代の学者に相当大きな影響を与えることになった．近年，西洋では翻訳に関する中国語での言説に関心が高まりつつある．これは仏典の翻訳や厳復の立場を中心としている．

参考文献案内

翻訳に関する選集や史書は非常に多い．英語は特に多く，Classe（2000），France（2000），そして5巻におよぶ“Oxford History of Literary Translation in English”（Braden et al. 2004，Ellis 2003，Gillespie and Hopkins 2005，France and Haynes 2006，Venuti 近刊予定）がある．本章はじめの主要文献のリストに含まれているものに加え，以下が特に興味深い．Amos（1920/73），Delisle and Woodsworth（1995），Kelly（1979），Rener（1989），G. Steiner（1975/98），T. Steiner（1975），そして Robinson（1997b），Schulte and Biguenet（1992），Lefevere（1977, 1992b），Störig（1963）の選集におさめられている文献．国，時代，文化や言語など具体的な関心にしたがって読むとよいだろう．Delisle and Woodsworth（1995）と Baker（ed.）（1998/2008）は広範な文化における翻訳について背景知識を得るのに役立つ．Kelly（1979）はラテン語の伝統に特に詳しく，Rener（1989）は古典ギリシャ・ローマ時代からティトラーに至る言語と翻訳に関する概念を探った実に興味深いものである．Chan（2004）と Cheung（2006）は，厳復が20世紀の翻訳論に与えた影響について論じている．この点と他のアジアの伝統について論じているのが Hung and Wakabayashi（2005）で，Hermans（2006a, 2006b）所収の論文は翻訳に関する非西洋の思想を広く扱っている．Bobrick（2003）は英語による聖書翻訳の歴史と，それがどのように言語を変容させたかを描いている．Pym（1998）も，翻訳史の調査法を提示したものとして有益であろう．

討論と研究のために

1. 自分の言語で，新聞での最近の翻訳批評を探してみよう．翻訳自体についてどのようなコメントがなされているだろうか？　本章で説明した語彙とどの程度類似した語彙が使われているだろうか？
2. 現代翻訳理論では「直訳対意訳」という単純な議論を批判する傾向がある．では，なぜ初期の時代に使われていた語彙が今も，翻訳批評，教師や試験官によるコメント，そして文芸翻訳者自身の手による文章の中で頻繁に使われるのだろうか？
3. IoL の“Diploma in Translation”用ハンドブック最新版を見てみよう〔http://

www.iol.org.uk/qualifications/DipTrans/DipTransHandbook.pdf〕．このハンドブックの基準は，本章で論じた理論的な概念に，どの程度まだ重点を置いているだろうか．また，最近の試験官の報告書〔http://www.iol.org.uk/qualifications/DipTrans/ExaminersReports.pdf〕を幾つか比較し，このような基準が現在どのように適用されているか検討してみよう．

4. 皆さんの言語や文化で，翻訳について20世紀より前にどのような文献が書かれていたか調べてみよう．本章で論じた文献と，どの程度類似しているだろうか？　違う言語で書かれた初期の翻訳理論には大きな違いがあるだろうか？　Hermans（2006a, 2006b）所収の様々な論文と比較してみよう．
5. イタリアの格言‘traduttore, traditore’（「翻訳者は裏切り者」）は決まり文句になっている．本章で論じたどのような要素がその由来について説明する助けになるだろうか？
6. ドレーの原理，ティトラーの法則，そして厳復の原理は，翻訳者を導く上でどの程度に有益だろうか？
7. 「もしウェルギリウス自身が，この時代のイングランドに生まれたとしたら話すであろう英語を，ウェルギリウスに話させるよう努力した」とドライデンは1697年，“Aeneid”訳書の序文で書いている．ドライデンは，どのようにしてこれを行なったのだろうか？　これは文芸翻訳者に対してどのような問題を提起するだろうか？
8. 皆さんの国では，翻訳者による序文が翻訳書に載ることは多いだろうか？もし多いなら，それは何故だろう？　序文が載るとすると，どのような機能を担い，どのような言葉を使って翻訳について説明しているだろうか？

第3章　等価と等価効果

主要な概念

* ヤーコブソン（Roman Jakobson）（1959）によって論じられ，その後20年にわたり翻訳研究の中心にあった，意味における等価の問題.
* ナイダ（Eugene Nida）による変形文法モデルの応用と聖書翻訳における意味分析の「科学的」方法.
* ナイダの形式的等価と動的等価の概念．等価効果の原理：受容者の焦点化.
* ニューマーク（Peter Newmark）の意味重視の翻訳とコミュニケーション重視の翻訳.
* 1970年代と1980年代の東西両ドイツにおける‘Üersetzungswissenschaft’（「翻訳の科学」）の発展.
* 等価と「比較のための第三項（tertium comparationis）」の理論的批判.

主要文献

Bassnett, S. (1980, revised edition 2002) *Translation Studies*, London and New York: Routledge, Chapter 1.
Jakobson, R. (1959/2004) ‘On linguistic aspects of translation’, in L. Venuti (ed.) (2004), pp. 138–43.
Koller, W. (1979b/89) ‘Equivalence in translation theory’, translated by A. Chesterman, in A. Chesterman (ed.) (1989), pp. 99–104.
Newmark, P. (1981) *Approaches to Translation*, Oxford and New York: Pergamon.
Newmark, P. (1988) *A Textbook of Translation*, New York and London: Prentice-Hall.
Nida, E. (1964a) *Toward a Science of Translating*, Leiden: E. J. Brill.
Nida, E. (1964b/2004) ‘Principles of Correspondence’, in L. Venuti (ed.), pp. 153–67.
Nida, E. and **C. Taber** (1969) *The Theory and Practice of Translation*, Leiden: E. J. Brill.

3.0　はじめに

何世紀にも及んだ直訳と自由訳をめぐる堂々巡りの論争（第2章参照）の後，1950年代と1960年代の翻訳理論家たちは翻訳のより体系的な分析に手を染め出した．新しい論争はある重要な言語的問題をめぐって生じた．その中で最も有名なのはヤーコブソンが1959年の論文（3.1節参照）で論じた，意味と「等価（equivalence）」の問題であった．その後20年，等価の性質を定義しようとする多くの試みがなされた．本章では当時の主要な論文をいくつか取り上げる．具体的には，ナイダの形式的等価と動的等価という独創的な概念と等価の原理（3.2節），ニューマークの意味重視の翻訳とコミュニケーション重視の翻訳（3.3節），そしてコラー（Werner Koller）の対応（Korrespondenz）と等価（Äquivalenz）（3.4節）の概念である．

3.1　ローマン・ヤーコブソン：言語的意味の性質と等価

第1章では構造言語学者のヤーコブソンが，その論文‘On linguistic aspects of translation’（Jakobson 1959/2004）（「翻訳の言語学的側面について」）で3種類の翻訳をどのように説明しているかを見た．3種類の翻訳とは，言語内翻訳，言語間翻訳，記号法間翻訳であり，このうち言語間翻訳が二つの異なる書記言語間の翻訳を指している．ヤーコブソンはさらにこのタイプの翻訳にかかわる重要な問題を検討している．すなわち，言語的意味（linguistic meaning）と等価（equivalence）の問題である．

ヤーコブソンはソシュール（Ferdinand de Saussure）が定めた，意味するもの（音声・書記信号）と意味されるもの（意味された概念）の区別に従う．意味するものと意味されるものは一体となって言語記号を形作るが，その記号は恣意的であり動機付けられたものではない（Saussure 1916/83: 67-9）．例えば，英語の‘cheese’という言葉は音響としての意味するものであり，「カード（凝乳）を固めて作る食品」という概念を「表示（denote）」する．しかし，その音響と概念が結びつく特別の理由はない．ヤーコブソンは，たとえ我々がある言葉の意味する概念やものを実際に見たことがなかったり，経験したことがなくとも，その言葉によって意味されていることを理解できると強調する．ヤーコブソンが挙げている例は，‘ambrosia’（神々の食べ物）や‘nectar’（神々の酒）といった言葉である．確かに現代の読者は実生活でこうした食べ物や飲み物に出会うことは決してないにしても，ギリシャ神話を読んで知っていることだろう．こうした例は読者がほとんど間違いなく直接出会ったことがある‘cheese’とは対照的である．

次にヤーコブソンは，異なる言語における単語の間の意味における等価（equivalence in meaning）という厄介な問題の考察に移る．ヤーコブソンは「通常，コード・ユニット[訳注1]間の完全な等価は存在しない」と指摘する（1959/2004: 139）．ヤーコブソンは英語の‘cheese’の例を挙げる．‘cheese’はロシア語の‘syr’と同一ではない（またスペイン語の‘queso’やドイツ語の‘Käse’なども同様である）．というのもロシア語のコード・ユニットは‘cottage cheese’の概念を含まないからである．‘cottage cheese’はロシア語では‘syr’ではなく‘tvarok’となる．英語の‘cheese’は‘cottage’という前置修飾語を加えることで‘cottage cheese’[訳注2]の領域をカバーしているにすぎないという反論があるかもしれないが，言葉と意味場の間の言語間の違いに関する一般原理には確立されたものがある．

ヤーコブソンの記述では，言語間翻訳は「ある言語のメッセージを別の言語の個々のコード・ユニットで置き換えるのではなく，メッセージ全体で置き換える」ことである．

> 翻訳者は別のソースから受け取ったメッセージをコード変換（recode）し伝達する．かくして翻訳には，二つの異なったコードと二つの等価なメッセージが関わるのである．
>
> （Jakobson 1959/2004: 139）

メッセージが起点言語と目標言語において「等価」であるためには，コード・ユニットは異なるものになるだろう．なぜならそれぞれのコード・ユニットは，現実を違うやり方で切り分ける（上述の‘cheese’と‘syr’の例）二つの異なる記号システム（言語）に属するからである．ヤーコブソンは言語学と記号学の視角

（訳注1）ここでは単語や慣用句などを指す．
（訳注2）脱脂乳から作る非熟成・軟質のナチュラルチーズの一種．

から，今や広く知られることになった次のような定義によって等価の問題に接近する．それは，「差異における等価は言語の根本的な問題であり，言語学の中枢的な関心事である」というものだ．このように，ヤーコブソンの議論においては，意味と等価の問題は，ある言語が別の言語で書かれたメッセージを翻訳する能力に欠けるということよりも，言語の構造と用語の違いが焦点となる．かくしてロシア語はたとえ‘cheese’が二つの概念に分かれようとも，それでも意味論的な意味を完全なかたちで表現できるということになる．

ヤーコブソンにとって言語間の差違は義務的な文法と語彙形式に集中している．「言語が異なるのは，本質的にはそれらの言語が伝えなければならないこと（what they *must convey*）においてであり，伝えられること（what they *may convey*）においてではない」（p.141）．そうした差違の例は簡単に見つけることができる．それが起きるのは，

* ジェンダーのレベル：例えば‘house’はロシア語では女性，ドイツ語と英語では中性である．‘honey’はフランス語とドイツ語，イタリア語では男性であるが，スペイン語では女性，英語では中性である，など．
* アスペクトのレベル：ロシア語では行為が完了しているか否かによって動詞の形態が変わる．
* 意味場のレベル：例えばドイツ語の‘Geschwister’は英語では通常‘brothers and sisters’と明示化される．また‘I have two children’という英語表現の中の‘children’は，もし2人とも女の子であれば，スペイン語への翻訳ではジェンダーを明示した‘hijas’になる．

多くの西欧言語にとって基本的な関係概念である‘be’（英語）や‘être’（フランス語），‘sein’（ドイツ語）なども，スペイン語では‘ser’と‘estar’に分割されるし，ロシア語の場合にはそのような動詞は現在形では明示しない．このような例は言語間の差違を示すものであるが，それでも言語間の翻訳が可能な概念なのである．詩だけは形が意味を表現し，「音素の類似が意味的な関係のように感じられる」ために，ヤーコブソンは，詩は「翻訳不可能」であり，「創造的転移」が必要であるとしている（p.143）．

意味，等価，翻訳可能性の問題は1960年代の翻訳研究で絶えず繰り返されるものとなり，新しい「科学的」アプローチによって取り組まれた．そのアプローチの代表的人物が，翻訳研究では最も重要な人物の一人であるアメリカ人のナイダである．

3.2　ナイダと「翻訳の科学」

ナイダによる翻訳の理論は1940年代以降の彼自身の翻訳実務から生まれた．当時ナイダは聖書を翻訳しており，聖書翻訳チームを作ろうとしていた．ナイダの理論は1960年代に書いた2冊の本によって具体的な形をとった．“Toward a Science of Translating”（Nida 1964a）と“The Theory and Practice of Translation”（Nida and Taber 1969）である．1冊目の本のタイトルは重要である．ナイダは言語学の新しい潮流を取り入れることで，翻訳（ナイダの場合は聖書翻訳）をより科学的な時代へと導こうとしていたのである．ナイダの非常に体系的なアプローチは，その理論的概念と用語を意味論と語用論の両方，そして変形生成文法の理論を作り上げた統語構造に関するチョムスキー（Noam Chomsky）の著作（Chomsky 1957, 1965）から借用している．

3.2.1　意味の性質：意味論と語用論の進歩

Eugene Nida（1964a: 33ff）は様々な「意味への科学的アプローチ」を説明しているが，これは意味論や語用論の理論家たちが作り上げた理論に関連している．ナイダの理論で最も重要なのは，正字法で書かれた言葉には固定した意味があるという古い考え方から離れ，意味の機能的な定義へと，つまり，言葉はそれが置かれた文脈を通じて意味を「獲得」し，文化が違えばそれぞれに異なった反応を生み出すという定義へと進んだことである．

意味は言語的意味（linguistic meaning チョムスキーのモデルから要素を借用）と言及指示的意味（referential meaning　表示的「辞書的」意味），そして表出的（あるいは内包的）意味（emotive（or connotative）meaning）に分けられる．言語学から援用した一連のテクニックが，翻訳者が様々な言語項目の意味を決定するための補助的な手段となる．言及指示的意味と表出的意味を決定するテクニックの要は，言葉の構造を分析して，関連する語彙領域の中の似たような言葉を区別することである．そのひとつは位階構造化（hierarchical structuring）である．これは一連の言葉をそのレベルによって分類することである（例えば上位語の ‘animal’ と下位語の ‘goat’，‘dog’，‘cow’ など）．また成分分析（componential analysis）というテクニックは，関連する言葉の意味範囲の具体的特徴を発見し区別しようとする．成分分析の結果は表にして視覚的に示すことが可能で，全体的な比較をするのに役立つ．その一例（Nida 1964a: 84-5）は親族用語（‘grandmother’，‘mother’，‘cousin’ など）を性（男性，女性），世代（同一，一世代，二世代離れ），直系性（直接の祖先 / 子孫か否か）によって座標に表示したものである．こうした分析の結果は親族用語がかなり違う言語間の翻訳をする翻訳者にとって役に立つ．

もうひとつのテクニックは意味構造分析（semantic structure analysis）である．Nida（p.107）は ‘spirit’ という語の様々な意味（「悪魔」「天使」「神」「霊」「精神」「アルコール」など）をそれぞれの特徴（人間対非人間，善対悪など）によって，視覚的に分類している．この分析の中心的な考えは，翻訳を学ぶ学生たちに，‘spirit’（あるいは ‘bachelor’ という例でもよいが）のような複雑な意味を持つ言葉は様々な意味になること，そしてとりわけ文脈によって「条件付けられ」ていることを理解するように促す点にある．だから ‘spirit’ という言葉は常に宗教的意味になるわけではない．‘Holy Spirit’（聖霊）という言葉のように，たとえ宗教的な意味になる場合でさえ（あるいはそういう場合は特に），その感情的・暗示的価値は目標文化によって変わるのである（Nida 1964a: 36）．言葉に結びついた連想というのはその暗示的価値であり，それは語用論の領域あるいは「使用における言語」に属するものと考えられる．そして何よりも重要な点は，Nida（p.51）が比喩的な意味や複雑な文化的イディオムを扱う際の，コミュニケーションにおけるコンテクストの重要性を強調していることである．例えばあるフレーズの意味がフレーズに含まれる個々の要素の総計からずれるような場合がある．ヘブライ語のイディオム ‘bene Chuppah’（直訳すると「新婚部屋の子どもたち」）は結婚式の客，特に花婿の友人を指すのである（p.95）．

まとめていえば，意味構造分析のテクニックは曖昧さを取り除き，はっきりしない表現を明確にし，文化的差異を同定するための方法である．それは異なる言語と文化を比較するポイントとして役立つだろう．

3.2.2　チョムスキーの影響

チョムスキーの変形生成文法モデルは，センテンスを規則に支配された一連の関連するレベルへと分析するものだ．ごく簡単に言えば，このモデルの主な特徴は以下のようにまとめることができる．

(1) 句構造規則が基底構造あるいは深層構造（deep structure）を生成し，それが
(2) ひとつの基底構造を別の構造に（例えば能動態を受動態に）関連付ける変形規則により変形され
(3) 最終的に表層構造（surface structure）を生成する．表層構造自体は音韻規則と形態規則に支配される．

このモデルが記述する構造的関係を，チョムスキーは人間の言語の普遍的特徴であると考えた．そうした構造の中でも最も基礎的なものは核文（kernel sentences）である．核文とは必要な変形操作が最小限であるような能動・肯定・平叙・短文のことを意味する．

ナイダはチョムスキー・モデルの主要な部分を自分の翻訳の「科学」に取り入れる．とりわけ，ナイダはその翻訳の科学が，翻訳者に起点テクストを解読（decode）するテクニックと目標テクストに記号化（encode）する手順を提供すると考えた（Nida 1964a: 60）．ただしナイダは，起点テクストを分析するときはチョムスキーのモデルを逆転させている．つまり，起点テクストの表層構造は深層構造の基本的な要素へと分析される．この要素は翻訳の過程で「転移」され，次いで意味と文体の面で再構成され目標テクストの表層構造が生み出される．この翻訳の3段階システム（分析，転移，再構成）は図3.1のように示すことができる．

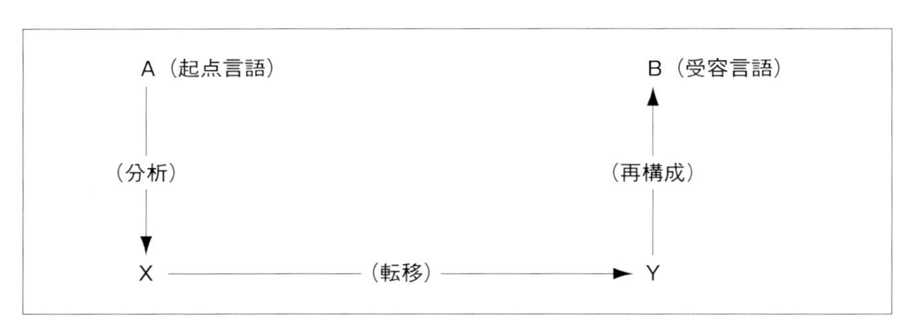

図 3.1　ナイダの翻訳の3段階システム（Nida and Taber 1969: 33より）

Nida and Taberによるこのプロセスの説明（1969: 68）では，具体的な起点言語と目標言語の組み合わせ（ペア）の網羅的な等価表現のリストを作り上げることと比較して，この方法の「科学的かつ実践的」な利点が強調されている．このモデルでは「核（Kernel）」がキーワードである．ちょうどチョムスキーの初期のモデルで核文が最も基本的な構造であったように，Nida and Taber（1969: 39）の場合も核文は「そこから言語が精緻な表層構造を作り出す基本的な構造的要素」なのである．核文は表層構造に逆行変形（back-transformation）という還元的（reductive）プロセスを適用することによって得られる（Nida 1964a: 63-9）．このためには変形生成文法の四つの機能クラスのタイプが必要になる．

＊出来事（events）（常にではないがしばしば動詞により遂行される）
＊対象（objects）（常にではないがしばしば名詞により遂行される）
＊抽象（abstracts）（量と質．形容詞を含む）
＊関係（relationals）（ジェンダー，前置詞，接続詞を含む）

以下の分析例（Nida 1964a: 64）は，前置詞‘of’による異なる構文を説明するためのものである．

表層構造：‘will of God’（神の意思）
　逆行変形：B（object, ‘God’）performs A（event, ‘wills’）
　（B（対象，God）がA（出来事，wills）を遂行する）

そして

表層構造：'creation of the world'

逆行変形：B（object, 'the world'）is the goal of A（event, 'creates'）

（B（対象, 'the world'）は A（出来事, 'creates'）の目的である）

Nida and Taber（1969: 39）は，すべての言語が6から12ほどの基礎的な核文構造を持っており，この「核文レベルの方がより精緻な構造のレベルよりもはるかによく一致する」と主張する．核文とはメッセージが受容言語へと転移されるレベルであり，メッセージは転移された後に「直訳的転移」，「最小転移」，「文学的転移」の3段階を経て表層構造へと変形される．Box 3.1 はヨハネによる福音書一章六節の転移プロセスの例を示している（Nida 1964a: 185-7 に引用）．二つの文学的転移の例は文体，とくに統語構造が違っており，最初の例の方がより形式的で古風である．これは等価の種類と意図された効果のためかもしれない．この点はナイダのモデルの重要な要素であり，次節で取り上げる．

Box 3.1

＊ギリシャ語起点テクスト

1 2 3 4 5 6 7 8

Egeneto anthōpos, apestalmenos para theou, onoma autō Iōannēs

＊直訳的転移（第1段階）

1 2 3 4 5 6 7 8

became/happened man, sent from God, name to-him John

＊最小転移（第2段階）

1 2 3 4 5 6 7 8

There CAME/WAS a man, sent from God, WHOSE name *was* John

＊文学的転移（第3段階，アメリカ標準訳聖書（1901）からの例）

1 2 3 4 5 6 7 8

There CAME a man, sent from God, WHOSE name *was* John

あるいは（J.B. フィリップスによる「現代英語による新約聖書」[訳注3]（1958）[1] より）

2 6 7 8 3 4 5

A man, NAMED * John WAS sent BY God.

注：起点テクストに対して行った調整は次のように示した．語順の変更は数字の順番で，脱落は＊印で，構造的変更はスモール・キャピタル（小型頭文字）で，付加は斜体で示した．

3.2.3　形式的等価と動的等価，等価効果の原理

ナイダは，第2章で取り上げた「直訳」，「自由訳」，「忠実訳」といった古い用語を捨て，代わりに「二つの基本的志向性」あるいは「等価のタイプ」を導入する（Nida 1964a: 159）．すなわち（1）形式的等価（formal equivalence）と（2）動的等価（dynamic equivalence）である．ナイダによる定義は以下の通りである．

> （1）形式的等価（Formal equivalence）：形式的等価は形式と内容両面においてメッセージ自体に注意を集中する［…］．受容言語におけるメッセージができるだけぴったりと起点言語の様々な要素に一致するよう注意する．
>
> （Nida 1964a: 159）

形式的等価，あるいは「形式的対応」（Nida and Taber 1969: 22-8）は，このように起点テクスト構造を集中的に志向する．つまり起点テクストが翻訳の正確さや妥当さを決定する上で強力な力を発揮するのである．この種の翻訳の典型的な例は「注釈的翻訳（gloss translations）」である．これは学問的著作の脚注などによく見られるが，起点言語の構造に密接に付き従うことによって，学生たち（このタイプの翻訳はしばしば学問的環境で使われるため）が起点言語と起点文化の慣習によりよくアクセスできるようにするのである．

> （2）動的等価（Dynamic equivalence）：動的等価あるいは機能的等価はナイダのいわゆる「等価効果の原理」に基づくものである．ここでは「翻訳の受容者とメッセージの関係が原文の受容者とメッセージの間に存在した関係と実質的に同一でなければならない」（Nida 1964a: 159）．メッセージは受容者の言語

（1）J. B. Phillips New Testament, London: HarperCollins Bibles. 1st edition 1958, updated 1972, new edition 2000.

（訳注3）God の上の5が抜けていたが，著者の指示により追加した．

> 的ニーズと文化的期待に合わせなければならない．そのようにして「表現の完全な自然さを狙う」のである．「自然さ」はナイダにとって重要な要件である．実際，ナイダは動的等価の目標を「起点言語のメッセージに対して最も近い自然な等価」を追求すること（Nida 1964a: 166, Nida and Taber 1969: 12）と定義している．このような受容者志向のアプローチは，文法や語彙，文化的内容の翻案が自然さを達成するために不可欠であると考える．目標テクストの言語には起点言語からの干渉の痕跡が見えてはならず，起点テクスト環境の「異質性（foreignness）」を最小限にとどめなければならない（Nida 1964a: 167-8）．この最後の点は，後に文化的志向性の強い翻訳理論家に批判されることになる（第 8 章，第 9 章参照）．

ナイダにとって翻訳が成功するかどうかは，何といっても等価反応を達成できるかどうかにかかっている．それは「翻訳の四つの基本的要件」のひとつである．四つの要件とは以下の通りである．

(1)意味をなすこと
(2)オリジナルの精神と様式（manner）を伝えること
(3)自然で簡単な形式の表現を有すること
(4)類似の反応を生み出すこと

面白いのは，これが 18 世紀末に翻訳理論を体系化しようとした初期の試みであるティトラーの翻訳原理に似ていることである（第 2 章参照）．

動的等価はこのすべての要件を満たすことを目指しているが，それはまた段階的な概念でもある．というのもナイダは内容と形式という伝統的な概念の間の「軋轢」は，必ずしも簡単に解決できるようなものではないことを認めているからである．そのような軋轢を解消するための一般的規則として，ナイダは，等価効果を達成しようとするのであれば「意味における対応は文体における対応に優先しなければならない」ことを強調している．

3.2.4　ナイダ理論の重要性に関する議論

ナイダが果たした重要な役割は，厳格な逐語的等価から離れる道を示したことにある．ナイダが形式的等価と動的等価という概念を導入したことは，翻訳理論に受容者重視（あるいは読者重視）の志向性を導入する上できわめて重要であった．しかし等価効果の原理と等価の概念は，共に様々な理由で厳しい批判にさらされることになった．André Lefevere（1993: 7）は，等価という考え方はまだあまりに言葉にこだわりすぎていると考えたし，Raymond van den Broeck（1978:40）と Robert Larose（1989: 78）は，等価効果や等価反応は不可能であると考えた（「効果」をどのように，誰に対して測るのか？　ひとつのテクストが二つの異なる文化と時間において一体どのようにして同一の効果を及ぼし，同一の反応を引き出せるのか？）．実際，等価という問題は必然的に翻訳者あるいは分析者の主観的判断を伴わざるをえないのである．

興味深いことに，等価をめぐる論争は主要な翻訳研究誌において 1990 年代まで続いた．例えば 1992 年と 1993 年に翻訳研究分野の代表的な国際的学術誌である“Meta”がフー（Qian Hu）の一連の論文を掲載した．いずれも目的は明確で，等価反応が「ありえないこと」を示すことにあった．フーの論文の焦点はとりわけ，意味が形に縛り付けられているとき等価効果を実現することは不可能であるという点にあった．例として，特に文学作品における中国語と英語の語順の効果（Qian Hu 1993: 455-6）がある．また，「最も近く自然な等価という考え方は動的等価と矛盾する関係になるかもしれない」とも言う．例えば，英語の‘animal’や‘vegetable’，‘mineral’などの言葉を中国語に翻訳すると「過剰翻訳（overtranslations）」になってしまうからである．フーはまた文化的事象についても論じるが，その議論は Nida（1964a: 160）が「互いに何度も心からの握手をする」（‘give one another a hearty handshake all round’）は「聖なる接吻でお互いに挨拶する」（‘greet one another with a holy kiss’）に「まったく自然に翻訳できる」とした，あの悪名高い例に浴びせられた批判を思い起こさせる．

ナイダの理論は主観的であるという批判は，ナイダの翻訳理論は本当に「科学的」なのかという疑問を生む．意味の分析や核文を目標テクストの表層構造に変形する技法は確かに体系的に行われるが，はたして翻訳者が実際にこういう手順に従うかどうかは疑問の余地がある．しかしナイダによる現実の翻訳現象と状況についての詳細な記述は，それよりも前の時代のあいまいな翻訳論に対する重要な反駁である．さらに言えば，ナイダは，自身が「文学作品のすべての第一級の翻訳に不可欠の要因である芸術的感受性」と呼ぶものを意識していたのである．

ナイダに対して最大級の批判を浴びせたのはゲンツラー（Edwin Gentzler）である．“Contemporary Translation Theories”（2001）には‘the “science” of translation’（「翻訳の「科学」」）（引用符はゲンツラーによる）と題した章が含まれている．ゲンツラーは脱構築論の視点（第10章参照）から，ナイダ理論の神学的・改宗勧奨的姿勢を非難する．なぜならゲンツラーの見方によるなら，動的等価は受容者の文化がどのようなものであれ，受容者をプロテスタントの信仰において支配的なディスコースや理念に改宗させるという目的に奉仕するからである．皮肉なことにナイダは，神の言葉は神聖で変更不可能であるから動的等価を達成するために必要とされる変更はほぼ冒瀆に等しい，と主張する宗教グループから叱責を受けている．

しかしナイダは1960年代に翻訳の「現場」で，毎日のように翻訳の現実的・実践的問題に取り組み，極めて異質な文化の中で働く翻訳者を訓練しようとした．そして先行者がほとんど試みなかったことを達成した．ナイダはあらゆる種類のテクストを扱う翻訳者のために体系的な分析手法を作り出し，翻訳の中に目標テクストの受容者と彼らの文化的期待といった要素を組み込むという，大きな貢献をしたのである．それが引き起こした激しい論争にもかかわらず，ナイダの翻訳に対する体系的な言語学的アプローチは，後続の多くの翻訳研究者や著名な翻訳研究者に大きな影響を与えた．そうした研究者の中に，英国のニューマークとドイツのコラーがいる．

3.3　ニューマーク：意味重視の翻訳とコミュニケーション重視の翻訳

ニューマークの“Approaches to Translation”（1981）と“A Textbook of Translation”（1988）は翻訳者の訓練コース[(2)]で広く使われている本であり，意味に関する言語理論の豊かな実例とその翻訳への応用の実際を結びつけている．しかしニューマークはナイダの受容者志向から離れる．それは等価効果が実現するというのは「錯覚」であり，「忠実性をめぐる軋轢や起点言語重視と目標言語重視の間のギャップは常に翻訳の理論と実践の最も重要な問題である」(Newmark 1981: 38) と感じたためである．ニューマークはこのギャップを埋めるために，古い用語法を「意味重視の翻訳」と「コミュニケーション重視の翻訳」に変えることを提案する．

> コミュニケーション重視の翻訳は，翻訳の読者に，オリジナルの読者が得たのとできる限り近い効果を与えようとする．意味重視の翻訳は，第二の言語［目標言語］の意味的・統語的構造が許す限りできるだけ近いかたちで，オリジナルの正確な文脈的意味を訳そうとする．
>
> (Newmark 1981: 39)

コミュニケーション重視の翻訳 (communicative translation) の説明は，目標テクストの読者に対して生み出そうとする効果の点でナイダの動的等価に似ている．また意味重視の翻訳 (semantic translation) はナイダの形式的等価に類似している．しかしニューマークは，等価効果を全面的に承認するまでには至らない．なぜなら等価効果は，「(起点言語の) テクストが目標言語の空間と時間から離れていれば無効になる」(1981:69) からである．その実例は，例えばホメロスの現代イギリス英語への翻訳であろう．翻訳者は (現代のどんな翻訳者でも，どんな目標言語でも)，起点テクストが古代ギリシャの聞き手に対して与えた効果と同一の効果を，目標テクストの読者に対して生み出すことを望んだり，期待したりすることはできない．Newmark (p. 51) はまた，ナイダの等価効果を生み出す対象である読者について，さらに疑問を突きつける．それは，読者は「一切合財お膳立てしてもらうべきなのか」，すべてを読者に説明するのか，という疑問である．

他にもナイダとの違いがニューマーク自身の用語の定義により明らかになっており (1981: 39-69)，それは表 3.1 にまとめてある．Newmark (p. 63) によれば

(2) ニューマーク自身はイギリスの University of Surrey でそうしたコースについてのセミナーを続けている．以前は Polytechnic of Central London (現ウェストミンスター大学) で教鞭を執っていた．

表3.1　ニューマークの意味重視の翻訳とコミュニケーション重視の翻訳の比較

パラメータ	意味重視の翻訳	コミュニケーション重視の翻訳
発信者／受信者重視	個人としての発信者の思考プロセスを重視．暗示的意味がメッセージの重要な一部である場合のみ読者を助けるべきである．	主観的で目標テクストの読者重視．特定の言語と文化を志向する．
文化	起点言語文化の内部にとどまる．	異国の要素を目標言語文化に転移する．
時代と起源	いかなる時代，場所空間にも固定されない．翻訳は世代が変われば新たに行われる必要がある．	一時的であり自分の同時代的文脈に根ざす．
起点テクストとの関係	つねに起点テクストより「劣る」．意味の「喪失」をともなう．	起点テクストより「よい」可能性．たとえ意味内容の喪失があっても力と明晰さを「獲得」する．
起点テクストの形の使用	起点テクストの言語が規範から逸脱していれば，それは目標テクストでも再現されなければならない．起点テクストの著者への「忠誠（loyalty）」．	起点言語の形は尊重するが，目標言語への「忠誠（loyalty）」がそれを凌駕する．
目標テクストの形	より複雑で，ぎこちなく，詳細で，凝縮している．過剰翻訳になる傾向がある．	よりなめらか，単純，明快，直接的で，紋切型である．過少翻訳になる傾向がある．
適切な分野	本格的な文学作品，自伝，「個人的感慨の発露」，重要な政治的（その他の）言明．	大多数のテクスト．たとえば文学以外の著作，テクニカルで情報を中心とするテクスト，宣伝，標準化されたタイプ，大衆向けフィクション．
評価の基準	起点テクストの意味再現の正確さ．	起点テクストメッセージの，目標テクストにおけるコミュニケーションの正確さ．

意味重視の翻訳と直訳との違いは，意味重視の翻訳が「文脈を尊重し」，解釈し，説明さえする（例えば比喩）という点にあると指摘する．直訳の方は，第2章で見たように，極端な場合は逐語訳を意味し，おだやかな直訳であっても起点テクストの語彙と構文に密着する．

重要なことは，直訳というのは意味重視の翻訳でもコミュニケーション重視の翻訳でも最良のアプローチであると考えられることである．

コミュニケーション重視の翻訳でも，意味重視の翻訳と同じように，等価効果が確保できるという条件があれば，直訳的な逐語訳が最良の方法であるだけでなく，唯一妥当な方法なのである．

（Newmark 1981: 39）

この主張は他の理論家たち（例えば Levý 1967/2000, Toury 1995）が翻訳者の仕事について語ったことに関連づけることができる．つまり，時間と作業条件の制約があることは，翻訳者が認知プロセスの最大限の効率化をはかり，特に難しい問題にエネルギーを集中させて，「直訳」的手法で妥当な翻訳ができるところにはあまりエネルギーを投入しないようにしなければならないということだ．しかし，もし二つの翻訳手法の間で対立が生じるような場合は（つまり意味重視の翻訳をすると「異常な」目標テクストになってしまうとか，目標言語において等価効果を確保できないような場合），コミュニケーション重視の翻訳が優先される．これについて Newmark（1981: 39）が挙げている例は，'bissiger Hund' や 'chien méchant' といったありふれた掲示である．この例でメッセージを伝えるためには，意味重視の翻訳手法によって「噛む犬」'dog that bites !' や「悪い犬」'bad dog !' のように訳すのではなく，「犬に注意」'beware the dog !' のようにコミュニカティブに訳される．

3.3.1　ニューマークについての議論

ニューマークの意味重視の翻訳とコミュニケーション重視の翻訳という用語は翻訳理論の文献でしばしば引用されてきた．しかしナイダの形式的等価と動的等価に比べると一般にはほとんど議論されることがない．その理由はおそらく，ニューマークの等価効果に対する適切な批判にもかかわらず，翻訳プロセスと目標テクストの読者の重要性についてナイダと同じようなことを指摘しているためだろう．翻訳研究において理論の進歩を体系的に跡付けるときに出会う困難の一端は，実際のところ，用語があまりにも多いことによるのかもしれない．ニューマーク自身も，例えばハウス（Juliane House）の「顕在化（overt）」翻訳と「潜在化（covert）」翻訳（第6章参照）という対になった用語を自分の用語を使って定義しており（Newmark 1981: 52），またコミュニケーション重視の翻訳をナイダの機能的等価あるいは動的等価と「同一」のものと考えているのである（Newmark 2009）．

ニューマークはその強い規範主義を批判されており，ニューマークが翻訳を評価するのに用いる言葉は自身が翻訳研究の「前言語学的時代」と呼ぶ時代の痕跡をとどめている．例えば，翻訳は「流麗」であるとか「ぎこちない」とか，翻訳は「技芸（art）」である（意味重視の翻訳の場合）とか「技術（craft）」である（コミュニケーション重視の翻訳の場合）という言葉を使う．それにもかかわらず，ニューマークの著作にある豊富な実例は翻訳の学習者に十分な手引きと助言を与えてくれるし，取り上げる問題の多くは重要な実践的意義がある（Newmark 1993 も参照）．また最近の論考（例：Pedrola 1999, Newmark 2009）では，書くことの美学的原理や翻訳の倫理的・真理追究的原理を強調していることを付け加えるべきだろう．

3.4　コラー：対応と等価

ナイダの翻訳の科学への方向性は，ドイツではとりわけ大きな影響力を持つことになった．ドイツでは翻訳研究を指す総称が ‘Übersetzungswissenschaft’（翻訳の科学 Translation Science）なのである．1970年代と1980年代のドイツにおける翻訳の科学の分野で最も有名な研究者はザールラント大学のヴィルス（Wolfram Wilss），そして旧東ドイツからはカーデ（Otto Kade）とノイバート（Albrecht Neubert）を含むライプツィヒ学派である（Snell-Hornby 2006: 26-9）.[(3)]

等価に関する重要な研究はコラーによってハイデルベルクと（ノルウェーの）ベルゲンで行われた．Koller の “Einführung in die Übersetzungswissenschaft”（1979a; Koller 1979b/89：‘Research into the science of translation’ も参照）は，等価の概念とその関連語である対応（correspondence）についていっそう緻密な検討を加えた（Koller 1979a: 176-91）．この二つの言葉は表3.2のように区別することができる．

したがって，対応（correspondence）は対照言語学の分野に属する概念になる．

---

(3) これらの研究者の著作については参考文献案内のセクションを参照．また当時西ドイツでライス（Katharina Reiss）やフェルメール（Hans J. Vermeer），ホルツ＝メンテリ（Justa Hölz-Manttäri）によって行われていた研究については第5章のリンクを参照．

表 3.2 等価と対応の区別（Koller 1979: 183-5 の記述による）

分野	対照言語学	翻訳の科学
研究領域	対応（Correspondence）の現象と条件．起点言語と目標言語システムでの対応する構造とセンテンスを記述	等価（Equivalence）の現象．起点言語と目標言語における発話とテクストを等価基準にもとづいて記述
知識	ラング	パロール
能力	外国語の能力	翻訳の能力

対照言語学は二つの言語システムを比較し，相違点と類似点を対照的に描き出す．そのパラメータはソシュールのラング（langue）（Saussure 1916/83）である．コラーが挙げている例は，類似形異義語（false friend　似て非なる外国語の単語）と語彙的・形態的・統語的干渉の兆候の識別である．他方，等価は特定の起点テクスト目標テクストの組み合わせと文脈における等価な項目に関連するものである．ここでのパラメータはソシュールのパロール（parole）である．ここで重要なのは，Koller（p.185）が，対応の知識は外国語能力を示すが，翻訳の能力を示すのは等価の知識と能力だと指摘していることである．しかし，一体何が等価でなければならないのかという疑問はまだ残っている．

この疑問に答えるために Koller（1979a: 186-91; 1979b/89: 99-104 も参照）は，さらに五つの異なった等価のタイプを記述する．

(1) 外延的等価（denotative equivalence）はテクストの言語外的内容の等価に関連する．他の文献ではこれを「内容的不変」と呼ぶと，コラーは言う．
(2) 内包的等価（connotative equivalence）は語彙の選択，特にほぼ同義の言葉の選択に関連する．コラーによれば，このタイプの等価は他では「文体的等価」と呼ばれることがある．
(3) テクスト規範的等価（text-normative equivalence）はテクストタイプに関連する．異なるテクストはそれぞれ別のふるまいを見せる．これはライス（Katharina Reiss）の著作（第 5 章参照）と密接な関係がある．
(4) 語用論的等価（pragmatic equivalence）は「コミュニカティブな等価」とも言われ，テクストやメッセージの受容者を重視する．これはナイダの「動的等価」である．

(5)形式的等価（formal equivalence）はテクストの形と美的価値観に関連しており，言葉遊びや起点テクストの独特の文体的特徴を含む．これは「表現的等価」と呼ばれることもあり，ナイダの用語と混同してはならない．

コラーはさらに研究の焦点の視点からこの五つの等価を位置づける．それは表3.3にまとめられている．5種類の等価に関するタイプと現象を記述した後，コラーは次にこれがどのように翻訳者の役に立つのか，翻訳理論の役割は何かという重要な問題に目を向ける．

> テクスト全体について，またテクストのすべての部分に関して，意識的にそのような選択(訳注4)をする翻訳者は，「翻訳において保存されるべき価値の階層」を設定しなければならない．そこから翻訳者は当のテクストあるいは問題の部分の「等価要件の階層」を引き出すことができる．しかしこの作業の前に，「翻訳に関連するテクスト分析」をしなければならない．翻訳理論にとって緊急の課題は，この種のテクスト分析の方法論と概念装置を作ることであり，そうした分析を，翻訳から見て重要なテクスト的特徴の類型論という視点からまとめ，体系化することである．これについては今までのところ予備的な考察しかなされていない．
>
> （Koller 1979b/89: 104 強調はコラー自身による）

(訳注4) この引用部分の直前にコラーは「翻訳はすべての価値を全体的に，また無差別に保存することを保証することはできない．翻訳にはつねに選択の必要性がつきまとう」というJumpeltの言葉を引用している．「そのような選択」とはJumpeltの言葉を受けたもの．

表 3.3　様々な等価タイプに対する研究の焦点の特徴（Koller 1979: 187-91 による）

等価のタイプ	いかに達成するか	研究の焦点
指示的	対応と，そのテクスト要素との相互作用の分析によって	語彙
暗示的	「翻訳の最大級の難問であり，実際にはしばしば近似させるだけ」（Koller 1979b/89: 189）；理論は異なる言語における暗示的位相を確定する必要がある	追加的局面：フォーマルさの程度（詩的，俗語など），社会的語法，地理的起源，文体的効果（古風，「平俗」など），頻度，範囲（一般的，テクニカルなど），評価，感情
テクスト規範的	機能的テクスト分析を使って言語間の語法のパターンを記述し，相関させる	異なるコミュニケーション状況における話法を見る
語用論的	特定の読者層に向けてテクストを翻訳する．他の等価の要件は無視する	異なる言語の組み合わせとテクストにおいて，異なる受容者グループに妥当なコミュニケーションの条件を分析．
形式的	目標言語において，目標言語の可能性を利用して形式を類似させ，新しい形式を創造しさえする	韻，比喩，その他の文体的形式における等価の潜在的可能性を分析する

重要な点は，ここでも，等価はコミュニケーション状況に応じて階層化される必要があるということだ．しかし，どのようにそれを行うかについては，議論が必要だろう．Koller 自身（1979b:211-16），翻訳に関連するテクスト分析のためのチェックリストを提案している．その項目は以下の通りである．

＊言語の機能
＊内容の特徴
＊言語と文体の特徴
＊形式的・美的特徴
＊語用論的特徴

これ以外のテクスト分析の類型とリストは第 4 章と第 6 章で検討されている．その中にはコラーのものと関連しているものもある．

3.5　その後の等価概念の展開

等価の概念は1970年代を通じ，あるいはそれ以降も，翻訳の重要な問題として君臨した．このため，翻訳研究の総論的な著作でも，例えばAndrew Chesterman（1989: 99）は，「等価は間違いなく翻訳理論の中心的概念である」と書き，Susan Bassnett（2002）は翻訳研究の「中心的問題」と題した章の中で，「等価の問題」というセクションを設けている．ベーカー（Mona Baker）の“In Other Words”は，翻訳者のための影響力の大きい教科書であり，本書の執筆時点でも依然として人気を保っているが，ベーカーはこの本の章立てを単語，フレーズ，文法，テクスト，語用論などのレベルの多種の等価によって行っている（第6章参照）．しかし，等価は「様々な言語的・文化的要因に影響され，したがって常に相対的である」という条件をつけている（Baker 1992: 6）．

等価は，批判があるとはいえ，依然として中心的な概念である．Dorothy Kenny（1998: 77）は等価の定義の「循環性」を衝いた批判を次のように要約する．「等価は翻訳を定義するとされるが，翻訳の方もまた等価を定義するのである」．想像に難くないであろうが，非言語学的な翻訳研究に従事している研究者はとりわけこの概念に批判的である．バスネットは主要な問題点を次のようにまとめている．

> 翻訳には言語間での語彙や文法項目の置き換え以上のものが関わっている[…]．翻訳者がひとたび忠実な言語的等価から離れれば，狙った等価のレベルの正確な性質を決定するという問題が現れてくる．
> (訳注5)
> (Bassnett 2002: 32)

おそらく，起点テクストと目標テクストを比較する上での最大の対立の源は，いわゆる比較のための第三項（tertium comparationis）であろう．これは二つのテクストに生ずる変化（ずれ）の程度を測るための物差しとなる不変項である．その不変項に必然的に伴う主観性の問題は，多くの理論家によって様々な理論的背景から取り組まれてきた．次の第4章では分類学的言語学によるアプロー

（訳注5）引用ページが34になっていたが訂正した．

チを論じる．これは翻訳のシフト（ずれ）分析の包括的モデルを作り出そうとする試みであった．第7章では現代の記述的翻訳研究を取り上げるが，その中心的人物であるトゥーリー（Gideon Toury）は等価の規範的定義を避けて，最初から目標テクストは起点テクストと等価であると想定し，両テクスト間の関係の網の目を同定しようとする．しかし，実践志向の翻訳に関する文献はいまだに大量に生み出され，等価を規範的に論じ続けている．避けられないことではあろうが，翻訳者訓練コースもまたこうした考え方を採っており，訓練生の翻訳の誤りが教師の考える等価の基準に則って規範的に訂正される．こういう理由から等価の問題は，翻訳研究者の中にそれを周辺的な問題であると考える者がいようとも，翻訳の実践においては中心的な問題であり続けるのである．

事例研究

次の事例研究はナイダの形式的等価と動的等価の視点から二つの翻訳を検討する．Box 3.2 の最初の三つの抜粋は，旧約聖書の第一巻「創世記」冒頭のヘブライ語を英訳したものである．

今日まで第一節に対する第二節の関係をめぐり多くの神学的論争があった．つまり，‘in the beginning’ は第一日目の地の創造という行為を指すのか，それとも第一節は第一章全体の要約なのか，すなわち第三節の光の創造よりも前に形のない空虚な地が存在していたのかという論争である．新英訳聖書（NEB）と新アメリカ訳聖書（NAB）はともに，読者の理解を助けるために詳しい説明を付して出版された．

Box 3.2

1　欽定訳聖書（KJV, オリジナルは 1611 年刊行）

1:1　In the beginning God created the heaven and the earth.

1:2　And the earth was without form, and void; and darkness was upon the face of the deep. And the Spirit of God moved upon the face of the waters.

1:3　And God said, ‘Let there be light’ : And there was light.

2　新英訳聖書（NEB, オリジナルは 1970 年刊行）

1:1　In the beginning God created the heavens and the earth.

1:2　Now the earth was without shape and empty, and darkness was over the surface of the watery deep, but the Spirit of God was moving over the surface of the water.

1:3　And God said, ‘Let there be light’ : And there was light.

3　新アメリカ訳聖書（NAB, オリジナルは 1970 年刊行）

1:1　In the beginning, when God created the heavens and the earth,

1:2　the earth was a formless wasteland, and darkness covered the abyss, while a mighty wind swept over the waters.

1:3　And God said, ‘Let there be light’ : And there was light.

言語学的に同様に面白いのは第二節である．ここでは目標テクストの間に多くの相違があり，ナイダの意味と等価の分析の形式が有効であることを証明するかもしれないからだ．‘deep’（KJV 欽定訳聖書）と‘watery deep’（NEB），そして‘abyss’（NAB）は伝統的に生命のない塩の大洋（ヘブライ語で‘thwm’）とされるものを指している．この場合，この概念を現代の読者が直ちに理解できるように最も説明的に訳しているのは NEB である．同様に，NEB は KJV が‘face’という比喩的な表現を使っているところを‘surface’と訳している．‘face’という比喩はヘブライ語原典（‘paneem’）にあるものである．NAB の方は‘face’も‘surface’も省略して，その意味合いを‘covered’と‘swept over’という二つの動詞にこめている．最後に‘Spirit of God’（KJV, NEB）は NAB では‘a mighty wind’となっている．ヘブライ語原典（‘rwh’）は風ないし息を意味し，比喩的に‘spirit’を指す．NAB は風の要素を維持しているが，‘God’を単に最上級の表現と見たため‘mighty’という解釈になった．他の翻訳の可能性としては‘wind from God’や‘breath of God’がある．こちらは両方の要素を保存できる．KJV の‘Spirit of God’は伝統的な訳として定着している．しかし別の箇所，例えば新約聖書のヨハネによる福音書第三章では，起点テクスト（この場合はギリシャ語）が‘pneuma’という言葉を二つの意味に掛けているが，KJV では最初は‘spirit’と訳し，次は‘wind’としている．

まさにこうした言葉の場合に，ナイダの意味構造分析（前述 3.2.1 参照）は，翻訳者が適切な目標言語を決めるのを助けてくれる可能性があるのだ．しかしこの事例研究の短い分析でも，翻訳は翻訳者の解釈（例：'in the beginning' は実際には何を指しているのか）と，翻訳者がメッセージを目標テクストの読者に理解してもらうために翻案（例：'deep/abyss/watery deep'，'face/surface'，'Spirit of God/mighty wind'）の必要性をどの程度感じているかによって変わってくるだろうということを示唆している．ここで引用した翻訳はすべて，オリジナルのテクストが読者に引き起こしたのと同様の反応を翻訳の読者にも引き起こすという意味で，動的等価を追究しているといえるが，表現の「自然さ」が時代によって変わることは避けがたい．すなわち，KJV は今日では正典化された，形式的で古風な英語と見なされるようになっているが，NEB は現代的なイギリス英語，よりナラティブ風の NAB は現代アメリカ英語なのである．

目標テクストで等価効果の達成を目指す方法もまた異なっている．NEB は第二節冒頭の now を含め，つなぎの言葉を明示し，'surface'，'watery deep'，'Spirit of God' のように意味をはっきりさせている．NAB は 'formless wasteland' と 'mighty wind' という表現で荒涼とした荒野へと焦点を合わせ続けている．ただし，'when' と 'while' という接続詞によって接続関係を付け加えている．KJV は 'face of the deep' や 'face of the waters' という表現によって，起点テクストのイメージをしっかりと保持している．また第二節では接続詞 'and' を原典の通りに 3 回繰り返している．この繰り返しは聖書のヘブライ語とギリシャ語で終始使われる形式的な統語装置であり，Nida（1964a: 224）が「子どもっぽい」英語になるのを避けるために「何らかの調整」が必要であると考えたものである．以上のことから，KJV が最も原典との形式的等価に腐心しているが，NEB と NAB の方は動的等価をより重視して，テクスト受容者のために重要な調整を行っているといえる．

しかし，法的文書の場合にはそのような調整や解釈の余地はない．そこで使われる翻訳技法は常に形式的等価である．Box 3.3 には，欧州連合に関するマーストリヒト条約（1992 年 2 月 7 日）共通規定第 1 条の各国語版から取った英語とポルトガル語の例が掲げてある．法律では条約の加盟各国語版はすべて等しく有効である．法的文書として，各国語版は高度の形式的等価になっている．

以下に例を挙げる．

By this Treaty, the HIGH CONTRACTING PARTIES
Pelo presente Tratado, as ALTAS PARTES CONTRATANTES
establish among themselves a EUROPEAN UNION, hereinafter
instituem entre si uma UNIÃO EUROPEIA, adiante
called ‘the Union’.
designada por «União».
（日本語訳：「締結国は，この条約により相互間に「欧州連合」（以下「連合」と称する）を設立する．」）

調整は最小限でしかも体系的に行われる．例えば英語の指示代名詞‘this’はポルトガル語の結束表現‘presente’となり，ポルトガル語の‘designada por’のように前置詞が付加されたり，英語の‘the Union’のように定冠詞が付加されたりする．これらの例では形式的構造は大変よく似ているが，それでも「最も近い自然な等価」を選択せよというナイダの処方に従っている．どちらの版も使われている言語は法律用語として典型的なものであり，シンタックスも「自然」である．

等価効果の目標はこの例のような法律的テクストでも重要である．正しく機能するためには，各国語テクストは各言語で同一の考えを表現しなければならず，同一の反応を引き出さなければならない．さもなければ，様々な解釈が行われた結果，法的混乱が生じ，法律的抜け穴の可能性も出てくる．この点から見れば，この条約のフランス語訳がわずかに異なった視点を含んでいることは，驚くべきことであろう．英語版では，この条約が「さらに密な連合を創造するプロセスにおいて新しい段階を画するものである」（the treaty ‘marks a new stage in the process of creating an ever closer union’）（プロセスが進行中であることを示唆し，これはポルトガル語版とも符合する）となっているのに対し，フランス語版では‘Le présent traité marque une nouvelle étape créant une union sans cesse plus étroite.’（この条約は間断なくより緊密な連合を創設しつつある新しい段階を画するものである）となっている．ここでは現在分詞‘créant’（英語では‘creating’）は，進行中のプロセスを示すというよりは，より密な連合という目標がこの条約によって事実上達成されつつあることを示唆しているのである．異なったテクストのもっと長い一節を比較し，細心の翻訳にもかかわらず，意味の異なる側面に焦点を合わせているような部分はないか見てみるのも面白いだろう．

Box 3.3

1　英語

By this Treaty, the HIGH CONTRACTING PARTIES establish among themselves a EUROPEAN UNION, hereinafter called ‘the Union’.

This Treaty marks a new stage in the process of creating an ever closer union among the peoples of Europe, in which decisions are taken as openly as possible and as closely as possible to the citizen.

（日本語訳：締結国は，この条約により相互間に「欧州連合」（以下「連合」と称する）を設立する．

この条約は，市民に対し，可能な限り開かれ，かつ，可能な限り市民の立場で決定を行う，一層緊密な欧州諸国民の連合を創設する過程の新たな段階を画するものである．）

2　ポルトガル語

Pelo presente Tratado, as ALTAS PARTES CONTRATANTES instituem entre si uma UNIÃO EUROPEIA, adiante designada por «União».

O presente Tratado assinala uma nova etapa no processo de criaçao de uma união cada ves mais estrita entre os povos da Europa, em que as decisões serão tomadas de uma forma tão aberta quanto possível e ao nível mais próximo possível dos cidadãos.

事例研究の考察

Box 3.2 と Box 3.3 に挙げたテクストはジャンルがまったく違っている．ナイダのモデルはそれ以前の理論よりもいっそう詳しい意味分析を可能にし，翻訳テクストが受容者に対して及ぼす効果を指摘する．しかし，依然として効果を「科学的に」測定することはできず，受容者とはいったい何であるのかという疑問は残る．欧州連合条約の場合でいえば，受容者は目標テクストの文化に属する法律専門家かもしれない．しかし，翻訳者はどのようにして，ポルトガルあるいは英国の法律専門家に与える効果がフランスの法律専門家に与える効果と間違いなく同一であるようにできるのだろうか．聖書のような宗教テクストの翻訳となると，このような疑問はさらに多くなる．

最後に，心に留めておくべきことは，ナイダの著作の目的は何といっても，言語学の専門知識がなく，まったく異なる文化に対処しなければならない翻訳者を訓練することにあった点である．したがって，ナイダのモデルは既存の翻訳の分析（そこでは翻訳者が何をしたかとか，すでに分かっている読者への効果はどうかといった点を確定することが重要になる）よりは，これから翻訳する起点テクストの分析のために使う方がより役に立つかもしれない．

まとめ

本章では1950年代と1960年代に言語学者によって提起された翻訳の重要な問題を検討した．キーワードである意味と等価については，1959年にヤーコブソンが論じ，ナイダによって重要な発展を見た．両者の著作は意味を体系的に分析し，翻訳は等価効果を目指すべきであるという提案がなされた．その目標の実現可能性については後に疑問が出されたが，それにもかかわらずナイダの大きな功績は，翻訳理論を「直訳対自由訳」という停滞した議論から切り離し，現代へと引き入れた点にある．ナイダの形式的等価と動的等価という概念は翻訳の受容者を中心に据えたものであり，後の翻訳理論家，とりわけドイツの理論家たちに大きな影響を与えた．次章では言語学を翻訳の研究に取り入れたその他の研究者を見ていく．

参考文献案内

ナイダの著作は実に多くの刊行物の中で議論されている．包括的な批判はLarose（1989）とQian Hu（1993）にある．またナイダ自身の，文脈に関する論考も参照されたい（Nida 2002）．意味の分析についてはOsgood et al.（1957），Lyons（1977），Leech（1983），Carter（1987）を，翻訳についてはLarson（1998）とMalmkjær（2005）を参照．等価と対応に関してはCatford（1965，第4章も参照），Kade（1968），

Ivir（1981），Koller（1995）を参照のこと．ドイツの‘Übersetzungswissenschaft’については，Wilss（1977, 1982, 1996）と Snell-Hornby（2005）を参照のこと．

討論と研究のために

1．ナイダと「参考文献案内」のセクションにある意味分析の形式を，さらに研究してみる．こうしたテクニックを自分が訳さなければならない起点テクストに適用してみよう．その利点と欠点はどこにあるだろうか？

2．等価と等価効果の原理はナイダの理論の要である．本章では紙幅の関係で，主要な問題の要約を 2，3 点しか掲載していない．この問題をめぐる議論をより深く研究し，この概念がどのように発展してきたかを検討してみよう（とっかかりとなる文献は「参考文献案内」を参考）．なぜ，これほど白熱した議論があったのだろうか？　これらの概念は，今日の翻訳者教育にどのように使えるだろうか？

3．Gentzler（2001: 59）は，「ナイダは，テクストを操作して宗教的信条の利益に奉仕するような翻訳の優れたモデルを提供した．しかしナイダは西欧社会が一般に「科学」と考えるものの土台を与えることには失敗している」と述べている．この意見に同意できるだろうか？　ナイダのモデルは宗教的なテクストに結びついているのだろうか？　ほかのジャンル（例えば広告，科学的テクスト，文学など）の場合，どの程度うまくいくのだろうか？

4．ナイダとニューマークの議論をさらに詳しく検討してみよう．動的 / 形式的等価と意味重視の翻訳 / コミュニケーション重視の翻訳の間の違いは何だろうか？　Basil Hatim and Jeremy Munday（2004: 41）は，形式的等価を「文脈を考慮した［…］直訳」として扱っているが，この定義をどう理解し，どの程度に同意するだろうか？

5．欧州連合条約（http://europa.eu.int/eur-lex/lex/en/treaties/index.htm）の各国語訳をさらに詳しく検討してみる．もっと長い様々なパッセージを取り上げてみよう．各バージョンは動的等価ないし形式的等価を達成していると言えるだろうか？　自分の判断を下す上で，どのような比較のための第三項を使っているだろうか？　また他の条約（例：欧州憲法条約（Treaty of Constitution for Europe 2004）や欧州連合統合条約（Consolidated Treaty on the European Union of

2006)）も取り上げて，等価関係が違っているかどうかを見てみよう．

6．ナイダの考え方はドイツの‘Übersetzungswissenschaft’に大きな影響を与えた（上述「参考文献案内」を参照）．コラー以外のドイツの研究者がナイダの概念をどのように取り入れたか調べてみよう．ナイダによる「翻訳の科学」の，どの部分をそのまま受け入れ，何を付け加えただろうか？

7．フーをはじめとする非欧州言語文化圏の研究者が等価の問題に関して言っていることを調べてみよう．西欧の概念は他の地域に影響を及ぼしただろうか？

8．「成功した翻訳というものは，おそらく言語や文化の親近性よりも，書き手の考えに対する翻訳者の感情移入により大きく依存している」（Newmark 1981: 54）．この主張を支持，あるいは反駁するような翻訳の例として，どのようなものがあるだろうか？

第4章　翻訳の産物とプロセスの研究

主要な概念

* 翻訳におけるシフト（ずれ translation shifts）は起点テクストを目標テクストに翻訳するときに起きる小さな言語的変化である.
* Jean-Paul Vinay and Jean Darbelnet（1958）：翻訳における言語的変化の古典的分類法.
* J.C. Catford（1965）は翻訳への言語学的アプローチの中で,「翻訳におけるシフト」という用語を使用している.
* 言語の文体的・美学的パラメータを採用したレヴィー（Jiří Levý）, ポポヴィッチ（Anton Popovič）, ミコ（František Miko）（1960年代, 1970年代）など, チェコの理論家による理論的著作.
* 起点テクストと目標テクストを比較するのに使われる不変項（invariant）の主観性の問題.
* 認知的モデルは, 観察によって翻訳プロセスを研究し, 説明しようとする.

主要文献

Catford, J. (1965/2000) *A Linguistic Theory of Translation*, London: Oxford University Press (1965). See also the extract ('Translation shifts') in L. Venuti (ed.) (2000), pp. 141–7.

Bell, R. T. (1991) *Translating and Translation: Theory and Practice*, Harlow: Longman, Chapter 2.

Fawcett, P. (1997) *Translation and Language: Linguistic Approaches Explained*, Manchester: St Jerome, Chapters 4 and 5.

Gutt, E-A. (1991/2000) *Translation and Relevance: Cognition and Context*, Manchester: St Jerome.

Lederer, M. (1994/2003) *Translation: The Interpretive Model*, translated by N. Larché, Manchester: St Jerome.

Levý, J. (1967/2000) 'Translation as a decision process', in L. Venuti (ed.) (2000),

pp. 148–59.
Vinay, J. P. and J. Darbelnet (1958/1995, 2nd edition 1977) *Comparative Stylistics of French and English: A Methodology for Translation*, translated and edited by J. Sager, and M.-J. Hamel, Amsterdam and Philadelphia: John Benjamins. (See also the extract 'A methodology for translation', in L. Venuti (ed.) (2004), pp. 128–37.)

4.0　はじめに

1950年代以降，翻訳の分析について様々な言語学的アプローチが行われてきた．こうしたアプローチは翻訳プロセスを類別するために詳細な分類リストを提案した．しかし本書の規模では必然的にその中でも最も有名で最も代表的な少数のモデルを説明するにとどまらざるをえない．したがって，本章の焦点は次の二つのモデルになる．

(1) Jean-Paul Vinay and Jean Darbelnet の "Stylistique comparée du français et de l'anglais"（1958/95）の分類．これは古典的モデルであり，きわめて広く影響を及ぼしたモデルである．
(2) J.C. Catford（1965）の言語学的アプローチ．これは「翻訳によるシフト（ずれ，translation shift）[1]」という用語の紹介を含む．

4.1　ヴィネイとダルベルネのモデル

ヴィネイ（Jean-Paul Vinay）とダルベルネ（Jean Darbelnet）はフランス語と英語の比較文体論的分析を行った．二人は両言語のテクストを見て，言語間の違いを挙げ，様々な翻訳の方略と「手順（procedures）」を明確に示した．この二人の著作，"Stylistique comparée du français et de l'anglais"（1958）はもっぱらフランス語と英語に基づいてはいるが，その影響力はより広い範囲に及んだ．例えばこの本が土台となって，同じシリーズでフランス語とドイツ語間の翻訳を扱った Alfred Malblanc 著 "Stylistique comparée du français et de l'allemand"（1963），さら

(1) 本書の初版では Kitty van Leuven-Zwart（1989, 1990）の詳細をきわめた翻訳のシフト分析モデルを解説した．ただ，このモデルは今日では滅多に使われないため第2版では割愛した．しかし，この分析については "Introducing Translation Studies" のウェブサイトで見ることができる．

にこの本に想を得て英語とスペイン語間の翻訳を扱った Gerardo Vázquez-Ayora 著“Introducción a la traductología”（1977）と Valentín García Yebra 著“Teoría y práctica de la traducción”（1982）という，同じような書が生まれた．皮肉なことに，本書執筆の時点でヴィネイとダルベルネの著作のフランス語版は入手困難であるのに，英語訳の改訂版が原著発行から 37 年後の 1995 年に出版されている．この新しい英語版には理論面での改訂もなされているため，本書での参照指示は断りがない限りこの英語版へのものである．適切と判断した場合には原著のフランス語も使用している．

Vinay and Darbelnet（1995: 30-42，2004: 128-37 も参照）が明確化した一般的翻訳方略とは，直接的翻訳（direct translation）と間接的翻訳（oblique translation）である．これは第 2 章で論じた「直訳対自由訳」の対立の議論を思わせる．事実，「直訳」は著者たちによって直接的翻訳の同意語とされている（1995: 31; 2004; 128）．二つの翻訳方略は七つの手順から成り，そのうち直接的翻訳にあたるものは以下の三点である．

(1)借用（borrowing）：起点言語の言葉がそのまま直接的に目標言語に転移される．このグループ分け（1995: 31-2; 2004: 129）には，ロシア語の‘rouble’（ルーブル）や‘datcha’（ダーチャ）（訳注1），もっと最近では‘glasnost’（情報公開）や‘perestroika’（改革）などが含まれる．こうした借用語は英語やその他の言語で，目標言語の意味的空隙を埋めるために使用される．借用語は時にローカルな風味を加えるために利用される（たとえば南西フランスの旅行パンフレットで‘pétanque’（ペタンク）（訳注2）や‘armagnac’（アルマニャック），‘bastide’（フランス南部の小邸宅）が使われるなど）．

(2)語義借用（なぞり calque）：これは「特殊なタイプの借用」（1995: 32-3; 2004: 129-30）で，起点言語の表現や構造が直訳によって転移されるものである．

（訳注 1）ロシアの菜園付き簡易住宅
（訳注 2）1910 年ごろにフランスで作られた，屋外で行うボーリングに似た競技．ブールという鉄製のボールを投げたり転がしたりして，ジャックと呼ぶ標的のボールに近づけるもの．

例えば ‘Compliments de la Saison’ というフランス語は，英語の ‘Compliments of the Season’（時候の挨拶）をなぞったものである．ヴィネイとダルベルネは，借用もなぞりもしばしば目標言語に完全に統合されるが，時には何らかの意味変化をともない，類似形異義語（false friends）になることがあると言う．

(3) 直訳（literal translation）（1995: 33-5; 2004: 130-2）：これは「逐語」訳（‘word-for-word’ translation）のことであり，ヴィネイとダルベルネは同じ系統と文化に属する言語間では最も一般的なものであると述べている．一例を示せば，’I left my spectacles on the table downstairs’ を ‘J’ai laissé mes lunettes sur la table en bas’ とするような翻訳である．

直訳は，ヴィネイとダルベルネによれば良い翻訳のための処方箋である．「直訳を犠牲にしなければならないとしたら，それは構造的な要請とメタ言語的要請のために限られ，しかも直訳を犠牲にしても意味が完全に保存されることを確認した後に限られる」（1995: 288）[2]．しかし，Vinay and Darbelnet（1995: 34-5）は，翻訳者は直訳を以下のような理由から「受け入れ難い」と判断するかもしれないとも言う．

(a) 直訳すると異なった意味になる
(b) 直訳すると無意味になる
(c) 直訳が構造的理由で不可能である
(d)「目標言語のメタ言語的経験の内部に対応する表現を持たない」
(e) 言語の異なったレベルの何かに対応してしまう

ヴィネイとダルベルネは，このように直訳が不可能なケースでは，間接的翻訳の方略を取るべきだと言う．間接的翻訳はさらに四つの手順に分けられる．

---

(2) 第3章で論じたナイダ（Eugene Nida）とニューマーク（Peter Newmark）の提案と類似していることに注意．

(4)転位（Transposition）（2004: 132 及び 1995: 94-9）：これは意味を変えずに品詞を変えることである．転位は以下のいずれかである．

- 義務的転位：‘dès son lever’［‘upon her rising’］が特定の過去の文脈において‘as soon as she got up’と訳されるような場合
- 選択的転位：逆方向への翻訳で‘as soon as she got up’を直訳的に‘dès qu’elles’est levée’と訳しても，‘dès son lever’のように転位として訳してもよい場合

Vinay and Darbelnet（1995: 94）は，転位を「翻訳者が行う恐らくは最も一般的な構造的変更」と見ており，少なくとも十の異なるカテゴリーを挙げている．以下はその例である．

- 動詞→名詞：‘as soon as she *got* up’ → ‘dès son *lever*’
- 副詞→動詞：‘He will *soon* be back’ → ‘Il *ne tardera pas* á rentrer’［直訳‘He will not tarry in returning’］

(5) 調整（Modulation）：これは起点言語の意味と視点を変えるものを指す．これにも義務的調整と選択的調整がある．

- 義務的調整：〈例〉‘the time *when*’を‘le moment *où*’［直訳‘the moment *where*’］と訳す
- 選択的調整（ただし，二つの言語が選好する構造に結びついている）：〈例〉‘it is not difficult to show’の視点を，’il est facile de démontrer’［直訳‘it is easy to show’］のように逆転させる

英語版では，この調整という手法は「直訳であれ転位であれ，その翻訳の結果が文法的には正しくても，目標言語では不適切で慣用から外れ，ぎこちないとみなされる場合」（2004: 133），正当化される手順であるとされている．

Vinay and Darbelnet（1995: 246）は，この調整という手順を「良い翻訳かどうかの試金石」として重視するが，転位については「目標言語の優れた運用能力があることを示すにすぎない」とする．メッセージ・レベルの転位は以下のようにさらに細かく分けられる（pp.246-55）．

具体的なものを抽象的なものに
原因—結果
部分—全体
部分—別の部分
語の逆転
反対物の否定
能動を受動に（あるいはその逆）
時間を空間に
（空間と時間の）間隔や限界を再考する
シンボルの変更（固定的比喩と新規な比喩を含む）

したがって，このカテゴリーは幅広い現象を含むことになる．また，本来は自由な調整であったものが固定的な表現になることもしばしばある．これについて Vinay and Darbelnet（1995: 254）は，次の例を挙げている．‘Vous l'avez échappé belle’［直訳 ‘You have escaped beautifully’］→ ‘You've had a narrow escape’（間一髪で逃れた）．

(6) 等価（Equivalence）：Vinay and Darbelnet（1995: 38-9; 2004: 134）はこの用語を，言語が同一の状況を異なった文体的・構造的手段によって記述するような事例に用いる．等価はとりわけイディオムやことわざを翻訳する際に役立つ．（‘comme un chien dans un jeu de quilles’［直訳 ‘like a dog in a game of skittles’］であれば，イメージはともかく，その意味は ‘like a bull in a china shop’（計画などをぶちこわしにしてしまう者）と訳すことができる．）このように限定的な意味で使われている等価を，本書の第 3 章で論じたような，より一般的な理論的使い方と混同すべきではない．

(7) 翻案（Adaptation）（1995: 39-40; 2004: 134-6）：これは起点文化のある状況が目標文化に存在しない場合，文化的言及対象を変えることである．例えばヴィネイとダルベルネは，英語のテクストがクリケットというゲームに言及している場合，その文化的含意は，言及対象をツール・ド・フランスに変えることによって最もよく翻訳されるかもしれないと言う．またこのような翻案を使わない場合，他の点では「完璧に正しい」目標言語であっても，翻案を拒否しているという翻訳方針は「漠然とした雰囲気，何か不自然な調子によって感知されるかもしれない」（1995: 53）と主張する．しかしヴィネイとダルベルネが言うような解決策は，少数の限定された比喩的用法の場合にはうまくいくかもしれないが，'that isn't cricket' や 'a sleepy Wednesday morning county match at Lords'（ものうい水曜日午前中のローズ競技場でのカウンティマッチ）のようなフレーズで，クリケットを自転車競技に変えてもほとんど意味はないだろう．

これら主要な七つの翻訳カテゴリーは三つのレベルで作用するとされる（1995: 27-30）．この三レベルは，ヴィネイとダルベルネによる著書の主要な構造的要素を反映している．その要素とは以下の三点である．

(1) 語彙
(2) 統語構造
(3) メッセージ

この場合の「メッセージ」とは，ほぼ発話とそのメタ言語的状況あるいは文脈の意味で使われている．さらに二つの用語が使われる．これは単語の上のレベルを見るためである．すなわち，

(1) 語順と主題構造（pp.211-31，フランス語版では 'démarche' と呼ばれる）
(2) 接続語句（pp.231-46，フランス語版では 'charnières' と呼ばれる）；これは結束的リンク，談話標識（'however'，'first' など），直示（ダイクシス，代名詞や 'this'，'that' のような指示代名詞）そして句読法を指す

このレベルの分析は，本書第5章と第6章で取り上げる，より高いレベルでのテクスト分析や談話ベースの分析をある程度は予見させるものである．

ヴィネイとダルベルネが考慮したさらに重要なパラメータは,「隷属（servitude）」と「選択（option）」である．

- 隷属（servitude）は，二つの言語体系の違いによる義務的な転位と調整を指す
- 選択（option）は，翻訳者自身のスタイルと選好による非義務的な変更を指す

明らかにこれは重要な違いである．Vinay and Darbelnet は，この選択という文体論の領域こそ翻訳者の主要な関心事であるべきだと強調した（p. 16）．かくして翻訳者の役割は，「使える選択肢の中から選択して，メッセージのニュアンスを表現する」ことになる．ヴィネイとダルベルネはさらに，翻訳者が起点言語から目標言語へと移行する際に従うべき五つのステップのリストを挙げる．

(1) 翻訳の単位を見つける
(2) 起点言語テクストを検討し，翻訳単位の記述的，情緒的，知的内容を考慮する
(3) メッセージのメタ言語的内容を再構築する
(4) 文体的効果を考慮する
(5) 目標テクストを作り，改訂する

最初の四つのステップはヴィネイとダルベルネも，公刊された翻訳作品の分析で使用している．ここで重要な問題である「翻訳の単位」について，Vinay and Darbelnet（1995: 21）は個々の単語ではないとする．二人は翻訳の単位を「語彙的単位」と「思考の単位」が結合したものとみなし，「発話の最小単位であり，その記号が個別には翻訳できないようなかたちで結びついたもの」と定義する．フランス語版では短い起点テクストと目標テクストを翻訳の単位に分割（division, あるいは ‘découpage’）する実例が示されている（1958: 275-7）．そこで提

案されている例には，個々の単語（'he'，'but' など），文法的に結合したまとまり（'the watch'，'to look' など），固定的表現（'from time to time' など），意味的に結合したまとまり（'to glance away' など）がある．後の英語版での新しい分析では翻訳の単位は長めになっている．例えば，'si nous songeons' / 'if we speak of' と 'en Grande Bretagne, au Japon' / 'in Great Britain, Japan' という両方の語群はそれぞれ単一の翻訳単位とされている．

間接的翻訳が使われる場合の分析を容易にするために，ヴィネイとダルベルネは起点テクストと目標テクストの両方の翻訳単位に番号をつけることを提案している（例えば，「事例研究」部分の表 4.1 を参照）．それぞれのテクストで同じ番号をふられている翻訳単位を比較して，どのような翻訳手順が採られているかを見るのである．

4.2 キャトフォードと翻訳の「シフト」

ヴィネイとダルベルネは翻訳における変化を論じる際に 'shifts'（シフト，ずれ）という言葉は使わなかったが，実際にはそれについて記述していた．この用語自体は Catford の "A Linguistic Theory of Translation"（1965）に由来するようであり，キャトフォード（J.C. Catford）は同書の中で，このテーマに 1 章を充てている．Catford（1965）[訳注3] はファース（J.R. Firth）とハリデー（M.A.K. Halliday）の言語学的モデルを使う．このモデルでは，言語はコミュニケーションとして分析され，文脈の中で，様々なレベル（音韻，書記，文法，語彙など）とランク（文，節，語群，単語，形態素など）[3] において機能するものとされる．

翻訳に関しては，キャトフォードは形式的対応（formal correspondence）とテクスト的等価（textual equivalence）という重要な区別をする．この区別は後にコラーによって展開されることになる（第 3 章参照）．

- 形式的対応（formal correspondent）とは「所与の起点言語のカテゴリーが起点言語において占めている場所と，目標言語の「秩序」においてできる限り

（訳注 3）20 という引用ページが入っていたが，著者の指示により削除した．
(3) これは第 6 章で取り上げる談話分析モデルの基礎になる．

「同一の」場所を占めるとされる，すべての目標言語カテゴリー（単位，種類，構造の要素など）」（Catford 1965: 27）のことである．

- テクスト的等価（textual equivalent）とは，「所与の起点言語のテクストあるいはテクストの一部と，特定の場合に等価とみなされるすべての目標テクストあるいはテクストの一部」を意味する．

このようにテクスト的等価は，特定の起点言語－目標言語の組み合わせ / ペアと結びついている．一方，形式的対応の方は，ある言語の組み合わせにおける，より一般的な体系に根ざした概念である．この二つの概念が乖離するとき，翻訳によるシフトが起こったとみなされる．Catford 自身の言葉（1965: 73; 2000: 141）でいえば，翻訳によるシフトとは「起点言語から目標言語への推移の過程で形式的対応から離れることである」．

キャトフォードは二種類のシフトを考える．（1）レベルのシフトと（2）カテゴリーのシフトである．

(1) レベルのシフト（level shift）（1965: 73-5; 2000: 141-3）は，一方の言語では文法で表現され，他方の言語では語彙によって表現されるものを指す．例えば，

- ロシア語のアスペクトが英語では語彙的動詞（lexical verb）に翻訳される：
〈例〉**'igrat'**（'to play'）' と **'sigrat'**（'to finish playing'）'
- あるいはフランス語の条件法が英語では語彙項目に対応するような場合：
〈例〉'trois touristes auraient été tués'［直訳 'three tourists would have been killed'］= 'three tourists have been reported killed'．

(2) Catford の分析はほとんどカテゴリーのシフト（category shifts）（1965: 75-82; 2000: 143-7）に向けられている．カテゴリーのシフトは4種類に分けられる．

(a) 構造的シフト（structural shifts）：キャトフォードによればこのシフトは最も一

般的なものであり，ほとんどは文法構造のシフトである．例えば，英語の‘I like jazz’（私はジャズが好きです）とフランス語の‘j'aime le jazz’のような主格人称代名詞 + 動詞 + 直接目的語という構造が，スペイン語（‘me gusta el jazz’）とイタリア語（‘mi piace il jazz’）では間接目的格人称代名詞 + 動詞 + 主格人称代名詞の構造に翻訳される．

(b) クラスのシフト（class shifts）：これは品詞が変化することである．キャトフォードは英語の‘a medical student’（医学生）とフランス語の‘un étudiant en médecine’を例に挙げている．英語の前置修飾の形容詞‘medical’が副詞的限定句‘en médecine’で翻訳される．

(c) ユニットのシフトあるいはランクのシフト（unit shifts or rank shifts）：これは翻訳における目標言語の等価表現が起点言語とは別のランクにあることをいう．ここでいう「ランク」とは文，節，句，語群，単語，形態素という階層的言語単位を指している．

(d) 体系内シフト（intra-system shifts）：このシフトが起きるのは起点言語と目標言語がほぼ対応する体系であるのに，「翻訳が目標言語において非対応の言葉を選ぶ」（1965: 80; 2000: 146）ような場合である．例としてフランス語と英語の数と冠詞の体系が挙げられている．この場合，二つの言語には類似した体系があるが，常に対応するわけではない．英語の‘advice’（単数）はフランス語では‘des conseils’（複数）となり，フランス語の‘Il a la jambe cassée’の定冠詞‘la’は英語では‘He has a broken leg’のように不定冠詞‘a’に対応する．

キャトフォードの書は言語学の進歩を翻訳に体系的に適用しようという重要な試みであった．しかし体系内シフトの分析は，このアプローチの弱点を露わにしてしまう．Catford はフランス語と英語の短いテクストでの冠詞の使い方を比較して，そこからフランス語の‘le/la/les’は「英語では 65% の確率で‘the’が翻訳における等価になる」と結論付け（1965: 81-2），「翻訳の等価は形式的対応とは完全には一致しない」という主張を裏付けようとした．このような確率といった一見すると科学的な言い方は，キャトフォードのアプローチ全体の特徴であり，当時の機械翻訳への関心の高まりと関連しているが，後に厳しい批判にさらされることになる．なかんずく Jean Delisle（1982）は，キャトフォードのアプローチの静的な対照言語学的性格を批判している．Ronald Henry（1984）も，キャトフォードの著作の刊行から 20 年後に「概して歴史的な学問的関心」の対象に過ぎないと評した（p.157）．しかし同時に翻訳可能性の限界を取り上げた最終章の意義も指摘している（p.155）．とりわけ興味深いのは，キャトフォードが翻訳における等価は単なる形式的な言語的基準ではなく，機能や関連性，状況，文化といったコミュニカティブな特徴に依存していると主張していることである．しかし，キャトフォード自身が述べているように（p.94），ある状況において何が「機能的に関連性がある」かを決定するのが，結局，個々人の見解になってしまうのは避けがたい．

キャトフォードが起点言語項目のコミュニカティブな機能を見ようと考え，用語を言語への機能的アプローチに根ざしたものにしようとしたにもかかわらず，キャトフォードの著作に対する主だった批判は，キャトフォードの挙げる例のほとんどが理想化されたもの（つまり頭で考え出したもので，実際の翻訳から取ったものではないもの）であり，文脈が考慮されていないという批判である．キャトフォードはテクスト全体を見ていないし，センテンスを超えるレベルさえ見てはいないのである．

4.3　翻訳におけるシフトについてのチェコの論考

1960 年代と 1970 年代には当時のチェコスロバキアでも翻訳におけるシフトについての議論が行われており，文学的側面，テクストの「表現的機能」あるいは文体という側面が導入された．レヴィー（Jiří Levý）の文芸翻訳に関する斬新な著作 “Umění překladu”（1963）は “Die literarische Übersetzung: Theorie einer Kunstgattung”（Levý 1969）としてドイツ語にも訳されているが，これは構造言語学のプラーグ学派の伝統に連なるものである．この本の中で，レヴィーは特に詩の翻訳を中心に，起点言語と目標言語の表層構造の翻訳に注目する．そして文芸翻訳は等価な美的効果を目的とする再生産的かつ創造的な営みであるととらえる（pp.65-9）．レヴィーもまた，等価が達成されなければならないようなテクストの特徴をカテゴリー化している．そのカテゴリーは，指示的意味，暗示的意味，文体的布置，シンタックス，音の繰り返し（リズムなど），母音の長さ，音の明瞭度である．これらが翻訳で重要になるかどうかはテクストのタイプに依存する．したがって，吹き替え翻訳の場合，母音の長さや音の明瞭度が変化してはならないし，技術的なテクストの場合には指示的意味が最も重要で，変えてはならないことになる．レヴィーの著作は彼が夭逝するまでチェコスロバキアの翻訳理論の発展にとってきわめて重要な意味を持ち，その後も世界中の翻訳理論家に影響を与えた．レヴィーのもう一つの論文 'Translation as a decision process'（1967/2000）も重要な影響を及ぼした．これは翻訳者の言語的選択の「漸次的意味変化」をゲーム理論に関連付けたものであった．このためレヴィーは現実の翻訳を「語用論的」なものと考える．

> 翻訳者は最小限の努力で最大限の効果を約束するような解決策を決定する．言い換えれば，翻訳者は直感的にいわゆるミニマックス戦略（MINIMAX STRATEGY）によって決定するのである．
>
> （Levý 1967/2000: 156）

さらにチェコの研究者による二つの翻訳に関する論文が，"The Nature of Translation: Essays on the Theory and Practice of Literary Translation"（Holmes 1970）という影響力のあった本に収録された．ミコ（František Miko）は，彼の言う翻訳における「表現のシフト（shifts of expression）」，あるいは文体のシフトの様々な理論的側面を重点的に論じた．Miko は起点テクストの表現上の特性あるいは文体を維持することが，翻訳の主要な，そしておそらくは唯一の目標であると主張し（Miko 1970:66），機能性（operativity），図像性（iconicity），主観性（subjectivity），衒い（affectation），卓立（prominence），対照（contrast）といったカテゴリーに基づく文体分析を提案する．同じ本の中で Popovič（1970:85）は，表現のシフトという概念の重要性を強調している．

> 表現のシフトをテクストのあらゆるレベルに適用して分析することは，翻訳の全般的システム，そしてその中の支配的要素と従属的要素に光を当てることになるだろう．

これは重大な展開であった．シフト分析（shift analysis）は，翻訳プロセスを統御する規範（norm）の体系に影響を及ぼす方法とみなすことができる．規範の概念については第7章で詳しく論じる．ポポビッチ（Anton Popovič）は，レヴィーによく似た視点から，翻訳によるシフトを「直訳対自由訳」の論争に関連付け，シフトは原著テクストと翻訳の理想との緊張関係から生じるものであり，オリジナルの美的全体性を忠実に再現しようとする翻訳者の意識的努力の結果であると考えた．こうした原則の詳しい説明はポポビッチの小著“Dictionary for the Analysis of Literary Translation”（1976）に見られる．そこでは「翻訳の適切性（adequacy of translation）」という用語が，「オリジナルに対する忠実性」ならびに「翻訳における文体的等価」と同義であるとされる．文体的等価自体は，「同一の意味という不変項を持つ表現的同一性を狙った，オリジナルと翻訳両方における要素の機能的等価」（p.6）と定義される．しかし，ポポビッチもミコも，こうしたアイディアを翻訳されたテクストの分析に詳しく適用することはなかった．

4.4　翻訳の認知的プロセス

翻訳におけるシフト分析は，起点テクストと目標テクストの比較によって観察された変化を分析・分類することで翻訳という現象を記述しようとする（第7章も参照）．それは翻訳の産物を構成するものを記述する一つの手段であるが，それが翻訳の実際のプロセスについて言えること（あるいは言おうとすること）には限界がある．しかし別のアプローチを採ったモデルもある．それは翻訳者自身の認知プロセスの観察と，分析か説明，あるいはその両方を基礎とするものである．Roger Bell（1991:43）が言うように，「プロセスと翻訳者，あるいはプロセスか翻訳者のいずれかの記述に焦点を合わせることは，[…] 翻訳理論が解決しなければならない二つの論点を明らかにする．すなわち，翻訳プロセスはどのように進行するのか，そしてそのプロセスを実行するために翻訳者はどのような知識とスキルを持っていなければならないかという問題である」．例えば1960年代からパリでセレスコビッチ（Danica Seleskovitch）とレデレール（Marianne Lederer）が提唱し，最初は会議通訳に適用された翻訳の「解釈モデル

(interpretive model)」は，翻訳を次の三段階の（重複する）プロセスとして説明する．

(1) 読みと理解（reading and understanding）（Lederer 1994, 2003:23-35）．言語能力と「世界に関する知識」を用いて起点テクストの意味（sense）を把握する．言語的構成要素は単に明示的意味だけでなく暗示的意味も参照して理解しなければならない．そのようにして著者の意図を再現するのである．レデレールによれば，我々の世界に関する知識は非言語化されており，理論的，一般的，百科全書的，文化的という性質を持ち，その活性化の仕方は翻訳者とテクストによって変わってくる．「翻訳者はテクストの中の事実を理解し，その感情的含意を感じるように求められる特権的読者である．それゆえ翻訳者はすべてのテクストに同じような距離感覚で接することはない」（Lederer, p.31）．

(2) 脱言語化（deverbalization）（Lederer, p.115）．「翻訳者が記号変換や原文のなぞりを避けるために不可欠の中間段階」である．これは通訳者の認知プロセスを説明するために考えられた概念である．通訳では言語変換は言葉ではなく意味を通じて行われると考えられている．脱言語化は「翻訳ではそれほどはっきりしないが［…］やはり存在している」（p.13）とされる．

(3) 再表現（re-expression）（Lederer, pp.35-42）．ここで脱言語化された意味の理解に基づいて目標テクストが構成され形を与えられる．

第四段階の検証（verification）は，翻訳者が目標テクストを見直して評価するという段階である．これは Delisle（1982/88, Lederer 2003:38 参照）が追加した．

ある意味でこのモデルはナイダの分析，転移，再構成というモデル（第3章参照）によく似ているように思われるかもしれない．しかし，解釈モデルは意味の構造的表示に重点を置くのではなく，脱言語化された認知的処理を強調する．とはいえ，脱言語化（deverbalization）という解釈モデルの中心的概念は，実際は理論的に未成熟である．それは，そのプロセスを実際に観察できないという問題のためでもある．もし脱言語化が心の中のノンバーバルな状態を意味するのであれば，研究者はいかにしてそれにアクセスするのか．再表現段階の後の言語化されたアウトプットという再構成された形態以外にないのではないのか．

関連性理論（relevance theory）（Sperber and Wilson 1986/95）の視点からは，Ernst-August Gutt（1991/2000）が，翻訳とは推論（inferencing）と解釈の因果モデルに基づくコミュニケーションの一例であると主張している．コミュニケーションが成功するかどうかは，コミュニケーターが自分の「情報意図」を受容者に確実に把握させることに依存するとされる．そしてこれは，刺激（言葉，ジェスチャーなど）を，受容者が「不必要な努力なしに十分な文脈効果を引き出せると期待できる」よう，最適の関連性を持つようにすることによって達成される（Gutt 2000:32）．言いかえれば，コミュニケーターは聞き手が推論を行えるようにコミュニケーションの手がかり（communicative clues）を与えるのである．翻訳者もまた同じような状況に直面し，いくぶんの責任を持たされている（pp.190-3）．すなわち翻訳者は情報意図を伝えることが可能かどうか，いかにして可能か，記述的（descriptively）に翻訳すべきか，解釈的（interpretively）に翻訳すべきか，起点テクストとの類似（resemblance）はどの程度であるべきか，といった決定をしなければならないのである．こうした意思決定は，翻訳者が受容者の認知環境（cognitive environment）を評価することによって行われる．これが成功するためには，翻訳者と受容者は求められる類似についての基本的想定を共有していなければならず，翻訳者の意図が受容者の期待と一致しなければならない（p.192）．Gutt（pp.193-4）はコミュニケーションの失敗例として（Dooley 1989から），ブラジルで話されているグアラニー語への新約聖書の翻訳を挙げている．このケースでは，最初に訳されたグアラニー語の慣用的な語法を用いた翻訳を，完全に書き改めなければならなかった．なぜならグアラニー族が期待していたのは，威信のあるポルトガル語の形態にもっとぴったり対応するような翻訳だったからである．

ガットは，コミュニケーションのプロセスと認知的処理に焦点を合わせることによって，レジスター分析（第6章参照）や記述的研究（第7章参照）のようなインプットとアウトプットの研究を基礎とする翻訳モデルを斥ける．ガットはさらに，コミュニケーションとしての翻訳は関連性理論の概念だけで説明できるとまで主張する．この点について彼は，「独自の概念と理論的枠組みをもった独立の翻訳理論を作る必要はない」（p.235）と述べる．

ベル（Roger Bell）は翻訳プロセスを独自にモデル化している（Bell 1991:35-81）が，これは意味構造分析（第3章参照）のような言語学的概念，過程構成，モダリティ，結束性のような談話分析のカテゴリー（第6章参照），そして言語心理学的処理などを利用したものである．ベルは分析（analysis）と総合（synthesis）を行うプロセスを仮定する．分析と総合はそれぞれ三つの「領域」（統語論，意味論，語用論）で生じる．起点テクストの断片（segment）は「完全に言語から自由な意味表示」に「転換」される（p.56）．この点は解釈学派の脱言語化と符合するが，解釈学派とは違い，この意味表示は節構造，命題内容，主題構造，レジスターの特徴，発語内の力，発話行為などの機能的・語用論的言語カテゴリーに分解される．総合（pp.58-60）は目的，主題構造，文体，発語内の力を包含し，次いで統語的総合に至る．このあたりの記述にはこの種のアプローチに及ぼした人工知能研究の影響がよく現れている．

> 目標言語統語プロセッサは意味段階からの入力を受け入れ，適切な語彙項目を求めてFLS（frequent lexis store: 高頻度語彙貯蔵庫）をスキャンし，命題を表現する適切な節タイプ（clause-type）を求めてFSS（frequent structure store: 高頻度構造貯蔵庫）をチェックする．FSSの中に特定の意味を伝達するために利用可能な節構造がない場合，命題はパーサ（ここでは統語的合成器として機能している）に送られ，最後に書記システムが活性化されて節を一連の記号として実現し，これが目標言語テクストを構成する．
>
> （Bell 1991:60）

このモデルが仮説的なものにとどまることは，まず間違いない．というのもベルはこのモデルを実証データでサポートしておらず，例として挙げられているテクストも文脈から切り離されているからだ．この他，翻訳の意志決定プロセスを説明するための観察データを集める目的で，発話プロトコル法（think-aloud protocols = TAP）のような方法を採用する研究者もいる．発話プロトコル法では，翻訳者は自分の思考プロセスを言語化するよう求められる（例：Krings 1986, Tirkkonen-Condit and Jääskeläinen 2000, special issue of “Across” 3.1（2002））．技術的革新（techonological innovations）を採用する研究者もいる．例えばコペンハーゲン・ビジネス・スクールの‘Translog’ソフトウェア（Jakobsen and Schou 1999, Hansen 2006）である．これは翻訳者のキーボードへのキー・ストロークを記録するものである．またアイ・トラッカー（眼球運動測定装置）（O’Brien 2006）はテクストへの眼球の（したがって恐らくは脳の）焦点位置を記録する．このような技術的発展はたしかに有益な結果をもたらす可能性があるが，Hurtado Albir and Alves（近刊）は「この分野は実験設計を洗練するとともに反復実験を促進し，先行する所見の検証と反証ができるよう，もっと努力すべきだ」と警告している．

事例研究

ヴィネイとダルベルネのモデルは長きにわたって翻訳研究者たちに大きな影響を与えてきた．我々はこのモデルを事例研究の土台とし，短い説明的なテクストに適用してみる．このテクストはロンドンのグリニッチ地区についての短い抜粋で，テムズ川ボートツアーの観光用パンフレットから取ったものである．Box 4.1 と 4.2 はそれぞれ英語の起点テクストとフランス語の目標テクストからの抜粋[(4)]である．

4.2 節で概説したモデルにならって，最初に起点テクストを翻訳の単位に分割し，それを目標テクストの部分と対応づけた．表 4.1 は翻訳単位への分割を示している．最初に生じる問題は，分節化の境界の問題である．ヴィネイとダルベルネは，これを他と切り離して翻訳できる「最小の」分節と定義している．しばしば，小さな分節と長い分節の両方が同時に語彙的に対応していることがある．例えば，ユニット 13（‘built by the Romans’）は，はっきり理解可能な三つの独立した分節，‘built’，‘by’，‘Romans’と見なすことができる．同様に，起点テクストのユニット 23（‘with Archbishop Alfege’）とユニット 24（‘as hostage’）

(4) “The Royal River Thames: Westminster to Greenwich Cruise and Sail and Rail Guide”（1997）, London: Paton Walker, pp. 7 and 14. にある．

も単一の思考ユニットと考えることができる．目標テクストのユニット 12（‘par la Old Dover Road’）の ‘par’（‘by’）も独立したユニットと考えられる．この場合は等価の起点テクストにその部分が付加されている．この種の分節化の問題は絶えず発生する．表 4.1 の起点テクストのユニットのカテゴリー化は Box 4.3 に示されている．

Box 4.1

Greenwich

The ancient town of Greenwich has been a gateway to London for over a thousand years. Invaders from the continent passed either by ship or the Old Dover Road, built by the Romans, on their way to the capital

In 1012, the Danes moored their longships at Greenwich and raided Canterbury, returning with Archbishop Alfege as hostage and later murdering him on the spot where the church named after him now stands.

Box 4.2

Greenwich

Les envahisseurs venant du continent passaient par cette ancienne ville, par bateau ou par la Old Dover Road（construite par les Romains）pour se rendre à la capitale. En 1012, les Danois amarrèrent leurs drakkars à Greenwich avant de razzier Canterbury et de revenir avec l'archevêque Alphège, pris en otage puis assassiné là où se trouve désormais l'église portant son nom.

表 4.1　テクストの翻訳単位への分節

起点テクスト（英語）		目標テクスト（フランス語）
Greenwich	1	Greenwich
The ancient town of Greenwich	2	
has been	3	
a gateway	4	
to London	5	
for over a thousand years.	6	
Invaders from the continent	7	Les envahisseurs venant du continent

passed	8	passaient
	4	par
	2	cette ancienne ville
either	9	
by ship	10	par bateau
or	11	ou
the Old Dover Road,	12	par la Old Dover Road
built by the Romans,	13	(construite par les Romains)
on their way	14	pour se rendre
to the capital.	15	à la capitale.
In 1012,	16	En 1012,
the Danes	17	les Denois
moored their longships	18	amarrèrent leurs drakkars
at Greenwich	19	à Greenwich
and	20	avant de
raided Canterbury,	21	razzier Canterbury
returning	22	et de revenir
with Archbishop Alfege	23	avec l'archevêque Alphège,
as hostage	24	pris en otage
and later	25	puis
murdering him	26	assassiné
on the spot where	27	là où
the church named after him	28	
now stands.	29	se trouve désormais
.	28	l'église portant son nom.

Box 4.3

1. タイトルはもともと英語からフランス語に‘Greenwich’という名前を借用したもの．これが現在では標準的な直訳となった．
2. 目標テクストの対応するユニットは‘cette ancienne ville’であり，目標テクスト・ユニット7の後にある．このように語順の変化が見られる．加えて，起点テクストでの‘Greenwich’の繰り返しが，目標テクストでは連結詞‘cette (ancienne ville)’となっている．これは効率化と転位の例である（固有名詞→指示代名詞）．
3. 省略．
4. ‘gateway’はフランス語ではユニット7の後の‘par’によって暗示される．これも効率的使用と転位である（名詞→前置詞）．

5．省略.

6．省略.

7．転位（前置詞 'from' → 動詞＋前置詞＋冠詞 'venant du'）．これは拡充でもある.

8．直訳.

9．省略.

10. 直訳.

11. 直訳.

12. par を加えるという補充（特殊な拡充）．'Old Dover Road' の借用．ただし冠詞 'la' が加わっている.

13. 直訳．ただし句読法に変化がある.

14. 転位．副詞的付加詞（'on their way'）→ 動詞句（'pour se rendre'）．ここにはメッセージの調整（結果→原因）もある.

15. 直訳.

16. 直訳.

17. 直訳.

18. 直訳．これは固定的調整（全体→部分）に分類することもできる．というのも 'drakkar' の語源はロングボートの船首の龍（dragon）の彫刻だからである.

19. 直訳.

20. 接続語句の変更．'and' → 'avant de'

21. 直訳.

22. 拡充．論理関係を示す 'et' という接続語句の付加.

23. 直訳．固有名 'Alfege' の，文字に変更（'Alphège'）を加えた上での借用を含む.

24. 拡充（'pris' を付加）.

25. 接続語句を省略した効率化（'and later' → 'puis'）.

26. 視点の変更（原因→結果，'murdering him' → 'assassiné'）.

27. 効率化．指示詞を使い名詞をダイクシス的に転位（'on the spot where' → 'lá où'）.

28. ユニット28と29は目標テクストで語順の変化がある．さらに，起点テクストのユニット28は原因→結果という調整（‘named after him’ → ‘portant son nom’）と転位（前置詞句→名詞句）を示している．
29. 語順の変化と調整，異なる時間限定（‘now’ → ‘désormais’）に関連した視点の変更．

事例研究の考察

このBoxを分析してみると29の翻訳単位のうち13ほどが直接的翻訳であることがわかる．つまり，翻訳の半分弱が直接的翻訳といわれるようなものであり，等価とか翻案といったより複雑な「文化的」手順はない．ここで明らかにされた間接的翻訳のほとんどは，語彙と統語レベルで影響を及ぼしている．もっとも，プロソディと構造にも幾分の変化はある．この数字は近似的なものにすぎない．というのも，翻訳単位の決定およびカテゴリー間の境界がはっきりしないという重大な問題があるからである．ある単位（例えば2と14）は一つ以上のシフトを示している．また別のケース（例えば4と18）では評価という特殊な問題が出てくる．最も重要な点は，ヴィネイとダルベルネは翻訳の「プロセス」を記述しようとしたが，彼らのモデルは実際には翻訳の「産物」に焦点を合わせていることである．このモデルには，より高次の談話レベルの考察もなければ，変化が読者に及ぼす効果についての議論もない．

まとめ

1950年代と1960年代には，起点テクスト目標テクスト・ペアの小さな言語的変化（シフト）について詳細な分類をする試みが登場した．ヴィネイとダルベルネの分類法は今日でも影響を与え続けている．それは多岐にわたる翻訳技法に光を当てる上で役に立った．しかし，1960年代に翻訳に関して体系的な対照言語学的アプローチを行ったキャトフォードと同様，ヴィネイとダルベルネの分類も静的な言語学的モデルであった．カテゴリーの境界がファジーであることと，シフトを機械的に数え上げるという問題は，後の試みにもつきまとい影響を与えた．シフト分析に関するもう一つのアプローチは1960年代と1970年代のチェコスロバキアで行われたものであり，レヴィーやポポヴィッチ，ミコなどが文体の翻訳に大きな関心を抱いた．他方で，翻訳手順の考察と説明のための異なるアプローチが認知的研究によって行われた．これは1960年代のパリ学派に始まり，ガット（関連性理論から）やベルも含んでいる．この種の研究手法は技術的進歩（発話プロトコル法，キー・ストロークの記録，眼球運動測定装置）をますます利用するようになってきた．ただし，方法論的手続きはいまだに標準化されていない．

参考文献案内

本章で説明したモデルに関するさらに詳しい議論はLarose（1989）とHermans（1999）を参照．すでに述べたように，ヴィネイとダルベルネのモデルは他の言語ペアにも適用されている．これについては，特にMalblanc（1963）とVázquez-Ayora（1977）を見ること．チェコ学派のアプローチはさらに注意する価値がある．とりわけLevý（1969）には，文学の翻訳に関する多くの鋭い洞察がある．Mounin（1963）はフランスの初期の言語学的モデルである．ロシアの強力な伝統はFyodorov（1968）とŠvecjer（1987）が継承している．認知的理論の要約についてはHurtado and Alves（近刊）を参照のこと．「高次コミュニケーション行為としての翻訳」に関するガットの最近の著作として，Gutt（2005）がある．またHatim and Munday（2004, Unit 8）にあるガットについての議論も参照のこと．

討論と研究のために

1．事例研究の分析を見てみよう．分析に同意できない点はないだろうか？この事例研究は，この種のモデルの使い方について何を教えているだろうか？
2．Box 4.4から4.6は事例研究に使った抜粋のドイツ語，イタリア語，スペイン語の目標テクストである．この目標テクストをヴィネイとダルベルネのモデルを使って翻訳単位に分解し，使われた翻訳手順を分析してみよう．その分析はフランス語の翻訳の分析とどう違っているだろうか？

Box 4.4

Greenwich

Seit über 1000 Jahren ist die historische Stadt Greenwich ein Tor zu London. Vom Kontinent kommende Invasoren passierten sie auf ihrem Weg nach London entweder per Schiff oder über Strasse Old Dover Road.

1012 legten die Dänen mit ihren Wikingerbooten in Greenwich an und überfielen Canterbury. Sie kehrten mit dem Erzbischof Alfege als Geisel zurück und ermordeten ihn später an der Stelle, an der heute die nach ihm benannte Kirche steht.

Box 4.5

Greenwich

L'antica città di Greenwich è una via di ingresso per Londra da più di mille anni. Gli invasori provenienti dal continente passavano sulle navi o lungo la Old Dover Road, construita dai Romani, mentre si dirigevano verso la capitale.

Nel 1012 i Danesi attraccarono le loro navi a Greenwich e fecero razzia a Canterbury, tornando con l'arcivescovo Alfege, come ostaggio e più tardi assassinandolo sul luogo dove sorge ora la chiesa che porta il suo nome.

Box 4.6

Greenwich

El antiguo pueblo de Greenwich ha sido la entrada a Londres durante miles de años.

Los invasores del continente pasaban por barco o a través de la Vieja Carretera de Dover, construida por los romanos, en su camino hacia la capital.

En el año 1012, los daneses amarraron sus grandes barcos en Greenwich, regresando con el arzobispo Alfege como rehén y posteriormente le mataron en el lugar donde ahora se encuentra la iglesia con su nombre.

3．ヴィネイとダルベルネ本人たちによるモデルの記述を読んで，それを自分の言語を含む起点テクストと目標テクストのペアに適用してみよう．このモデルを使って，カテゴリー化が容易な現象と難しい現象のリストを作ってみよう．彼らの分類が問題を引き起こすような言語の組み合わせはあるだろうか？

4．Beaugrande（1978:11）は，キャトフォードの書を次のように否定している．「キャトフォードの「翻訳の理論」は当時の言語学の限界の象徴である」と．しかしそれはそれとして，キャトフォードの理論の全体を読んでみて，その利点と応用の可能性をリストアップしてみよう．

5．レヴィー，ポポヴィッチ，ミコなどのチェコ学派は，当時は影響力があったが，現在の理論ではほとんど言及されない．彼らが書いたものを読んでみよう．翻訳のシフトに関して，他の理論家たちとどう違うのだろうか？　それは文体の変化の分析に役に立つのだろうか？　また Boase-Beier（2006），Bosseaux（2007），Parks（2007），Munday（2008）などによる，文体の翻訳に関するもっと新しい論文も読んでみよう．

6．翻訳訓練生による翻訳を分析するための分類法を作るように依頼されたと仮定して，実際に分類法を作ってみよう．そのために，この章で説明したモデルから有効と思える要素を使ったり，修正したりしてみる．できれば誰かにその体系性，実用性，有用性をテストし，評価してもらおう．

7．翻訳の解釈モデル（Delisle 1982/88, Lederer 1994/2003）をより詳しく検討してみよう．このモデルは第3章で検討したナイダの三段階モデルと，どの点が違っているだろうか？　翻訳プロセスを説明できる可能性が大きいのはどちらだと思うか？

8．Gutt（2000, 2005）における関連性理論の応用について読んでみよう．ガットの議論をよく検討した上で，「独自の概念と理論的枠組みをもった独立の翻訳理論を作る必要はない」というガットの主張にどこまで同意できるだろうか？

9．発話プロトコル法の実行例（例：Tirkkonen-Condit and Jääskeläinen 2000）を詳しく読んで，別の翻訳者や学生で試してみよう．このような研究の利点と限界が何であるかを認識できるだろうか？　その認識はこれまでの研究で述べられていることとどの程度一致するだろうか？

第5章　機能的翻訳理論

主要な概念

＊ 1970 年代－80 年代，ドイツの機能理論が静的な言語類型論を脱却する．

＊ライス（Katharina Reiss）はテクストのレベルでの等価性を強調し，言語機能をテクスト・タイプと翻訳方略に結びつける．

＊スネル＝ホーンビー（Mary Snell-Hornby）は，翻訳におけるテクスト・タイプへの「統合アプローチ」を提唱する．

＊ホルツ＝メンテリ（Justa Holz-Mänttäri）の翻訳行為理論：翻訳は，一連の関係者が関与するコミュニケーション過程である．

＊フェルメール（Hans J. Vermeer）のスコポス理論は，目標テクストの目的に依拠した翻訳方略に関する理論であり，ライスとフェルメールが発展させている．

＊ノード（Christiane Nord）の翻訳志向テクスト分析：起点テクストにも着目する機能的アプローチである．

主要文献

Holz-Mänttäri, J. (1984) *Translatorisches Handeln: Theorie und Methode*, Helsinki: Suomalainen Tiedeakatemia.

Nord, C. (1988/2005) *Text Analysis in Translation: Theory, Methodology and Didactic Application of a Model for Translation-Oriented Text Analysis*, Amsterdam: Rodopi.

Nord, C. (1997) *Translating as a Purposeful Activity: Functionalist Approaches Explained*, Manchester: St Jerome.

Reiss, K. (1971/2000) *Translation Criticism: Potential and Limitations*, translated by E. Rhodes, Manchester: St Jerome and American Bible Society.(1)

Reiss, K. (1977/89) 'Text types, translation types and translation assessment', translated by A. Chesterman, in A. Chesterman (ed.), pp. 105–15.

Reiss, K. (1981/2004) 'Type, kind and individuality of text: decision making in translation', translated by S. Kitron, in L. Venuti (ed.) (2004), pp. 168–79.

Reiss, K. and **H. Vermeer** (1984) *Grundlegung einer allgemeinen Translationstheorie*, Tübingen: Niemeyer.

Snell-Hornby, M. (1988/95) *Translation Studies: An Integrated Approach*, Amsterdam and Philadelphia: John Benjamins.

Vermeer, H. (1989/2004) 'Skopos and commission in translational action', in L. Venuti (ed.) (2004), pp. 227–38.

5.0　はじめに

1970年代80年代には翻訳のシフト（ずれ）に関する静的な言語類型論から離れて，翻訳分析への機能主義的でコミュニケーション重視のアプローチが，ドイツで台頭し盛んになった．本章では以下の点を取り上げる．

(1) ライスによるテクスト・タイプに関する初期の研究とスネル＝ホーンビーによる「統合」アプローチ．
(2) ホルツ＝メンテリの翻訳行為理論．
(3) 目標テクストの目的を重視したフェルメールのスコポス理論．
(4) ノードが精緻化したテクスト分析モデル．このモデルが1990年代に機能主義者の伝統を継承した．

5.1　テクスト・タイプ

ライスの1970年代の研究は，等価の概念（第3章参照）に基づいてはいるが，単語や文ではなくテクストをコミュニケーションが達成されるレベルとして捉え，このレベルで等価性が追求されなければならないとした（Reiss 1977/89: 113-14）．ライスの機能的アプローチは，翻訳評価の体系化を元来は目指したものである．ビューラー（Karl Bühler）の言語機能に関する三分類[2]を援用し，この三つの機能をそれに対応する言語の「特性」と関係付けて，テクスト・タイプもしくはテクストが使用されているコミュニケーションの状況に結びつけた．こ

---

(1) ドイツ語原著“Möglichkeiten und Grenzen der Übersetzungskritik”（Munich: Max Heuber, 1971）は絶版（訳注：原注では書名の一部が‘Möglichkeit’となっているが，著者に確認のうえで訂正）．

(2) Bühler（1934/65）の用語では，‘Darstellungsfunktion’（叙述機能），‘Ausdrucksfunktion’（表出機能），‘Appellfunktion’（訴え機能）．

の関係は表5.1の通りである．各テクスト・タイプの主な特徴を，Katharina Reiss（1977/89: 108-9）は次のようにまとめている．

(1)「事実の平明な伝達」：情報，知識，意見など．情報を伝えるために使用する言語の特性は，論理的ないしは指示的であり，内容つまり「話題」がコミュニケーションの主眼点となる．このテクスト・タイプは情報型である．

(2)「創造的構成」：著者は言語の審美的特性を用いる．著者つまり「送り手」が際立ち，メッセージの形式を重視する．このテクスト・タイプは表現型である．

(3)「行動反応の誘発」：訴え機能の目的は，テクストの読者つまり「受け手」に訴えかけて，何らかの方法で行動させることである．言語形式は対話的で，焦点は訴求的となる．ライスはこのテクスト・タイプを効力型と名付けた．

(4)映画や視聴覚広告などのオーディオ媒体テクストが，視覚映像や音楽などによって上述の三つの機能を補う．これはライスの四番目のテクスト・タイプであるが，表5.1には示されていない．

表5.1　テクスト・タイプの機能的特徴と翻訳方法との関係（Reiss 1971を翻訳・改訂）

テクスト・タイプ	情報型テクスト	表現型テクスト	効力型テクスト
言語機能	叙述機能 （対象や事実を表示）	表出機能 （送り手の態度を表現）	訴え機能 （テクストの受け手への訴え）
言語特性	論理的	審美的	対話的
テクスト焦点	内容重視	形式重視	訴求重視
あるべきTTとは…	指示的内容を伝達	審美的形式を伝達	望ましい反応を誘発
翻訳方法	「平明な散文」 適宜，明示化	「一体化」方法 原著者の観点を採用	「翻案」方法 等価効果

三つのテクスト・タイプのそれぞれと結びつけられたテクストの種類，つまりジャンル（Textsorte）の例をReiss（1976: 20）が提示し，それをチェスタマン（Andrew Chesterman）が図示している（図5.1参照）．この図によると，参考資料は

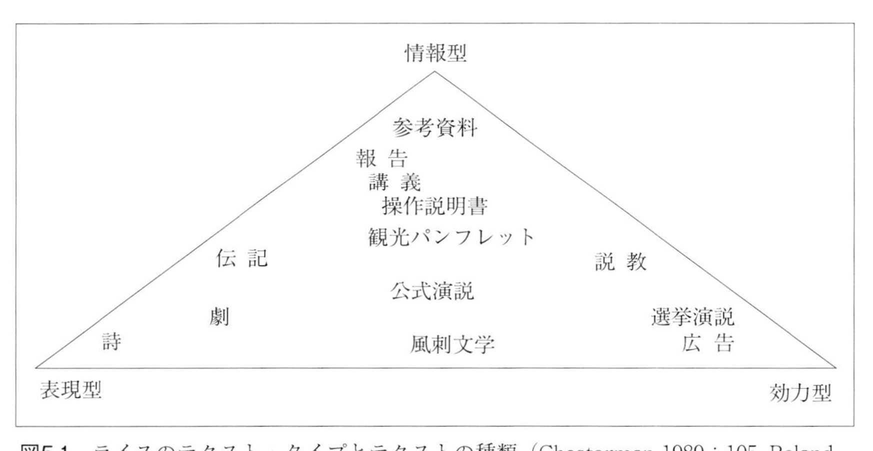

図5.1 ライスのテクスト・タイプとテクストの種類（Chesterman 1989：105, Roland Freihoffの配布資料に依拠）

典型的な情報型のテクスト・タイプ，詩は極めて表現豊かで形式重視のタイプ，広告は明らかに効力型のテクスト・タイプである（何かを買わせたり，行動させたりしようとする）．そして，これらの三極の間に多数の混成型が入る．したがって，伝記は情報型と表現型の間のどこかに入るかもしれない．ある人物についての情報を提供する一方で，一編の文学作品として表現型の機能も部分的に果たすからである．同様に，教会での説教は（宗教についての）情報を提供しながら，他方で効力型の機能を果たし，信徒に特定の行動様式をとらせようとする．

このような混成型が存在するにもかかわらず，Reiss（1977/89: 109）は「起点テクストの優位な機能を伝えることが決定要因となって，目標テクストが評価される」と述べ，「テクスト・タイプにそった個別の翻訳方法」を提案している（Reiss 1976: 20）．これらの方法は表5.1の下2列に示されており，次のように説明できる．

(1) 情報型の目標テクストは，起点テクストの指示的ないしは概念的内容を完全に伝えなければならない．翻訳は「平明な散文（plain prose）」として，冗長ではなく必要に応じて明示化される．

(2) 表現型の目標テクストは，起点テクストの審美的かつ芸術的な形式を伝えなければならない．翻訳は「一体化（identifying）」方法を用いて，翻訳者は原著者の観点をとる．
(3) 効力型テクストの目標テクストは，望まれる反応を目標テクストの受け手から引き出さなければならない．翻訳には「翻案（adaptive）」方法を用いて，目標テクスト読者に等価効果を生み出す．
(4) オーディオ媒体のテクストは，ライスが「補完（supplementary）」方法と名付けたものを必要とし，視覚映像や音楽で文字を補う．

Reiss（1971: 54-88）はまた，言語内と言語外の一連の教示基準（Instruktionen）を列挙しており，これによって目標テクストの適切性が評価され得る．この基準は以下のものである．

(1) 言語内基準：意味的，語彙的，文法的，文体的特徴
(2) 言語外基準：状況，主題分野，時，場所，受け手，送り手，「情動的含意」（ユーモア，皮肉，感情など）

相関性はあるものの，これらの基準の重要性はテクスト・タイプによって異なる（Reiss 1971: 69）．例えば内容重視のテクストを翻訳する際には，まず意味的等価の保持を目指すべきである．目標テクストがニュース項目の場合，次に重要となるのは，おそらく文法的な基準だが，他方，一般科学書の場合は，起点テクストの個性的文体の方に注意が払われるかもしれない．同様に，表現型テクストの翻訳では情報型テクストの翻訳よりも，メタファーをそのまま訳に生かすことが重要ではないか，と Reiss（p. 62）は考える．情報型テクストではメタファーの意味的価値を訳出するだけでも事足りるであろう．

Reiss（1977/89: 114）が認めているように，目標テクストと起点テクストの機能が異なる可能性も当然ある．ライスの例は，ジョナサン・スウィフト（Jonathan Swift）の“Gulliver's Travels”（『ガリヴァー旅行記』）である．もともとこの本は当時の政府を非難する風刺小説だったが（すなわち，主として効力型テクスト），現在では「一般の娯楽小説」として通常読まれているし，そのように

翻訳されている（すなわち，表現型テクスト）．または，目標テクストが起点テクストと異なるコミュニケーション機能を有する場合もある．例えば，ある言語で行われた効力型の選挙演説が，別の国では分析のために翻訳されるかもしれない．どんな政策がどのように発表されたのかを知ることに（すなわち，情報型・表現型テクストとして）関心を抱くからである．

5.1.1 テクスト・タイプからのアプローチの考察

ライスの研究が重要であるのは，翻訳理論が単なる単語という小さな言語単位の考察を超え，さらに単語が生み出す効果さえも超えて，翻訳に関するコミュニケーションの目的を考察しようとするからだ．しかし，長年にわたり多くの批判が寄せられ，Peter Fawcett（1997: 106-8）がまとめている．批判のひとつは，なぜ言語機能には三つのタイプしかないのかというものである．ノードはライスと同じ機能主義的枠組みで研究していたものの，おそらく暗にこのような批判を受け入れたのであろう．四つめの「交話的」機能を追加する必要性を感じて，ヤーコブソン（Roman Jakobson）の言語機能に関する類型[3]から取り入れている．これにより，コミュニケーションに関与する当事者間の関係を確立したり，維持したりする言葉が対象となる（Nord 1997: 40，以下の 5.4 節も参照）．わかりやすい例は，挨拶や常套句としての‘Ladies and gentlemen’で，これはフォーマルなスピーチや企業が顧客に対して行う発表の始まりを示すために用いられる．

ライスが提示した翻訳方法は，個別のテクスト事例にどのように適用されるのか，という点も疑問である．情報型テクストのために提唱されて，一見すると論理的である「平明な散文」方法でさえ疑問視され得る．例えば，英語でのビジネス・金融関連のテクストにはメタファーが，単純なものから複雑なものまで多数含まれる．市場は‘bullish’（強気）や‘bearish’（弱気）であり，利益は‘soar’（急上昇），‘peak’（最高値），‘dive’（急落）や‘plummet’（激減）する一方で，‘credit crunch bites’（貸し渋りがひどくこたえる）ことや，銀行が‘hostile take-over bids’（敵対的株式公開買付け）に対して‘scorched-earth policy’（焦土作戦）を用い

(3) Jakobson（1960）の有名な類型では，メタ言語的機能と詩的機能という二つの機能と共に，交話的機能が加わる．

ることもある．これらの表現には別の言語での定訳がある場合もあるが，さらに複雑で独特なメタファーになるとそのようなものはない．最近の研究でも（例：Dickins 2005），言語メタファーから，現実認識を表象し構築する概念メタファーへと考察が移ってきた．同様に，ビジネス・テクストを英語へと翻訳する際には，起点テクストの情報価値以外にも注意を払わねばならない．情報価値のみを翻訳する方法では，英語の目標テクストが言語の表出機能に欠ける可能性があるからだ．

上記の事例は，ライスの理論全体への重要な批判を内包している．つまり，テクスト・タイプは実際に差異化できるのであろうか．企業の年次報告書は，ライスの分類では典型的な情報型テクストだが，表現型の側面を強く示すともいえる．また，起点言語の文化では複数の機能を有するかもしれない．企業の役員向けには情報型テクストであるが，株主やマーケットのアナリストに対しては効力型テクストとして，効率的な企業経営がされていると納得させるのだ．図5.1では，伝記は訴え機能も持ちやすく，読者がその人物に向けて特定の立場をとるように説得しようとする．広告は，通常は訴求的だが，芸術・表出機能もしくは情報伝達機能も持ち得る．同じ起点テクスト内に複数の機能が共存したり，その起点テクストを多様な目的に使用したりするのは，ライスの明確な区分にうまく収まらない曖昧性の証左である．最終的に，翻訳方法は単なるテクスト・タイプ以上の要因で決まる．翻訳者自身の役割や目的，社会文化的な圧力も，どのような翻訳方略を採用するのかに影響している．これは本章での後続の節と第6章において鍵となる問いである．

5.1.2　スネル＝ホーンビーの「統合アプローチ」

“Translation Studies: An Integrated Approach”（1988, 改訂版1995）は，ウィーンを拠点とする研究者，教育者，翻訳者であるスネル＝ホーンビーの著書である．翻訳に対する包括的な「統合」アプローチによって，広範にわたる異なる言語学的及び文学的概念を概観し，それらの統合を試みている．スネル＝ホーンビーは主にドイツ系理論を学び，テクスト・タイプを分類するための原型（プロトタイプ）という概念を特に援用する．考察対象のテクスト・タイプに依拠して，文化史・文学研究・社会文化研究・地域研究を取り込み，法律・経済・医療・科学分野の翻訳に向けては，関連する特定のテーマに関する研究を組み込んでいる．スネル＝ホーンビーの見解は，図 5.2 のように図示される．

Mary Snell-Hornby（1995: 31）は，水平方向に左から右への明確な境界線のない一続きの連続体として，この図を読むように解説している．これは最も一般的な（A）から特殊な（F）まで連なる（垂直方向の）「階層モデル」によって補完される．A レベルでは，「文芸」「一般」「専門」翻訳を，「従来の」個別翻訳分野に従って孤立させるのではなく，ひとつの連続体に統合しようと企てる．B レベルは原型となる基本テクスト・タイプを表す．C レベルでは，社会文化的な背景知識など「言語学以外の学問分野が示され，[…] 翻訳へと不可分に結びつけられる」．そして，D レベルでは訳出プロセスを対象とし，（i）起点テクストの理解，（ii）目標テクストの焦点，（iii）目標テクストのコミュニケーション機能を包摂する．E レベルでは翻訳に関連する言語学の領域を網羅し，F レベルという最下位のレベルでは，演劇の翻訳や映画の吹き替えにおける頭韻，リズム，台詞としての言いやすさなどの音韻面を扱う．

この興味深い試みは，翻訳に関する多様な領域をひとつにまとめ，シュライアーマハー（Friedrich Schleiermacher）が 1813 年に述べた商業的翻訳と芸術的翻訳の間の溝を埋める（第 2 章参照）．しかし，詳細で単一の包括的かつ分析的な枠組みに，あらゆるジャンルやテクスト・タイプを取り込むという試みは，果たして本当に実現可能なのかと問うてみなければならない．矛盾が見つかるのは必至であり，例えば次のような点がある．

* B レベルでは，「新聞のテクスト」がすべて「一般翻訳」として，実際にまとめられるのか．「映画」の翻訳は文芸翻訳として扱うべきか（第 11 章と比較）．
* なぜ「広告」は「一般」よりも「文芸」から離れて置かれているのか．広告は叙情詩に用いる創造的な言語とずっと多くの共通点があるのではないか．
* C レベルでは，「文化史」は，文学テクストの翻訳と同様に医療テクストの翻訳にも関連するかもしれない．
* 「専門領域の研究」は，文学テクストの背景にも適しているかもしれない．例えば，ポルトガルの作家ジョゼ・サラマーゴ（José Saramago）の“História

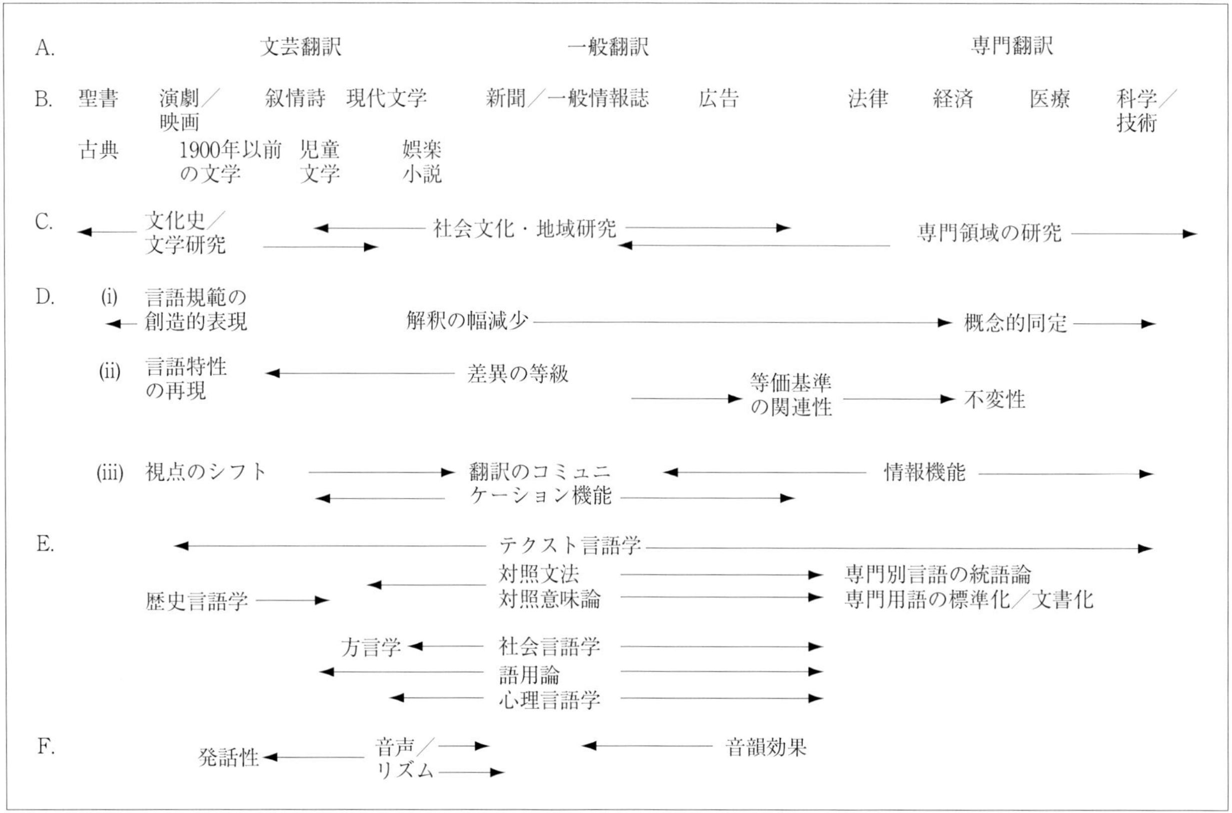

A. 文芸翻訳 一般翻訳 専門翻訳

B. 聖書 演劇／映画 叙情詩 現代文学 新聞／一般情報誌 広告 法律 経済 医療 科学／技術

古典 1900年以前の文学 児童文学 娯楽小説

C. 文化史／文学研究 社会文化・地域研究 専門領域の研究

D. (i) 言語規範の創造的表現 解釈の幅減少 概念的同定

(ii) 言語特性の再現 差異の等級 等価基準の関連性 不変性

(iii) 視点のシフト 翻訳のコミュニケーション機能 情報機能

E. テクスト言語学

歴史言語学 対照文法 対照意味論 専門別言語の統語論 専門用語の標準化／文書化

方言学 社会言語学 語用論 心理言語学

F. 発話性 音声／リズム 音韻効果

図5.2 テクスト・タイプと関連する翻訳基準（Snell-Hornby 1995：32より）

do Cerco de Lisboa”を翻訳するためには，十字軍の歴史を調べなくてはならないし，ドイツの作家トーマス・マン（Thomas Mann）の“Der Zauberberg”（『魔の山』）の翻訳には，1920年代のアルプス山脈にあったサナトリウムの制度に関する知識が必要だ.

* 同様に，「台詞としての言いやすさ」は，文学作品に限られるわけではない．英国カバーシャムにあるBBCワールド・サービスでは，外国からのニュース放送を放送用の読み原稿として翻訳することが頻繁にある．また書かれたスピーチ原稿の翻訳に際しても，起点テクストのリズムや音声を保持し再現せねばならないかもしれない.

スネル＝ホーンビー独自の分類形式には議論の余地があるとしても，異なる言語タイプ間の厳密な区分を取り払った点は歓迎できる．翻訳学が文学にのみ（これまでの50年間が得てしてそうであったように）焦点を合わせる必要もないし，また逆に科学技術テクストにのみ絞ることもない．しかし，原型を示す連続体においてあらゆる種類の言語を考察することが，翻訳の分析や翻訳者養成に必ずしも有益な結果をもたらすとは限らないことも，また事実である．たとえ別のテクストを学習することで相互に恩恵に浴するとしても，産業翻訳者を目指す学習者は，文芸翻訳者を希望する者と比べて，何らかの異なる訓練を要するであろう.

5. 2　翻訳行為

ホルツ＝メンテリの“Translatorisches Handeln: Theorie und Methode”(4)が提唱した翻訳行為（translatorial action）モデルは，コミュニケーション理論と行為理論からの概念を援用し，専門職としての翻訳に関する広範な状況に適用できるモデルと指針の提供を目指す．翻訳行為では目的主導で結果志向である人間の相互行為として翻訳をとらえ，異文化間の転移を伴うメッセージ伝達複合体

(4) Holz-Mänttäri（1984）も次節で取り上げるReiss and Vermeer（1984）“Grundlegung einer allgemeinen Translationstheorie”もどちらも英語版はない（訳注：本書では著者の英訳からの翻訳．なお原注では書名の一部が‘allgemeine’となっているが，著者に確認のうえで訂正）.

(Botschaftsträger im Verbund) として，訳出プロセスに焦点を合わせる．

> (翻訳行為とは) 単語・文・テクストの翻訳に関するものではなく，どんな場合にも，文化の壁を超えて意図された協力を導くことに関するものであり，機能志向のコミュニケーションを可能にする．
>
> (Holz-Mänttäri 1984: 7-8，英訳より)

言語間翻訳は「起点テクストからの翻訳行為」であり，一連の役割や関係者が関与するコミュニケーション過程として説明される (pp. 109-11).

* 発起者 (initiator)：翻訳を必要とする企業や個人．
* 依頼者 (commissioner)：翻訳者に連絡を取る個人．
* 起点テクスト作成者 (ST producer)：起点テクストを書く企業内の個人であり，目標テクストの作成に必ずしも常に関与しているわけではない．
* 目標テクスト作成者 (TT producer)：翻訳者 (たち)，翻訳会社もしくは翻訳部署．
* 目標テクスト利用者 (TT user)：例えば教材やセールス文書として，目標テクストを使用する個人．
* 目標テクスト受け手 (TT receiver)：目標テクストの最終的な受取人で，例えば目標テクスト利用者の授業を受講する学生や，翻訳されたセールス文書を読む顧客．

これらの関係者にはそれぞれに一義的，副次的な特定の目標がある．詳細な事例研究として Justa Holz-Mänttäri (pp. 129-48) が選んだテクストは，化学処理トイレ用の据付け説明書であり，翻訳行為における異なる参与者の役割が分析されている．この種のテクストを前にしたプロ翻訳者の場合，第一の目標はおそらく収入を得ることで，次に契約を履行して，テクストのメッセージを処理することである (p. 138)．ここでの分析によると，翻訳者はテクスト・タイプと専門領域の両方ともに熟知しているわけではないかもしれない．その際は専門領域の知識を追加的に入手することが必要となり，企業内の起点テクスト作成者に質問したり，または翻訳者自身が入念なリサーチをする．

翻訳行為では，受け手にとって機能的にコミュニカティブな目標テクストを作成することに主眼が置かれる．これはすなわち，例えば目標テクストの形式やジャンルが，目標テクスト文化内で機能的に適切なものによって導かれなければならず，起点テクストのプロファイル（概略）を単に複写するだけではいけないということだ．ただし，何が機能的に適切であるのかは，翻訳者が決定しなければならない．翻訳者は翻訳行為の専門家であり，翻訳者の役割は異文化間転移が十全に起こるようにすることである．「訳出テクスト操作」（ホルツ＝メンテリは目標テクスト産出として，この用語を使用）において，起点テクストはもっぱら「構築と機能のプロファイル」のために分析される（pp. 139-48）．この分析に関連する特徴は「内容」と「形式」という伝統的な分離に従って，次のように説明される（p. 126）．

(1) 内容は，いわゆる「テクトニクス（tectonics）[訳注1]」によって構造化され，(a) 事実情報と (b) 全体的なコミュニケーション方略に区分される．
(2) 形式は，「テクスト構成（texture）」によって構造化され，(a) 専門用語と (b) 結束性の要素に区分される．

受け手のニーズが目標テクストの決定要因である．このため，用語に関する限り，起点テクストのマニュアルで使用されている専門用語を，専門家ではない目標テクスト利用者用に明確化することが必要かもしれない．その上で，目標テクスト読者のために結束性が維持されるように，同じ用語は一貫した訳語にすべきであろう（p. 144）．

5. 2. 1　翻訳行為モデルの考察

ホルツ＝メンテリの研究の価値は，翻訳（少なくとも，その研究対象となったプロの非文芸翻訳）を社会文化的コンテクスト内に位置づけたことにある．ここでは翻訳者と翻訳を発起する組織との相互作用も視野に入る．後には，翻訳者

（訳注 1）ドイツ語は ‘Tektonik’．ここでは意味と統語法の間に存在する意味構築を示す．

の「職業プロファイル」も説明された（Holz-Mänttäri 1986）．ホルツ゠メンテリの研究に対して，以下のように絶賛する研究者もいる．

> ホルツ゠メンテリが提示した翻訳行為という概念は，あらゆるタイプの翻訳に関連すると考えられ，この理論は翻訳者が行う全決定への指針を提供するために適用できる．
>
> （Christina Schäffner 1998: 5）

現実の実務翻訳での制約を研究に取り入れたことは，翻訳者が直面する決定のいくつかに対処する上で歓迎される．しかし，このモデルも批判され得る．とりわけ用語が難解であり（例：「メッセージ伝達複合体」），個々の翻訳者にとっては，実際の翻訳状況を説明することに殆どならない．さらに，このモデルの目的のひとつが，異文化間転移のための指針を提供する点にあるのだから，文化的差異をより詳細に，第8章と第9章で論じられている文化志向のモデルが提示するような術語で考察していないのが惜しまれる．

Christiane Nord（2005: 31-2）も，ホルツ゠メンテリの起点テクスト軽視という問題を取り上げている．「機能性は翻訳にとって最重要となる基準である」が，翻訳者に絶対的自由を許すものではない，とノードは強調する．起点テクストと目標テクストの関係性が必要であり，この関係性の本質が目的つまりスコポスで決定されるのだ．このような「機能性プラス忠誠」の原理が，ノードのモデルの土台となる．

5.3　スコポス理論

スコポス（skopos）とはギリシャ語で「目標」「目的」を意味する．この言葉が翻訳理論に紹介されたのは1970年代で，フェルメールが翻訳物と翻訳行為の目的をあらわす専門用語として用いた．スコポス理論（Skopostheorie）に関する主著は，"Grundlegung einer allgemeinen Translationstheorie"（一般翻訳理論のための基礎）(訳注2)で，フェルメールとライスの共著である（Reiss and Vermeer 1984）．スコポス理論はホルツ゠メンテリの翻訳行為理論に先立つものの，目標テクストに基づいた翻訳行為を扱うという点で同一の理論の一部として考えてもよい．翻訳行為は交渉され遂行されるべきもので，そこには目的と結果がある（Vermeer 1989/2004: 228）．スコポス理論では，何よりもまず翻訳の目的に焦点を合わせる．翻訳の目的が翻訳の方法と方略を決定し，それらを採用した結果として機能的に適切な翻訳が産出されるのである．その結果が目標テクストとなり，フェルメールはこれを‘Translatum’[訳注3]と呼ぶ．したがってスコポス理論では，起点テクストが翻訳される理由や目標テクストの機能を知ることが，翻訳者にとって決定的となる[5]．

1984年に出版された共著の書名が示すように，ライスとフェルメールは，あらゆるテクストのための一般翻訳理論を打ち立てようとした．前半はフェルメールのスコポス理論の詳細な説明から始まり，後半は「個別理論」として，ライスの機能的テクスト・タイプのモデルを一般理論に適合させている．本章では紙幅に限りがあるために，スコポス理論の基本的な「規則」に着目する（Reiss and Vermeer 1984: 119）．この規則は以下の通りである．

(1)‘Translatum’（目標テクスト）は，そのスコポスが決定する．
(2)目標テクストは，起点文化・言語での情報提供（Informationsangebot）に関して，目標文化・言語において情報提供したものである．
(3)目標テクストは明確に可逆的な方法で情報提供を始めるわけではない．
(4)目標テクストは内部的に一貫性がなくてはならない．
(5)目標テクストは起点テクストと整合性がなくてはならない．
(6)上記の五つの規則はこの順序で有効となり，スコポス規則を最優先する．

ここで多少の解説が必要であろう．規則2が重要であるのは，起点テクスト

（訳注2）原文では書名の一部が‘allgemeine’となっているが，著者に確認のうえで訂正．
（訳注3）‘Translatum’は，ドイツ語で翻訳の産出物つまり目標テクストを意味するフェルメールの造語である．また‘Translat’も同様の意味で，ライスとフェルメールの造語．
(5) Vermeer（1989/2004: 224）では，スコポスを三つの方法で考察できると述べている．すなわち，1. 訳出プロセス，2. ‘Translatum’それ自体，3. 訳出方式や意図．ひとつのテクストが，さまざまな異なる目的つまり「下位スコポス（sub-skopoi）」を示す部分を有することもある．

と目標テクストそれぞれの言語的及び文化的コンテクストにおいて，両テクストをその機能に関連付けるという点である．翻訳者はここで再び（ホルツ＝メンテリの理論でそうであったように），異文化コミュニケーションの過程と目標テクストの産出において重要な関係者となる．規則3での不可逆性は，目標文化での目標テクストの機能が，必ずしも起点文化での機能と同一ではないことを示唆する．規則4と5は一般的なスコポス「規則」で，行為や情報の転移が首尾よく遂行されたことをどう判断するのかに関するものである．つまり，一貫性規則はテクスト内の一貫性に関係し，忠実性規則は起点テクストとの間の整合性に関係する．

一貫性規則では，目標テクストは「目標テクストの受け手が置かれた状況と一貫性を有するものとして解釈可能でなくてはならない」（Reiss and Vermeer 1984: 113）．換言すれば，目標テクストはその受け手にとって，状況や知識に鑑みて筋の通ったものとなるような方法で，翻訳されなくてはならないのである．

忠実性規則では，目標テクストと起点テクストとの間に整合性がなければならない（p. 114）と述べているにすぎない．具体的には，次の要素間での整合性である．

*翻訳者が受け取る起点テクスト情報
*翻訳者がこの情報から行う解釈
*目標テクストの受け手のためにコード化された情報

ただし，これらの規則の階層的順序は以下の意味を持つ．テクスト間の整合性（規則5）はテクスト内の一貫性（規則4）よりも重要度が低く，同様に，規則4もスコポス（規則1）に従属する．このように起点テクストの地位を軽視すること（フェルメールの用語では「失脚」）は，スコポス理論と翻訳行為理論の両方に全般的に見られ，多くの論議を喚起している．

スコポス理論の重要な利点は，目標テクストの目的や翻訳者に付与された権限によって，同じテクストが異なる方法で翻訳される可能性を認めることである．フェルメールはこう述べる．

スコポスが明言するのは，意識的かつ首尾一貫して，目標テクストを尊重する何らかの原理に従って翻訳せねばならないということだ．スコポス理論では，その原理が何かということは示さない．これはそれぞれの具体的な事例で，個別に決定されなければならない．

（Vermeer 1989/2004: 234）

フェルメール自身が用いた事例で説明しよう．フランス語で書かれた遺言があいまいであれば，この案件を担当する外国の弁護士のためには，脚注やコメントをつけて，文字通りに翻訳しなければならない．だが，その遺言が小説に出てくるのであれば，翻訳者はやや異なるあいまいな表現を見つけ，正式の脚注なしでも目標言語で意味が通じるようにして，読書の妨げとならないようにするかもしれない．

翻訳行為が特定の事例に対して適切であるためには，スコポスが明示的であれ暗示的であれ，翻訳の依頼内容に記される必要がある（p. 235）．フェルメールによると，依頼内容は（1）目標，（2）その目標が達成されなければならない条件（締め切りや料金など）から成り，この二つが依頼者と翻訳者との間で交渉される．このように，翻訳者は専門家として，目標の実現可能性について依頼者や顧客に助言できなければならない．目標テクストの性質は，「スコポスもしくは依頼内容が主に決定する」（p. 237）のであり，翻訳行為の基準として，適切性（Adäquatheit）が等価性よりも優位に立つ．Reiss and Vermeer（1984: 139）では，訳出プロセスにおけるスコポス遵守の結果として，適切性こそが起点テクストと目標テクスト間の関係を説明する．換言すれば，依頼内容に概説されたスコポスを目標テクストが満たすならば，その目標テクストは機能的にもコミュニケーションの面からも適切なのである．等価性は起点テクストと目標テクスト間の機能的恒常性（起点テクストと目標テクストで機能が同一の場合）に還元される．とはいえ，完全な機能的恒常性は例外だと考えられる．

5.3.1 スコポス理論の考察

Nord（1997: 109-22）や Schäffner（1998: 237-8）は，他の研究者によるスコポス理論批判のいくつかを考察している．ここには以下の点が含まれる．

(1)「一般」理論とされているものは，実際には文学以外のテクストにのみ有効である．文学テクストには特別な目的などないか，文体的にはるかに複雑であるかのどちらか，もしくは両方であると考えられる．
(2)ライスのテクスト・タイプからのアプローチとフェルメールのスコポス理論は異なる機能的現象を考察しており，一緒にすることはできない．
(3)スコポス理論では起点テクストの言語的な本質にも，目標テクストのミクロレベルでの特徴の再現にも十全な注意を払っていない．スコポスが適切に達成されたとしても，個別のセグメントの文体的もしくは意味的レベルで不適切であるかもしれない．

上記以外に予想される批判は，ホルツ＝メンテリへの批判と類似したものである．例えば次のような批判だ．‘Translatum’のような専門用語が翻訳理論を発展させることはほとんどないし，翻訳理論には有用な用語がすでに存在する．そして文化の問題や差異を考慮することは，仮にスコポスが達成されるとすれば，どのように達成されるのかを決定する際に必ず不可欠になるはずである．

Vermeer（1989/2004: 232-3）は上記（1）の批判に対する答えとして，目標，目的，機能，意図は行為に「帰する」と強調する．したがって詩人であれ翻訳者であれ，目標は結果としての‘Translatum’（詩）を出版し，その著作権を保持して再版から収入を得ることかもしれない．また詩人や翻訳者は，存在することに意義がある何か（「芸術のための芸術」）を創造する意図を持つこともあり得る．

上記（2）の批判では，次の2点が問題となる．つまり，起点テクストのタイプは翻訳方法をどの程度決定し，テクスト・タイプと翻訳スコポスの関係をつなげる論理は何かという点である（上述の5.1節と比較）．上記（3）の批判に対しては特に，もうひとりの機能主義者であるノードが取り組み，翻訳のためのテクスト分析モデルを提示している．

5.4　翻訳のためのテクスト分析

ノードの“Text Analysis in Translation”（1988/2005）では，テクスト分析の要

素を組み込んだ精緻化された機能的モデルを提示する．この分析では，文レベルもしくはそれよりも上のレベルで，テクスト構成を検討する．ノードはまず，訳出物（及び訳出プロセス）の二つの基本的なタイプを区別するが，それは，「記録としての翻訳（documentary translation）」と「道具としての翻訳（instrumental translation）」である．[6]

* 記録としての翻訳は，「原著者と起点テクストの受け手との間で，起点文化コミュニケーションの記録としての役割を果たす」（Nord 2005: 80）．例えば文芸翻訳において，目標テクストの受け手は，翻訳によって起点テクストの内容にアクセスできるが，読者（としての目標テクストの受け手）はそれが翻訳だと完全に気づいている．ノードがあげる別の例は，逐語訳や直訳，「異国化翻訳（exoticizing translation）」（p. 81）である．異国化翻訳の場合は，起点テクストにおける文化特有の語彙項目が目標テクストで保持され，起点テクストのローカル色を維持する．例えば，ドイツ語起点テクストの‘Quark’（クワルク・チーズ），‘Roggenbrot’（ロッゲンブロート・ライ麦パン），‘Wurst’（ヴルスト・ソーセージ）などの食品をそのまま訳出する場合である．
* 道具としての翻訳は，「目標文化の中での新たなコミュニケーション行為において，自立したメッセージを伝達する道具としての役割を果たす．異なるコミュニケーションの状況において異なる形式で，以前にも使用されていたテクストを読んだり聞いたりしていると受け手が意識することなく，コミュニケーションの目的を達成するように意図される」（p. 81）．換言すれば，あたかも母語で書かれた起点テクストであるかのように，受け手は目標テクストを読む．機能は起点テクストと目標テクストで同じになることもある．例えば，翻訳されたコンピューター・マニュアルやソフトウェアは，起点テクストが読者に取り扱いを説明するのと同じように，目標テクスト読者に説明するという機能を達成しなければならない．ノードはこれを「機能維持の翻

(6) Nord（2005: 80）も認めているように，この区別は Juliane House（1977/1997）の潜在化翻訳と顕在化翻訳に類似するところがある．ハウスの分類については，第6章で考察する．

訳」と呼ぶ．しかし，翻訳の種類によって，同一の機能を維持することが可能ではない例もあげている．例えば，スウィフトの『ガリヴァー旅行記』を児童向けに翻訳したり，ホメロスの作品を現代の読者に向けた小説として翻訳する場合などである．

ノードの "Text Analysis in Translation" は何よりもまず，あらゆるテクスト・タイプと翻訳状況に適用できる起点テクスト分析モデルを，翻訳学習者に提供するためのものである．このモデルは機能的な考え方に基づいており，起点テクストの特徴の機能を理解し，翻訳の意図された目的に合った方略を選択することが可能になる．ノードは，ライスとフェルメールの研究の前提（それに加えて，ホルツ＝メンテリが翻訳行為における複数の関係者を考慮したこと）と多くの共通点を持つが，起点テクストの特徴へ一層の注意を払う[(7)]．ノードのモデルには，起点テクスト外の関連する要因とテクスト内の特徴についての複雑な一連の分析が含まれる．しかしながら，"Translating as a Purposeful Activity"（1997）では，より柔軟なモデルを提示している．本章で論じたような要素の多くを取り入れ，「とりわけ翻訳者教育に有用な機能主義的アプローチの三つの観点」（1997: 59）を強調した．これらは以下の点である．

(1) 翻訳依頼内容（コミッション）（ノードの用語では「翻訳概要（ブリーフ）」）の重要性
(2) 起点テクスト分析の役割
(3) 訳出上の問題の機能的階層

(1) 翻訳依頼内容の重要性（Nord 1997: 59-62）：詳細なテクスト分析の前に，翻訳者は，依頼側が定めた起点テクストと目標テクストのプロファイルを比較し，二つのテクストが異なっている点を確認する必要がある．翻

---

(7) ノードのモデルはいわゆる「新レトリック・フォーミュラ」に基づく．これは一連の wh- 疑問文（「誰が何を言うのか，それはどのようなチャンネルで誰に対して，どういった効果なのか」）であり，Nord（2005: 42）に引用．ノードのテクスト分析モデルは，その大半が Beaugrande and Dressler（1981）の研究から影響を受けている．

訳を依頼するには，両テクストに関して以下のような情報を与えなければならない．

＊意図されたテクスト機能
＊対象者（送り手，受け手）
＊テクスト受容の時と場所
＊媒体（音声，文字）
＊動機（起点テクストが執筆された理由と翻訳される理由）

このような情報により，翻訳者はどの情報を目標テクストに含めるかという優先順位を決定できる．ノードが例示したのはハイデルベルク大学の小冊子だが，このテクストが作成されて翻訳されるのは，創立600年の祝賀のためである．したがって，そのための記念行事が最重要であることは明らかだ．

(2)起点テクスト分析の役割（pp. 62-7）：上述の起点－目標テクストのプロファイルが一旦比較されると，翻訳方略の機能面の優先順位をつけるために，起点テクストが分析できる．Nord（2005: 87-142）はテクスト内要因を列挙しており，起点テクスト分析のひとつのモデルとなろう．要因としては，以下のものがあげられている．

＊題材
＊内容：内包的意味や結束性を含む
＊前提：コミュニケーション状況に関する現実世界の要因で，参与者にとって既知であると想定される
＊構成：ミクロ構造とマクロ構造を含む
＊非言語要素：イラスト，斜字体など
＊語彙：方言，レジスター，専門用語を含む
＊文構造
＊超文節的特徴：強勢，リズム，「文体上の理由による区切り」を含む

しかしながら，どのテクスト言語学的モデルが使用されるのかは問題ではない，とノードは次のように強調する．

とはいえ，重要なのは，関係するコミュニケーション状況の語用論的分析を含む点であり，起点テクストと翻訳概要の両方に同一のモデルを使用して，分析結果を比較可能にすることである．

（Nord 1997: 62）

このような指摘でいくらか柔軟になるものの，翻訳においてどのような特徴を優先するのかを決定する上で，分析の形式が肝要になるのは明白である．

(3)翻訳上の問題の機能的階層：翻訳を実践する際の機能的階層をノードは確立する．

(i) 翻訳に関する意図された機能を決めなければならない（記録としての翻訳か，道具としての翻訳か）．

(ii) 目標テクスト対象者の状況に合わせるべき機能的要素を決定しなければならない（上記1のように翻訳依頼内容を分析した後）．

(iii) 翻訳タイプが翻訳スタイルを決定する（起点文化志向か，目標文化志向か）．

(iv) そうすることで，テクストの問題に言語の下位レベルで取り組むことができる（上記2の起点テクスト分析のように）．

このような合成的アプローチは，多くの点で各種の機能的理論や行為理論の長所を合わせたものである．

* 翻訳依頼内容の分析は，翻訳行為内での関係者に関するホルツ＝メンテリの研究を補足する．
* テクストの意図された機能は，ライスとフェルメールの提唱したスコポスを追求するが，スコポスに全面的な優位性を与えるわけではない．
* ライスの研究に影響を受けた起点テクスト分析は，起点テクスト・タイプと言語に関するコミュニケーション機能やジャンルの特徴に十全の注意を払うが，他の分類法のような硬直性はない．

したがって本章の事例研究では，この合成モデルを起点テクストに適用する．

事例研究

この事例研究は，実在した翻訳の依頼内容から借用する．当該の起点テクストはUsborne Cookery Schoolという料理学校の“Cooking for Beginners”[8]で，英国の10歳かそれ以上の子どもが料理を学ぶためのイラスト入り料理本である．目標テクストは海外での販売用に，ヨーロッパの多言語で作成された．しかしコストを抑えるために，多数のイラストを起点テクストからそのまま採用している．

本章で取り上げたノードの用語に従えば，この翻訳の種類は道具的（インストルメンタル）である．つまり，結果としての目標テクストは，目標文化においてメッセージを伝達する自立したテクストとして機能し，目標テクストの受け手は料理法を学ぶために目標テクストを使用する．

翻訳の依頼内容における起点テクストと目標テクストのプロファイルは，次のようになる．

＊意図されたテクスト機能：起点テクストは情報伝達機能を有し，料理法と具体的なレシピについての情報を伝達する．また訴え機能もあり，読んだ内容に基づいて子どもが行動する（料理を作り，食物や料理に興味を持つようになる）ように働きかける．目標テクストは可能な限り，機能維持となるであろう．

＊対象者：起点テクストの対象者はおそらく，上述のような英国の10歳かそれ以上の子ども及びその親（もしくは，他の年上の親戚・保護者・友人）で，その人たちが本書の購買層となる可能性がある．掲載されたレシピの多くも，大人からの手助けを想定している．目標テクストの対象者は目標言語を使用する10歳かそれ以上の子どもとその親（もしくは他の大人）である．

＊テクストを受容する時と場所：起点テクストは英国で1998年に出版された．

---

(8) 原著はRoz Denny and Fiona Watt（1998）“Cooking for Beginners”（London: Usborne）．翻訳書も同じ出版社からの刊行で，書名は以下の通り．オランダ語は“Koken voor beginners”（1999），フランス語は“La cuisine pour débutants”，イタリア語は“Imparo a cucinare”（1999），スペイン語は“Cocina para principiantes”（2000）．

目標テクストはオランダ語・フランス語・イタリア語・スペイン語で，1999年から2000年にかけて出版されている．したがって，時間的な差異はさして重要ではない．

*媒体：起点テクストは48頁のペーパーバックとして出版され，各頁に多数の写真やイラストが付いている．目標テクストは同一のフォーマットに従う．つまり，目標言語の文字は起点言語の文字を置き換えているのだが，イラストはそのまま同じである．

*動機：起点テクストの目的は，身近に手に入る道具や食材を使って，英国の子どもに料理の基本を楽しく教えることだ．目標テクストには，目標テクストを読む子どもに対しても同じことをするという目的がある．

したがって起点テクストと目標テクストのプロファイルの相違は，両テクストの対象者の違いということになる．しかし，この場合は対象者の言語が異なるだけではない．言語のみが基準であれば，各頁の文言を単に訳出して，目標言語へと転移できる．しかし文化的に重要な差異もあり，とりわけ習慣，経験，前提に関する違いがある．これらが，起点テクスト分析の過程で明らかとなる．

起点テクスト分析

上述5.4節で示したように，起点テクストと目標テクストを比較できるのであれば，どのような語用論志向の分析であっても構わない．紙幅の都合上，ここで詳細な分析をすることはできないが，ノードの提唱した言語内要因のリストから三つの要素を取り上げておく．これは，本事例研究の起点テクスト分析に特に関連する要素である．

(1)　非言語要素
(2)　語彙のレジスター
(3)　前提

(1)非言語要素：上述したような媒体の特徴は，訳出プロセスと訳出物にとって肝要である．イラストは変更できないし，目標テクストの各キャプション／説明の長さは，対応する起点テクストのキャプション／説明の長さを超えてはならない．明らかに，これらは翻訳者に対して厳しい制約を課す．

(2) 語彙のレジスター：これは翻訳者が決めかねる要因で，主な関連要因が二つある．ひとつは意図されたテクスト機能において指摘した通り，ここで扱っているのは料理本である．周知のように，レシピはしっかりと構成されたテクスト変種，つまりジャンルであり，言語毎に異なる慣行がある．このために，英語では命令形を使用する傾向にあるが（'cut the tomatoes'，'add the onion' など），一方，不定詞形を用いる言語もある．もうひとつの要因は訴え機能に関係しており，対象者が子どもであるという事実である．その結果，起点テクストの語彙はやや平易化され，一般の料理本よりも対人的（インターパーソナル）である．例えば，'Take care that you don't touch anything hot'（熱いものに触らないように気をつけなさい）という警告は，ふつうは大人に向けてはなされない．また，'Bring the milk to the boil, then turn the heat down low so that it is bubbling very gently'（牛乳を沸騰させてから弱火にして，そのままとても静かにブクブク泡立つようにします）というキャプションでは，より複雑で凝縮された 'simmer'（煮詰める）という単語ではなく，'bubbling very gently'（とても静かにブクブク泡立つように）という明示化表現を用いている．

翻訳者は起点テクストと同程度にわかりやすい目標テクストの産出を目指す必要があり，同じ訴え機能を（情報伝達機能と同様に）達成しなければならない．言語によっては，これはレシピの慣行に反する場合さえあるし，不定詞形を用いないこともあるだろう．不定詞形では，対象者を遠ざける傾向があるからだ．

(3) 前提：このテクストの翻訳者にとって本当の問題は，目標テクストと起点テクストの対象者間にある文化的背景の相違から生ずる．このことは，起点テクストに暗に含まれている前提を分析すると明らかになる．事例をいくつか Box 5.1 にあげておく．

Box 5.1

The selection of dishes: *Vegetable stir fry, prawn and pepper pilaff, fudgey fruit crumble* and others may not exist in the TT culture. The presupposition in the ST is that the child will have seen these dishes, perhaps made by an adult, and understand what the final product is to look like. In target cultures where these dishes are unknown, the children and the adults may be unsure whether the recipe is turning out correctly. Changing the names of some of the recipes (for example to *Chinese vegetables, exotic rice* and *hot fruit dessert*) may make them more accessible to the TT receivers, although not necessarily easier to cook.

Ingredients: Some ingredients, such as fresh ginger, pitta bread, or processed foods such as ovenbake chips and mini-croutons, may be unavailable in some target cultures. This means that either the whole recipe would be impossible to make, or the preparation of it would be different. In the TT some of these ingredients can be altered to ones that are more readily available in the target culture.

Cooking utensils: Utensils such as kettles, garlic presses and potato mashers are not used in all cultures. In a recipe for creamy fish pie (p. 12), a drawing of a potato masher is followed by the caption: 'Crush the potato by pressing a potato masher down, again and again, on the chunks. Do it until there are no lumps left.'

翻訳者は，'potato masher' に関して，絵と料理の作り方，そしてキャプションのスペースに合う訳語を見つけなければならない．オランダ語とイタリア語の翻訳では，それぞれ一語の単語（'puree-stamper'，'schiacciapatate'）をあてた．しかしフランス語とスペイン語の目標テクストでは，'potato masher' がその文化に存在しないという問題を克服しようとして，翻訳者は異なる調理器具を提示し，それぞれに翻訳を目標文化に志向させた．フランス語のキャプションは，ジャガイモを押しつぶす（'écrase-les'），またはミキサーを使用する（'passe-les à la moulinette'）ようにと読者に指示している．スペイン語ではフォークを使うか，「絵にあるような器具」を使うようにと書かれている（'con un tenedor o con un utensilio como el de la ilustración'）．絵を説明し，キャプションのスペースに合わせているし，目標テクスト読者はマッシュ・ポテトを作ることができるので，どちらの翻訳も機能的に適切である．

事例研究の考察

事例研究で従ったようなアプローチによって，訳出プロセスの重要な要素を同定できる．ノードのモデルは他の機能主義者よりも起点テクストに着目し，このために個々の，及び一群の，問題ある特徴が特定され得る．しかし第4章でも考察したように，あらゆる現象が容易に分類されると考えるのは誤りであろう．料理本の場合は，起点テクストと目標テクストの対象者間の文化や経験の相違が最も注意を要する．機能的理論は 'potato masher' を翻訳する際に手助けとはなるが，文化と言語の結びつきは，はるかに複雑である．次章ではこの点を探求することから始め，ディスコースの概念をさらに深く探っていく．

まとめ

機能主義的でコミュニケーション重視の翻訳理論は，1970年代80年代にドイツで発展した．機能的翻訳理論によって，翻訳は静的な言語現象ではなく，異文化コミュニケーション行為と考えられるようになったのである．ライスの初期の研究は言語機能，テクスト・タイプ，ジャンルと翻訳方略をつなげ，このアプローチは後に，フェルメールが提唱して多大な影響力を持ったスコポス理論に結びついた．スコポス理論では，翻訳方略が翻訳の目的と目標文化でのテクストの機能で決定される．スコポス理論はホルツ＝メンテリも提唱した翻訳行為モデルの一部である．ホルツ＝メンテリはビジネスや経営の業界用語を用いながら，専門職としての実務翻訳を社会文化的コンテクスト内に位置づける．翻訳はコミュニケーションの取引と考えられ，そこには起点テクストと目標テクストの発起者，依頼者，作成者，利用者，受け手が関与する．このモデルでは，起点テクストは「失脚」させられ，翻訳は意味の等価性ではなく，適切性によって評価される．ここでの適切性は，目標テクスト状況の機能的目標に対するもので，依頼内容に規定されている．ノードのモデルは翻訳者教育のために設計されており，機能的なコンテクストを維持しながらも，いっそう精緻化された起点テクスト分析を含む．

参考文献案内

本章で考察した理論研究はすべて精緻かつ複雑である．機能的翻訳理論の全貌を理解するためには，ここで説明した研究内容の要約を読むだけでなく，読者自身が原典に当たることを強く推奨する．Reiss（1971）は絶版だが，現在は英語版 Reiss（2000）が入手できる．ノードの主要著書二冊（Nord 1997, 2005）は入手しやすく，機能主義者の考えの盤石な根拠を提供する．Baker（ed.）（1998/2008）には，翻訳行為，機能的アプローチ，スコポス理論（Christina Schäffner, Ian Mason が執筆）の簡潔ですぐれた概説が入っており，さらなる研究のための文献案内もある．Snell-Hornby（2006: 51-60）はまさにドイツ系翻訳研究の著書であり，本章で説明した理論を論じている．Anna Trosberg（1997, 2000）は，機能言語学の分類を取り込んだテクスト・タイプの分析を発展させている．

討論と研究のために

1. 皆さんが自分で（語学の授業やプロとしての翻訳状況で）翻訳したものを調べてみよう．ライスのテクスト類型に，どのように当てはまるだろうか？　容易に分類できないテクストがあるだろうか？
2. ビジネス・テクストにおけるメタファーを翻訳する際の疑問点を，5.1.1 項で論じた．皆さんの使用言語ペアでの各種テクスト・タイプにおいて，どのようにメタファーが使用されているか調べてみよう．言語メタファー（Newmark 1981 参照）や概念メタファー（Dickins 2005 参照）を考察してみよう．自分だったら，そのようなメタファーをどのように訳出するだろうか？　その際に，翻訳がテクスト・タイプによって異なるだろうか？　他の要因も関与するだろうか？
3. フリーランス翻訳者として働いている状況を想像してみよう．翻訳会社に連絡を取り，仕事を問い合わせたところ，二万語相当のドイツ語から母語への翻訳を依頼されたとする．内容は芝刈り機の取扱説明書で，まず 500 語をサンプルとして翻訳し，この業務への適性を証明するように求められた．この場合に本章で考察したモデルは，どの程度，役立つだろうか？　ここで翻訳者が果たす役割や必要な意思決定を分析する上で，このモデルは十分であろうか？
4. スネル＝ホーンビーのテクスト・タイプ類型（図 5.2）をもう一度見てみよう．皆さんがこれまで翻訳したり，分析したりしたテクストに有用であるか考えてみよう．文芸翻訳と技術翻訳を統合しようとする狙いは，どの程度達成されているだろうか？

5. 翻訳行為理論では，翻訳者は異文化間転移の専門家と見なされる．ところが，必ずしも目標テクストの専門分野における教育を受けた専門家であるとは限らない．このような評価についてどの程度，賛同できるだろうか？　また，現代のコミュニケーションにおける翻訳者の役割にとって，これはどのような意味があるだろうか？
6. Anthony Pym（2004b: 7）の最近の研究では，翻訳は「相対的に大きな努力と高コストを要する異文化コミュニケーション方式であり，短期的なコミュニケーション行為に通常は適している」と説明する．これは翻訳行為理論とどのように比較されるだろうか？
7. スコポス理論によると，翻訳の依頼内容は目標テクストの目的と機能を詳述し，適切な翻訳行為が実施されるようにしなければならない．翻訳スコポスに関する事例を見つけ出し，それらがどの程度詳しいものであるか，また翻訳の発起者について何が明らかにされているのか調べてみよう．例えば大学の試験問題では，どのような翻訳スコポスが明示的及び暗示的に述べられているだろうか？　プロの翻訳者と接触できるのであれば，具体的なテクストに関するスコポスをどのように知らされ，また交渉しているのか調査してみよう．
8. スコポス理論の主要な評価基準は，（等価性よりも）機能的な適切性である．Reiss and Vermeer（1984: 124-70）や Nord（1997: 34-7, 2005: 31-3）が提示した概念を追求して，「適切性」がどのように，誰によって評価されているか考えてみよう．機能的な適切性を達成しようとする場合，翻訳者は起点テクストに対して実際にどの程度「忠誠」でいられるだろうか？
9. ノードの起点テクスト分析モデルに関する詳しい説明を読んでみよう（Nord 2005）．このモデルはあらゆるテクストに有効であると考えられるだろうか？　他の起点テクストにも適用してみよう．これは翻訳者の訓練にどの程度，実用的と思われるであろうか？

第6章　談話分析とレジスター分析のアプローチ

主要な概念

＊ 1970年代から90年代には，応用言語学の分野で談話分析の研究が進展した．談話分析は，ハリデー（M.A.K. Halliday）の選択体系機能文法に基づいて発展し，翻訳の分析に用いられるようになった．

＊翻訳の質を評価するためにハウス（Juliane House）が考案したモデルは，ハリデー派言語学から影響を受けたレジスター分析に依拠する．

＊ベーカー（Mona Baker）が著して多大な影響力を及ぼした教科書では，談話分析や語用論的分析を翻訳実務者に提示している．

＊ハティムとメイソン（Basil Hatim and Ian Mason）は，レジスター分析に語用論と記号論のレベルを加えて研究する．

主要文献

Baker, M. (1992) *In Other Words: A Coursebook on Translation*, London and New York: Routledge.

Beaugrande, R. de and W. Dressler (1981/2002) *Introduction to Text Linguistics*, London and New York: Longman, available online at http://www.beaugrande.com/introduction_to_text_linguistics.htm

Blum-Kulka, S. (1986/2004) ‘Shifts of cohesion and coherence in translation’, in L. Venuti (ed.) (2004), pp. 290–305.

Fawcett, P. (1997) *Translation and Language: Linguistic Approaches Explained*, Manchester: St Jerome, Chapters 7–11.

Hatim, B. and **I. Mason** (1990) *Discourse and the Translator*, London and New York: Longman.

Hatim, B. and **I. Mason** (1997) *The Translator as Communicator*, London and New York: Routledge.

House, J. (1997) *Translation Quality Assessment: A Model Revisited*, Tübingen: Niemeyer.

6.0　はじめに

1990年代には，談話分析が翻訳学において注目を集めるようになった．それは文レベルを超えたテクストの構成を研究するという点で，前章で検討したノード（Christiane Nord）のテクスト分析モデルとつながりはある．しかし，テクスト分析ではテクストがどのように構成されているか（文構造，結束性など）を記述することに通常は関心が置かれ，他方，談話分析では言語がどのように意味や社会・権力関係を伝達するのかを考察する．このような談話分析モデルのなかで最も大きな影響があったのは，ハリデーの選択体系機能モデルである．6.1節でこのモデルを説明し，後続の節ではこれを用いた主要な翻訳研究をいくつか見ていく．例えば，Juliane House（1997）の"Translation Quality Assessment: A Model Revisited"（6.2節），Mona Baker（1992）の"In Other Words"（6.3節），Basil Hatim and Ian Mason の著書2冊，"Discourse and the Translator"（1990），"The Translator as Communicator"（1997）（6.4節）を取り上げる．ハティムとメイソンはレジスター分析を超えて，翻訳の語用論的及び記号論的特性，そしてディスコースや談話共同体（ディスコース・コミュニティ）の社会言語学的及び記号論的意味合いを考える．

6.1　言語と談話のハリデー派モデル

談話分析に関するハリデー派モデルは，ハリデーの用語である選択体系機能文法（systemic functional grammar）に基づき，コミュニケーションとしての言語研究に向かう．書き手の言語選択のなかに意味を見出し，その選択をさらに広範な社会文化的な枠組みへと体系的に結びつける[(1)]．第5章で取り上げたビューラー（Karl Bühler）の言語機能の三分法を援用するが，ハリデー・モデルでは言語機能の表層レベルでの具現化と社会文化的枠組みとの間に強力な相互作用があ

(1) 選択体系機能文法の重要な役割は，談話分析のための緻密な文法用語を提供することである．すなわち個別の言語記述を，コミュニケーション及び社会文化的プロセスの表現として，言語に関する一般的枠組みへと構築する．談話分析それ自体は広義の用語であり，研究者によっても使い方は異なる．本章で翻訳学における研究を考察する際には，次の2点の組み合わせを示すものとして談話分析を用いている．(1)テクスト・レベルでのテクスト分析（選択体系機能文法のツールを使用），(2)コミュニケーション行為としてテクスト内に表出された社会的コミュニケーションに関する分析．

る（明解な説明は，Suzanne Eggins 2004 参照）．この点は図 6.1 に示す通りで，図内の矢印は影響の及ぶ方向を示している．ジャンル（従来はテクスト・タイプとしてきたもので，特定のコミュニケーション機能と結びつく．例：ビジネスレターなど）は，社会文化的環境に左右され，さらにジャンル自体が体系的枠組みの他の要素を決定する．そのように決定される最初の要素がレジスター（言語使用域）であり，次の三つの変数から成る．

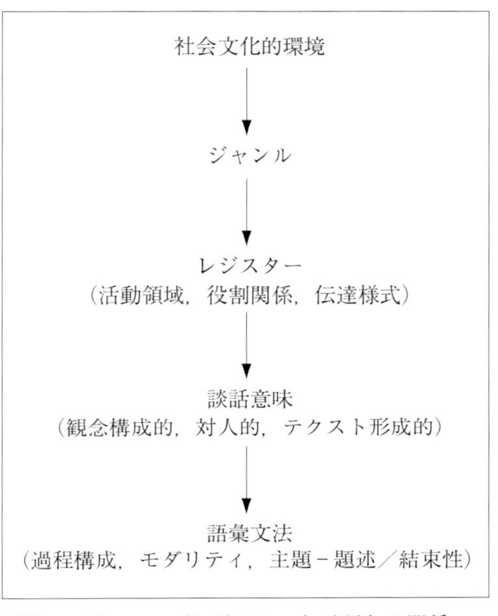

図6.1　ジャンル／レジスターと言語との関係

(1)活動領域（フィールド）：何について書かれているか．例：商品の配達
(2)役割関係（テナー）：誰が誰とコミュニケーションをしているか．例：営業担当者と顧客
(3)伝達様式（モード）：コミュニケーションの形式．例：書き言葉

レジスターの各変数は一連の意味と関連する．これらの意味の連鎖は相俟ってテクストの談話意味（ディスコース・セマンティックス）を形成し，観念構成的（ideational），対人的（interpersonal），

テクスト形成的（textual）という三つのメタ機能となる．そしてメタ機能は，言葉遣いと統語構造の選択としての語彙文法によって構築され具現される．その関係はおおむね以下の通りである（Eggins 2004: 78 参照）.

* テクストの活動領域は，観念構成的意味と関連し，過程構成（transitivity）[訳注1]のパターン（動詞の型，能動／受動構造，過程中核部の参与要素など）で具現される．
* テクストの役割関係は対人的意味と関連し，モダリティ（'hopefully'，'should'，'possibly' などの法助動詞や法副詞，'beautiful'，'dreadful' などの価値付けされた語彙）のパターンで具現される．
* テクストの伝達様式はテクスト形成的意味と関連し，主題構造と情報構造（主として，節内の要素の順序や構造化），結束性（テクストを語彙的に首尾一貫させる方法で，代名詞，省略，コロケーション，反復などの使用を含む）[訳注2]で具現される．

メタ機能の分析がこのモデルでは主要な位置を占める．語彙文法のパターンとメタ機能との間に密接なつながりがあるので，テクストの過程構成，モダリティ，主題構造，結束性を分析することで，メタ機能がどのように作用して，テクストがどのように「意味をなす」のかが明らかになる（Eggins 2004: 84）．例えば，アーネスト・ヘミングウェイ（Ernest Hemingway）の小説の一節における過程構成の分析が，これまで頻繁に行なわれている．Fowler（1996: 227-32）は，ヘミングウェイの "Big Two-Hearted River"[訳注3] からの抜粋を分析し，主要な過程構成が他動的な物質過程（material process）[訳注4]であり，主人公ニックの活動的な性

（訳注 1）自動詞と他動詞という伝統的な分類概念との関連では，通常は「他動性」という訳語が使用されるが，本章で取り上げる 'transitivity' は，観念構成的メタ機能を分析するための術語である．選択体系機能言語学に関する訳語は，ハリデー（2001）『機能文法概説』（山口登・筧壽雄 訳，くろしお出版）に主として依拠．

（訳注 2）M.A.K. Halliday and Ruqaiya Hasan (1976) は，英語テクストの結束性として，「照応・代用・省略・接続・語彙的結束性」を詳述する．

（訳注 3）邦題は，『大きな二つの心臓の川』『二つの心臓の大川』『二つの心をもつ大河』『二心ある大川』など．

（訳注 4）ハリデーの提唱する六つの過程型は，「物質過程・行動過程・心理過程・発言過程・関係過程・存在過程」である．

格を強調していることを見出す．

しかしながら，ハリデーの文法は極めて複雑であるため，次節以降で論ずる研究に共通するように，本章では特に翻訳に関連する要素を選び出し，単純化して適用している．まずハウス（Juliane House）のモデルを取り上げるが，このモデルの中心概念はレジスター分析である．

6.2　翻訳の質を評価するためのハウス・モデル

ハウスのモデルで使用されるカテゴリーやテクスト分析と，前章で取り上げたような機能的分析との間にはいくらか類似性はあるものの，重要な進展がみられる．ハウス自身は「翻訳の適切性に関する目標読者志向の強い考え方」を「根本的に見当違い」としてはねつける．このために，ハウスのモデルは起点テクストと目標テクストとの比較分析に依拠して，翻訳の品質評価へと導き，「不整合（ミスマッチ）」つまり「誤り」に注目するのである．ただしハウスの旧モデル（1977）には批判が集まり，後に改訂版を出した（1997: 101-4）．ハウスへの批判のいくつかは，前の二つの章での考察を彷彿とさせる．すなわち，用いられる分析的カテゴリーの性質，複雑性，用語に関する批判や，ハウスの事例研究では詩的・審美的なテクストが扱われていないことへの批判である．

本節では，ハウスの新「再考」モデル（1997）に焦点を合わせる．これはハウスが提唱した初期のカテゴリーのいくつかを活動領域，役割関係，伝達様式に関するハリデー派のレジスター分析そのものに組み入れ，起点テクストと目標テクストの「プロファイル（概略）」を体系的に比較する（1997: 43）．このような比較のための図式は，図6.2に示す通りである．ハウスの比較モデルは多様な，時として複雑な分類法に依拠するが，語彙的，統語的，テクスト形成的方法による具現化に従って，起点テクストと目標テクスト両方のレジスター分析に還元することができる．テクスト形成的方法とは以下のものである（1997: 44-5）．

(1)主題（テーマ）の動態：主題構造と結束性
(2)節の結合：付加（‘and’，‘in addition’），逆接（‘but’，‘however’）など
(3)類像関係：構造の並行性

図6.2が示すように，ハウスのモデルではレジスターが多様な要素を網羅するが，それらのいくつかは，ハリデーが明確に提唱した概念に追加された要素である．活動領域は題材や社会的行為を示し，語彙項目の特性を扱う．役割関係は発信者の時間的，地理的，社会的な来歴も含み，知的，感情的，情動的な立場（その人の「個人的見解」）が関与する（p. 109）．「社会的態度」とは，文体が改まったものか，協議的か，くだけたものかということである．立場がそうであるように，社会的態度にとっても個性という要素が加味される．最後に，伝達様式は「チャンネル」（音声／文字など）や，送り手と受け手がどの程度参与しているか（独話，対話など，p.109）という点に関係する．

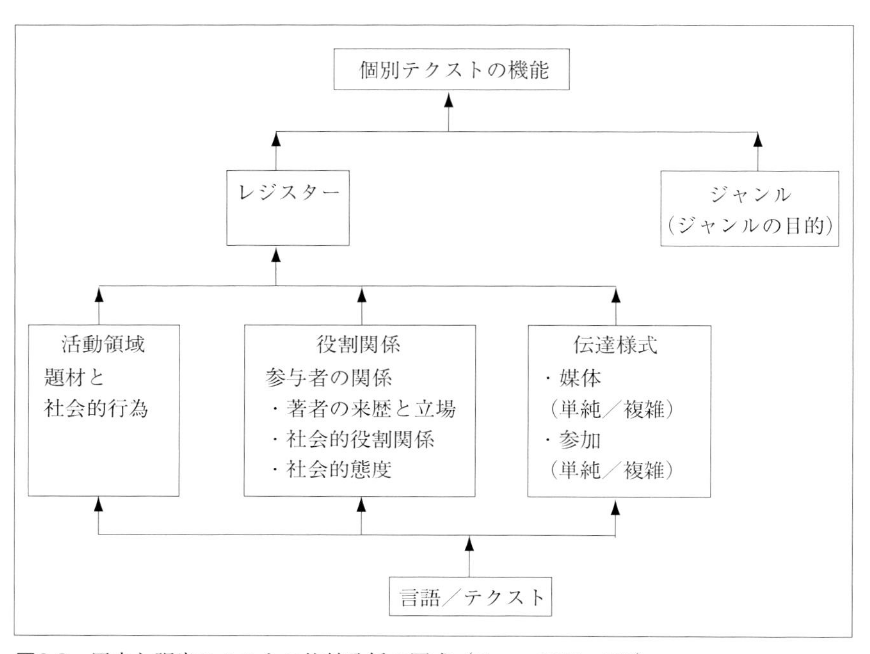

図6.2　原文と訳出テクストの比較分析の図式（House 1997：108）

ハウスのモデルでは次のような手順を踏む.

(1)起点テクストのレジスターに関してプロファイルを作成する.

(2)レジスターで具現されている起点テクストのジャンルに関する記述を加える（pp. 105-7）.

(3)これらを合わせると，起点テクストに関する「機能説明（statement of function）」が出来上がる．ここには，機能のなかでも観念構成的要素と対人的構成要素が入る（換言すれば，どのような情報が伝えられ，送り手と受け手の間はどのような関係か）.

(4)次に，上記と同様の記述的プロセスを目標テクストにも実施する.

(5)目標－起点テクストのプロファイルを比較して，「不整合」つまり誤りを説明し，ジャンルや，レジスター／ジャンルの状況的特徴に従って分類する．これらの特徴での誤りは，「潜在的誤りによる誤訳」（p. 45）とされる．これは明示的な不整合，つまり目標言語体系上の誤りである「顕在的誤りによる誤訳」とは区別される.

(6)「品質説明（statement of quality）」を翻訳に関して作成する.

(7)最終的に，翻訳は顕在化翻訳（overt translation）ないしは潜在化翻訳（covert translation）という二つのタイプのどちらかに分類できる.

顕在化翻訳は，原著になろうとはしない目標テクストである．House（1997: 66）の定義はわかりにくいのだが，「顕在化翻訳とは，翻訳テクストの受け手に対して直接に向けられたものでないことが，かなり「あからさまな」翻訳を指す」．例えば第二次世界大戦後に，ウィンストン・チャーチル英首相が行った政治演説は，特定の起点文化，時代，歴史的コンテクストに結びつき，また文学作品の翻訳はその作品が属す起点文化と関連する．そのような翻訳では，等価が言語／テクスト，レジスター，ジャンルのレベルで求められなければならない，と House（p. 112）は考える．しかしながら，個別テクストの機能は目標テクストと起点テクストで同一ではない．これは両テクストが運用される談話世界（ディスコース・ワールド）が異なるからである．このような理由により，ハウスは「第2レベルの機能的等価」を追求すべきだと提案する．目標テクストが起点テクストの機能を入手できるようにして，目標テクストの受け手が起点テクストを「傍受する」ようにさせるのである．例えばトーマス・マン（Thomas Mann）を読む英国の読者は，“The Magic Mountain”（『魔の山』）という英語の目標テクストを用いて，ドイツ語の“Der Zauberberg”（訳注5）という起点テクストにアクセスできるのだが，英国の読者は翻訳を読んでいると承知しており，両テクストの各機能は同一にはなり得ない．

潜在化翻訳とは，「目標文化において，原起点テクストの地位を享受する翻訳である」（p. 69）．起点テクストが起点文化や読者と特別に結びついておらず，起点テクストも目標テクストも共にそれぞれの受け手に直接向けて書かれる．ハウスがあげている例は，観光案内パンフレット，企業の会長から株主への書状，“UNESCO Courier”（『ユネスコ・クーリエ』）の記事である．潜在化翻訳の機能とは，「翻訳されたテクストにおいて，原文がその言語文化的枠組みや談話世界で果たす機能を再現し，再生し，表象することである」（p. 114）．これを実行するために，目標テクスト読者を起点テクストの談話世界に連れて行くことはない．それゆえにジャンルのレベルや個別テクストの機能が等価を要するのだが，これには，House（p. 114）の名付けた「文化フィルター」を翻訳者が適用し，文化的要素を修正して，目標テクストがあたかも原著であるかのような印象を与えねばならない．この場合に，言語／テクストやレジスターのレベルで変化が起こるかもしれない．House（pp. 115-17）は，自身が行なったドイツ語－英語間の比較語用論研究の文脈で文化フィルターの意味を論じ，二つの文化での異なる慣習が翻訳に反映されるべき例をあげる．例えば，ドイツ語では内容に対して単刀直入に焦点を合わせることを好む傾向があるが，他方，英語では対人関係のほうを重視する．潜在化翻訳ではこの点を反映する必要があり，企業の会長からの書状が英語では対人的傾向を強めるのは，その好例であろう．

ハウスが苦心して指摘しようとしているのは，「顕在化」と「潜在化」翻訳の区別が二項対立ペアではなく，漸次的連続体（cline）であるということだ．さらに，ひそかに機能する等価が望まれるものの，起点テクストのジャンルが目標文化に存在しない場合には，潜在化翻訳ではなく，潜在化バージョンの作

（訳注5）原文では‘Die’となっているが，著者に確認のうえで訂正．

成を狙いとせねばならない．「バージョン」も，ジャンルにおける一見強制的でない変化を説明するために用いられる用語である（p. 161）．

ハウスはこのモデルを数々のテクストに適用する．例えば，ホロコーストに関わった一般のドイツ人を描いて議論を呼んだ歴史書（英語起点テクスト，ドイツ語目標テクスト）からの抜粋をあげている（pp. 147-57）．ここで差異のパターンは，活動領域と役割関係の特性に現れる．活動領域では，起点テクストでの‘German’という語の反復が，ホロコーストにおけるドイツ人一般の責任を強調する役目を果たすが，この繰り返しの頻度が目標テクストでは低くなっている．また役割関係では，強意語，最上級，その他の感情表現の語彙が減少しており，目標テクストでは筆者の立場が余りはっきりしなくなる．これはジャンルの具現への影響があるとさえ House（p. 155）は示唆する[訳注6]．起点テクストは議論を巻き起こした歴史一般書（もっとも，原著者の博士論文に依拠）だが，目標テクストはより硬い学術専門書である．このような変化が起こった理由として，特にドイツの出版社からの政治的ならびに営業上の理由による圧力があったのではないか，とハウスは推察している．言語学的分析を実際の翻訳状況に結びつけるのは，翻訳行為理論に影響された動向であり，この点はすでに第5章で考察した．

6.3　ベーカーのテクスト・レベルと語用論レベルの分析：翻訳者向け教科書

ハウスの1977年の著書は，現在では広く知られているハリデーのモデルを使用した，おそらく最初の主要な翻訳学の研究であろう．そしてもう一冊をあげるならば，翻訳教育や，結果として翻訳学に対して後に多大な影響を及ぼしたものとして，ベーカーの“In Other Words: A Coursebook on Translation”（1992）がある．ベーカーは等価を一連のレベルごとに，つまり単語，単語以上，文法，主題構造，結束性，語用論というレベルごとに考察する．本章と特に関連するのは，主題構造と結束性への選択体系理論のアプローチを適用し，「発話がコ

（訳注6）選択体系機能言語学のジャンル・レジスター理論では，コンテクストの最上層にあるイデオロギーがジャンルやレジスターに具現し，それが談話意味や語彙文法などに順次具現するという層化モデルを考える（Eggins 1994 参照）．

ミュニケーションの状況で使用される方法」という語用論レベルを組み入れた点である（Baker 1992: 217）.

6.3.1 主題構造と情報構造

ベーカーは機能文法と談話分析の専門用語を綿密に用いた多くの翻訳研究者と同様に，テクスト形成的機能に最大の注意を払っており，観念構成的機能と対人的機能に関する明示的分析は僅少である（もっとも，次節 6.4 ではそのような分析を論じているので参照されたい）．ベーカーはむしろ主題（テーマ）の考察に着目して，ブラジル・ポルトガル語と英語の科学レポートでの主題の位置に現れた名詞化と動詞形を比較している（Baker 1992: 169-71）．例えば，起点テクストは代名動詞形（pronominal verbal form）で始まる（強調は著者マンデイ）.

Analisou-se as relações da dopamina cerebral com as funções motoras.
[Analysed-were the relations of dopamine with the motor functions.]
分析されたのは，ドーパミンと運動機能の関係であった.

実際に出版された以下の英語版では，受動態の動詞形が文末位置にきて，正常な語順となっている（強調は著者マンデイ）.

The relations between dopamine and motor functions *were analysed*.
ドーパミンと運動機能の関係が分析された.

しかし，ベーカーは英語での要旨というジャンルの慣行に従うために，別の主題構造を推奨する．名詞形 *'analysis'* を使用して，これが主題の位置に留まり（強調は著者マンデイ），異なる受動態動詞 *'is carried out'* が追加される.

An analysis is carried out of the relations between dopamine and motor functions.
分析がドーパミンと運動機能の関係について実施された.

この種の研究に固有の問題は，主題構造は言語ごとに具現の仕方が異なるという点である．ベーカーは，ポルトガル語，スペイン語，アラビア語などの言語から多数の事例をあげている．これらは動詞屈折語の言語であり，動詞が節頭，つまり「主題」の位置に来ることが多い．上記のブラジル・ポルトガル語の例がそうである．結果として主語代名詞が脱落し，必然的に異なる主題パターンが生じる．したがって，欧州議会への演説（本章末尾の「討論と研究のために 3」参照）から引用した以下の文では，言語が異なると，異なる主題構造が産出される．英語起点テクストの構造は次の通りである．

I | discussed this matter in Washington.
主題（テーマ） | 題述（レーマ）

他方，ポルトガル語版の主題分析は以下の通り．

Discuti | este assunto em Wahington.
主題（テーマ） | 題述（レーマ）

ハリデー派の分析を用いると，主語代名詞ではなく屈折した動詞形 ‘discuti’ が主題であるが，英語では動詞 ‘discussed’ は，題述の一部である．

主題分析のハリデー派モデルは英語中心であるという点で，翻訳への適用の妥当性を疑ってみなければならない．Baker（pp. 160-7）はこの点を認め，代替案として，主題構造に関する機能的文構成（functional sentence perspective = FSP）モデルの概要も説明している．FSP では語順と共に「伝達勢力（communicative dynamism = CD）」(訳注7) も考慮に入れるので，頻繁に VS（動詞＋主語）語順となる言語

（訳注 7）FSP（機能的文構成）と CD（伝達勢力）の訳語は，龍城正明（2000）「テーマ・レーマの解釈とスープラテーマ」（小泉保 編『言語研究における機能主義』くろしお出版）に依拠．FSP と CD という術語は元来チェコ語からの英訳であり，龍城によれば，FSP の原義は，「現実の使用場面に基づき，言語は場面により変化する」という言語の機能を取り入れた観点から，語の配列による意味の差異を機能的に分析することである．また CD とは，伝達力の配分のことで，それがある発話で弱から強へとどのように伝わっていくのかを示した一種の伝達係数である．

には，適していいるかもしれない[(2)]．しかし Baker（p. 140）が結論付けているように，選択体系機能的アプローチの重要な利点は，はるかにはっきりしていて使いやすいことである．何はともあれ，主題は最初の位置に来るのだから．

起点テクストの主題分析で肝要な点は，翻訳者は主題構造や情報構造の相対的な有標性（markedness）に気づくべきであるということだ．Baker（p. 129）の指摘では，これは「コミュニケーションの最中に話し手や書き手が行う意味ある選択に対する意識を高めるのに役立ち」，したがって，有標形式での翻訳が適切であるか否かを決定する手助けとなる．しかしここでもまた，何が有標となるのかは言語ごとに異なる．起点テクストのパターンを目標テクストへと複写することの問題点は，Gerardo Vázquez-Ayora（1977: 217）や Heidrun Gerzymisch-Arbogast（1986）などが指摘している．バスケス＝アヨラが強調するように，スペイン語などの VS 言語へと翻訳する際に英語の語順を厳格になぞると，単調な翻訳になってしまうであろう．また Gerzymisch-Arbogast（1986）はドイツ語と英語の詳細な研究で，英語の擬似分裂文[(訳注8)]（例：‘What pleases the public is …’，‘What I meant to say was …’）をドイツ語に借用すると，ぎこちなくなると考察している．これは，Nils Erik Enkvist（1978）が指摘したようなジレンマを例証する．つまり一方で情報の動態を気にかけ，他方で基本的な統語パターンなどの時として両立し得ない別の分野も気にしながら，両者の間のバランスを取らねばならないのである．

翻訳理論研究で最も頻繁に議論されているのは，テクスト形成的機能，その中でも特に主題構造である．おそらくこの理由は，テクスト言語学における単一言語での有力な研究が，この機能に注目しているためだ．とりわけ Enkvist（1978）や Robert de Beaugrande and Wolfgang Dressler（1981）は，翻訳理論家に多大な影響を及ぼした．さらに，テクスト形成的メタ機能のもうひとつの要素である結束性も，多くの研究の対象になってきた．

---

(2) FSP の観点からの分析を説明した研究については，本章末の「参考文献案内」を参照．

(訳注 8) 原文では ‘cleft sentences’（分裂文）だが，正しくは ‘pseudo-cleft sentences’（疑似分裂文）であるため，著者の了解を得て訂正．

6. 3. 2　結束性

ブルム＝クルカ（Shoshana Blum-Kulka）の著名な研究論文，'Shifts of cohesion and coherence in translation'（翻訳における結束性と一貫性のシフト）の仮説によれば，結束関係の明示化（explicitation）が増すのは，誰もが採用する一般的な翻訳方略かもしれない．そして，翻訳における結束性の変化が，どのようにテクストの機能的シフトをもたらすのか示すために，ヘブライ語の翻訳事例をハロルド・ピンター（Harold Pinter）作 "Old Times"（『昔の日々』）の一場面からあげている（Blum-Kulka 1986/2004: 294-5）．形容詞が屈折するために，必然的にヘブライ語の目標テクストは，起点テクストの謎めいた冒頭の台詞 'Fat or thin?' において，指示対象のジェンダーを明示化しなければならない．ヘブライ語などの言語では，指示対象の人物が男性か女性かを示す必要があるのだ．同様に，動詞が屈折する言語から英語への文芸翻訳では，時として意図的に曖昧にされている文法的主語を明示化する必要がある．例えばフリオ・コルタサル（Julio Cortázar）の古典的小説 "Rayuela"（『石蹴り遊び』）の冒頭の一行は，'¿Encontraría a la Maga?' という質問で始まるが，英訳すれば，'Would I/he/she/you find the (female) Magus?' となるであろう．

主題構造と同様に，テクスト全体を通した結束関係の密度や展開が多くの点で重要である．この関係性の網目が起点テクストと目標テクストとで異ならざるを得ないのは，語彙的結束性のネットワークが言語間で異なるからである（Baker 1992: 206）．Baker（pp. 185-6）は，短い抜粋とその翻訳の実例でこれを裏付けて，ポルトガル語では語彙の反復が代名詞の使用よりも好まれ，アラビア語では語彙の反復が言い換えよりも好まれる（p. 207）のではないかと提示する．目標テクスト自体にも一貫性がなければならない．換言すれば，目標テクストの受け手の思考の中で論理的に整合しなければならないのだ．このことは語用論とも関連し，ベーカーの著書の最終章で論じられている．

6. 3. 3　語用論と翻訳

ベーカーは翻訳における語用論的等価の多様な面を考察し，関連する言語学的概念を異言語間転移へと適用する．ベーカーによる語用論の定義は次の通りである．

> 語用論とは，言語使用の研究である．意味に関する研究であり，この場合の意味とは，言語体系が生成するものではなく，コミュニケーションの状況において参与者が伝え，操作するものとしての意味である．
>
> （Baker 1992: 217）

本節では，語用論の三つの主な概念，一貫性（coherence），前提（presupposition），含意（implicature）を概観する．

テクストの一貫性は結束性に関係し，「聞き手や受け手の期待と経験に左右される」（Baker 1992: 219）．明らかにこれは，起点テクスト読者と目標テクスト読者で異なるであろう．Baker（p. 220）は，ロンドンの老舗デパート‘Harrods’（ハロッズ）についての一節から例をあげる．この一節の意味を理解するために，読者は‘the flagship Harrods’（ハロッズ本店）と‘the splendid Knightsbridge store’（ナイツブリッジの高級店）とが同義語であると知らなければならない．だが，他文化の目標テクスト読者はこのような知識がないかもしれない．そこでアラビア語の翻訳では，‘store’（店）という単語の反復（‘the main store Harrods’）を入れた注釈を加えて，つながりを明示的にしている．

前提の領域は，一貫性と密接に関係する．Baker（p. 259）は，前提を「語用論的推論」と定義するが，意外なほどわずかに取り上げているにすぎない．前提は言語や言語外の知識に関係する．それは，受け手が持っていると送り手が仮定するか，あるいは送り手のメッセージを取り出すために必要とされる知識である．したがって1999年に欧州議会で，レオン・ブリタン欧州委員会副委員長が‘let me now turn to bananas’（今度はバナナです）と発言した際，受け手はEUと米国間のバナナ輸入をめぐる貿易摩擦のことを知っているか，少なくとも言語や言語外のコンテクストからこの情報にアクセスできることが前提となるであろう．直接の受け手は欧州議会の議員であり，この問題は周知なので，そうではないという前提は考えにくい．同様に，‘I discussed this issue in Washington’（この問題をワシントンで話し合った）という発言は，このコンテクストではワシントンが米国政府の所在地であり，ブリタン会談の行われた場所を示しているという知識が前提とされる．当然ながら翻訳者にとって問題となるのは，目標テクスト読者が起点テクストの受け手と同じ背景知識を持つとは想定できない場合だ．その理由は，文化的差異があるか，テクストが翻訳される前に時が経過して，原文の情報がもはや照応によって活性化されないかのどちらか，あるいはその両方である．[3]

Peter Fawcett（1997: 123-34）はさらに前提を重視して，これを論じた章では鋭く興味深い事例を多数あげている．代表的なものは（p. 124），ハンガリー語のテクストにおける ‘Mohács’（モハーチ）という地名を比喩的に使用している例だ．この地名はハンガリー以外の文化では受け手の大半にとって，ほとんどぴんとこないので，翻訳者は，例えば ‘crushing defeat’（壊滅的敗北）などの明示化表現で置き換えなければならないだろう．

ベーカーは，語用論的推論のもうひとつの形式である含意のほうに注目する．含意とは Baker（p. 223）の定義では，「話者が何を言うかではなく，意味あるいは暗示すること」である．含意という概念は Paul Grice（1975）が発展させ，通常の協調的会話において作用する一連の「規則」つまり「公理（maxims）」を説明する．グライスの公理は以下の通りである．

(1)量（Quantity）：必要な情報量を与えなさい．多過ぎても少な過ぎてもいけない．
(2)質（Quality）：真実だと分かっていること，または裏付けできることだけを発言しなさい．
(3)関係（Relevance）：発言は，その会話に関係していなければならない．
(4)様態（Manner）：言うべきことを，伝えたいメッセージに適切な仕方で，しかも（ふつうは）受け手に理解される言い方で話しなさい．

さらに，「発言はポライトであれ」というポライトネスの公理を加える研究者もいる（Penelope Brown and Stephen Levinson 1987 参照）．

会話の参与者は，話しかけている相手が（潜在意識下で）これらの公理に従

(3) 本節で考察されている語用論的概念のいくつかは，ナイダ（Eugene Nida）の動的等価という概念においても重要視されていた（第3章参照）．

っており，自分自身も相手が話すことの意味を理解しようと努めることで協力している，と想定する．そして自分もまた，話す内容や話し方で協調的であろうとする．言語的及び文化的コンテクストも，含意の範囲を制限する上で決定的に重要であることは明白だ．

公理にわざと反する場合もあり，時として，ユーモアの効果のために公理を破ることもある．例えば前述のブリタン副委員長が，朝食にバナナを食べることの意義を議論し始めたら，関係の公理が破られたことになる．翻訳者にとって特に問題となるのは，目標言語が起点言語とは異なる公理で機能する場合である．Baker（p. 235）の例では，アラブの政治的ユーモアに関する書物を英語からアラビア語へと翻訳する際に，神についての悪趣味な冗談がアラビア語の目標テクストでは省略され，アラブ人の感情を害さないようになっている．この事例で明らかなのは，両方の文化で様態とポライトネスの公理の作用が異なるということだ．同様の例は，1970 年の日米交渉の場でも見られる（Baker 1992: 233-4 に引用された Gibney and Loveday）．日本の首相が，繊維輸出に対する米国側の懸念に応えて，「善処します」と発言し，問題解決を文字通り確約したのだと米大統領に受け取られた（すなわち，米国文化の質と関係の公理に従っている）．ところが，日本語の表現としては，会談を終えるための丁寧な決まり文句だったのである（すなわち，日本文化のポライトネスの公理に従っている）．Baker（p. 236）が指摘するように，この事例は，それぞれの言語や文化において異なる協調の原理が働いていることを翻訳者が十全に意識する必要がある，と明確に示している（House 2002 も参照）．

6.4 ハティムとメイソン：コンテクストとディスコースの記号論レベル

ハリデー派言語モデルから発展した他の二つの研究が，特に 1990 年代の翻訳研究に影響を及ぼした．これはハティムとメイソンの "Discourse and the Translator"（1990）と "The Translator as Communicator"（1997）であり，両者とも英国エジンバラにある Centre for Translation and Interpreting Studies at Heriot-Watt University（ヘリオット・ワット大学翻訳通訳研究センター）を拠点としていた．ハティムとメイソンは，観念構成的機能や対人的機能が，翻訳でどのように具現されるかに特別な注意を払い（単にテクスト形成的機能のみではなく），そのモデルはディスコースの記号論レベルを組み入れる．

Hatim and Mason（1997: 7-10）の機能分析の事例は，アルベール・カミュ（Albert Camus）の小説 “L'étranger”（『異邦人』）からの有名な一節を検討している．主人公ムルソーが海辺でアラブ人を殺害するが，英語訳の過程構成が変化したために，テクストの観念構成的機能にシフトが生じたとする．フランス語起点テクストの一節には物質過程の動詞が八つあり，そのうち四つは意図的行為過程（'*j'ai crispé* ma main', '*j'ai touché* le ventre poli de la crosse', '*j'ai tiré*', '*je frappais* sur la porte du malheur'，英語に直訳すれば，'*I clenched* my hand', '*I touched* the polished belly of the butt', '*I fired*', '*I was striking* on the door of misfortune'）である．しかし実際の翻訳では，'my grip *closed*'，'the smooth underbelly of the butt *jogged* in my palm', '*I fired*'，'another loud, fateful *rap* on the door of my undoing' となっている（強調はすべて著者マンディ）．つまり翻訳では，三つが出来事過程となり，実際の行為過程は一つ（'*I fired*'）のみである．Hatim and Mason（p. 10）は，目標テクストのシフトのパターンが主人公ムルソーを起点テクストよりも受動的にしていると結論付ける．もっとも，このようなシフトは，翻訳者の小説全体の読後感に起因するかもしれないとも指摘している．この小説でムルソーの受動性は，彼の性格の中心的な特徴なのである．

Hatim and Mason（p. 73-6）はまた，モダリティ（対人的機能）におけるシフトも考察している．これは通訳学習者の訳例で，欧州議会の討議でのフランス語の陳述または伝聞の条件法をいかに認識して訳出しているかという問題である．問題になった部分は，'un plan de restructuration qui *aurait* été préparé par les administrateurs judiciaires' であり，英語では可能性のモダリティを示すことが求められる．例えば，'a rescue plan which was *probably* prepared by the receivers'（管財人によっておそらく準備された救済策）もしくは 'a rescue plan which *it is rumoured* was prepared by the receivers'（管財人によって準備されたと言われている救済策）となる．しかしハティムとメイソンのサンプルでは，通訳学習者の大半がこの部分を誤訳していた．例えば '*had been* prepared'（準備された）という事実を述べた発言のように訳出して，目標テクストで誤ったメッセージを伝達したのである．

Hatim and Mason（1997: 14-35）が提唱した「テクスト分析モデルの基盤」は，ハウスのレジスター分析やベーカーの語用論的分析を取り込み，さらにそれらを超える．カミュの事例で考察した一種のボトムアップ分析を，テクストの記号論レベルにおけるトップダウン考察のいくつかと組合せるのだ[(4)]．そして言語やテクストには，社会文化的メッセージと権力関係が具現されると考える．これらはディスコースを広義の意味であらわし，次のように定義される．

> 社会文化的活動の領域に対して特定の態度をとる際に，社会集団に関係するような話し言葉や書き言葉（例：人種差別主義者のディスコース，役所言葉など）．
>
> （Hatim and Mason 1997: 216）

翻訳者のディスコースが与える影響に関してハティムとメイソンがあげる一例は，スペイン語の起点テクストから訳された英語の目標テクストであり，メキシコにスペイン人が到来する以前のアメリカ先住民の歴史について書かれている．Hatim and Mason（pp. 153-9）は，目標テクストにおける語彙の選択，例えば‘pre-Colombian’や‘Indian’などが，先住民の視点から書いた起点テクストに，ヨーロッパ中心主義の観点をいかに強いているのかを示す．ヨーロッパの翻訳者は，アメリカ大陸の歴史を記述する際に，西洋寄りのイデオロギーとディスコースを押し付けるのである．

記号論的機能は，個人語や方言によっても果たされる．Hatim and Mason（pp. 97-110）は，レジスターにおける役割関係[(訳注9)]を分析するなかで個人語を考察し，ジョージ・バーナード・ショー（George Bernard Shaw）の劇“Pygmalion”（『ピグマリオン』）の登場人物が使用するコックニーを検討する．この方言の統語的，語彙的，音声的特徴を英国の観衆は認識し，劇中での無教養なロンドンっ子の話し方や価値観と結びつける．ある登場人物の発話に関して，意図的に機能する特徴が体系的に反復して現れることは，「翻訳者が注意を払うに値する対象だ」と Hatim and Mason（p. 103）は同定する．方言の特異性や内包的意味は，どんな目標テクスト文化でも容易に再現できるものではない．さらに，文学ジャンルの慣習が介入することもある．例えばアラビア語への翻訳者は，全編を通し

---

(4) ここでハティムとメイソンは，Halliday（1978）“Language as Social Semiotic”に従っている．

（訳注9）レジスターには三つの変数（活動領域・役割関係・伝達様式）がある．原文ではレジスターと役割関係が並列であったが，著者の了解を得て訂正．

て格式のある古典的文体を用いるようにと促がされる．そのような文体のみがアラブ文化での文学に適切であると考えられているからだ（p. 99）.

ハティムとメイソンはテクスト分析モデルの「基盤」を提案するものの，多数の概念を扱う．しかし，そのようなアプローチが，文字通り「適用」可能なモデルを構成しているのかという点は明白ではない．あるいは両者の提案は，翻訳を検証する際に考慮すべき要素の一覧として用いることもできよう．Hatim and Mason（pp. 27-35）は，特にテクストの「動的」要素と「安定的」要素を同定することに焦点を当てる．これらは連続体として提示され，翻訳の方略に結び付けられる．すなわち，より安定的な起点テクストは「かなり直訳的なアプローチ」を要請するが，より動的な起点テクストでは「翻訳者はいっそう奥深い課題に直面し，直訳はもはや選択肢にならないかもしれない」（pp. 30-1）.

6.5　翻訳の談話分析とレジスター分析アプローチへの批判

談話分析モデルは言語学志向の翻訳理論家の多くの間で非常な人気を博し，テクストの言語的構造や意味に取り組むための有用な方法となっている．しかしハリデー派モデルは，Stanley Fish（1981: 59-64）が非難したことで知られるように，文法の範疇化が過剰に複雑であり，構造と意味が融通の利かない一対一対応にある．このことにより，文学，特に実験文学を解釈する際の多様性にはうまく対処できないかもしれない．ゆえに，文学への応用では（例：Fowler 1986/96, Simpson 1993），もっと柔軟な「道具セット（ツールキット）」式アプローチを採用し，最も有益だと思われる要素を利用しながら，他方で文芸批評からの論点も組み入れているものもある．

ハウスのモデルに関しては，Ernst-August Gutt（2000: 47-54, 本書第4章参照）が関連性理論の観点から論じ，原著者の意図や起点テクストの機能をレジスター分析から再現することが可能であるのかという疑問を呈している．仮に可能だとしても，ハウスのモデルの基礎は，起点テクストと目標テクストとの「不整合」を見つけることである．しかしながら，不整合は誤訳を示すかもしれないが，他方で明示化や補償などの翻訳方略による可能性もある．ハウスのモデルがこれらをどのように解釈し得るのかは，あまり明確でない．

本章で考察してきた翻訳理論家が提唱する分析は，英語中心の枠組みである．

このことは英語以外の言語を扱う場合，特に主題構造や情報構造の分析では，問題となる．ヨーロッパ言語でも特にポルトガル語やスペイン語などのように語順が柔軟で，主語によって動詞が屈折する場合には，異なる分析が必要である．対照談話分析を非ヨーロッパ言語に関して実施しようとすれば，この種の問題はさらに深刻になる．概念的構造が全く異なる可能性があるからだ．

言語的な相違点はもちろん文化的な差異を示している．Lawrence Venuti（1998a: 21）は，言語学志向のアプローチを「保守的な翻訳モデルを投影し，文化の革新や変容における（翻訳の）役割を不当に制限する」とみる批評家のひとりである．そして，ヴェヌティはグライスの会話の公理（上述 6.3.3 節参照）を一例としてあげ，こなれた「受容化」翻訳の方略を支持することになる点を批判する．ヴェヌティは，グライスの公理が適切に使えるのは，技術文書や法律文書など型どおりに翻訳される分野のみであると考える．ベーカーも，この公理の文化的偏見を認識している．

> グライスの公理は英語圏で価値あるとされる概念をそのまま反映しているようだ．例えば，誠実，簡潔，関連などである．
>
> （Baker 1992: 237）

文化やイデオロギーといったハリデー派の概念を翻訳分析に組み入れようと懸命に取り組んだのは，ハティムとメイソンであり，“The Translator as Communicator”（1997: 143-63）では，1 章分をイデオロギーに関する内容に割いている．両者の発見は啓発的だが，（文字と音声での）広範なテクスト・タイプを分析しているものの，分析の焦点は得てして，用語面でも考察対象の現象面でも言語学中心ではある（「語彙選択」「結束性」「過程構成」「文体シフト」「翻訳者の仲介」など）．以下の事例研究では，この線にそって，本章で提示した談話分析からのアプローチを用いて，2 本の映画を検討する．

事例研究

事例研究 1

この事例研究では，ヴェルナー・ヘルツォーク（Werner Herzog）監督のドイ

ツ映画 “The Enigma of Kaspar Hauser”（『カスパー・ハウザーの謎』）(1974)[5] を調べる．この映画は，導入文章の書かれた画面が下方へスクロールするところから始まる（Box 6.1）．これを英語にバックトランスレーションしてみると，Box 6.2 のようになる．ただし，実際の英訳は一度に 2 行，画面下側に字幕として表示され，Box 6.3 に示す通りである．

翻訳の品質評価に関するハウスのモデルでは，起点テクストと目標テクストの活動領域（フィールド）は類似しているとするであろう．両方とも N 町で発見された哀れな少年の物語を語る．それにもかかわらず，与える情報量は同じではない．英

Box 6.1　Written introduction to Kaspar Hauser

1　Am Pfingstsonntag des Jahres 1828 wurde in der Stadt N. ein verwahrloster Findling aufgegriffen, den man später Kaspar Hauser nannte.
2　Er konnte kaum gehen und sprach nur einen einzigen Satz.
3　Später, als er sprechen lernte, berichtete er, er sei zeit seines Lebens in einem dunklen Kellerloch eingesperrt gewesen, er habe keinerlei Begriff von der Welt gehabt und nicht gewußt, daß es außer ihm noch andere Menschen gäbe, weil man ihm das Essen hereinschob, während er schlief.
4　Er habe nicht gewußt, was ein Haus, ein Baum, was Sprache sei.
5　Erst ganz zuletzt sei ein Mann zu ihm hereingekommen.
6　Das Rätsel seiner Herkunft ist bis heute nicht gelöst.

Box 6.2　Back translation

1　On Whit Sunday in the year 1828 in the town of N. a ragged foundling was picked up whom one later called Kasper Hauser.
2　He could scarcely walk and spoke a single sentence.
3　Later, when he learnt to speak, he reported he had been locked up for his whole life in a dark cellar, he had not had any contact at all with the world and had not known that outside there were other people, because one slung food in to him, while he slept.
4　He did not know what a house, a tree, what language was.
5　Only right at the end did a man visit him.
6　The enigma of his origin has to this day not been solved.

---

(5) ドイツ語の原題は，“Jeder für sich und Gott gegen alle”（ZDF, 1974）．

Box 6.3　Subtitiled version

1　One Sunday in 1828 a ragged boy was found abandoned in the town of N.
2　He could hardly walk and spoke but one sentence.
3　Later he told of being locked in a dark cellar from birth.
4　He had never seen another human being, a tree, a house before.
5　To this day no one knows where he came from – or who set him free.

語では，少年の名前，彼が後に話せるようになったこと，眠っている間に食べ物が地下室に投げ込まれたこと，まさに「出生の謎」が未解決のままであることなどが，語られていない．

伝達様式（モード）に関する限り，展開はよく似ている．両方とも，テクストは読まれるために書かれたものである．しかし表示方式が異なり，英語はドイツ語での説明に部分的に重なる形で字幕として，一度に2行が表示される．この厳しい視覚的制約に合わせるために，文が短くされている．ドイツ語での第3文は，間接話法の従属節を含む複雑な文で，そのような長い文は，19世紀初頭を舞台とする映画の題材と発話パターンに見合うあらたまった印象を与える．だが，この文は目標テクストではほとんど省略されている．そのために，英語の文章は統語的な多様性が乏しい．もっとも，ドイツ語の第1文，第3文，第5文の主題プロファイルでは，時を示す付加詞や副詞が文頭に置かれているが，これは英語でも効果的に踏襲されている．より高次の結束性は，対応する訳語で失われているものもある．‘Kaspar Hauser’という少年の名前が省略されているが，さほど重要ではない．目標テクスト読者は映画の題名もしくは前画面から容易に埋め合わせができると想像されよう．ドイツ語の第6文で‘Rätsel’（謎）という語が使用されているが，訳出されてはいない．しかし，‘enigma’（謎）という語が映画の英語タイトルに入っている．さらに目標テクストの第5文は，原文よりもずっとくだけた感じである．

役割関係（テナー）には不整合がある．ドイツ語原文‘berichtete er’（‘he told of ...’「彼は〜について語った」）以降の間接話法における接続法が訳出されていないからだ．ドイツ語の‘sei’，‘habe’，‘gäbe’なども脱落しているか，平叙文で英訳されている（‘He had never seen another human being’）．他方，英語目標テクストの最後の一文には，より強い対人的特徴があり，二つの疑問詞（‘where’, ‘who’）と否定語‘no one’を使用する．しかし別の見方をすれば，補償という周知の方略（Harvey 1995参照）を翻訳者が用いた例かもしれない．目標テクストの第5文では，ドイツ語の接続法で示されたモダリティの要素をテクストに加えている．ただし不整合という考えでは，実際には補償という余地を考慮に入れない．

分析結果としては，この目標テクストはハウスのいう「顕在化」翻訳である．事実，字幕というのは顕在化翻訳の典型例であり，目標テクスト読者は放映中ずっと，翻訳であることを視覚的に想起させられる．しかし，上述のような短文の起点テクストが書き直されているのを見ると，この場合は要約翻訳もしくは要約バージョンとした方がより正確であるかもしれない．

事例研究2

この事例研究では，マチュー・カソヴィッツ（Mathieu Kassovitz）監督の受賞作であるフランス映画“La Haine”（『憎しみ』）（1995）の英訳“Hate”を考察する．この映画は，パリの貧民街に住む3人の若者と，そのような境遇に蔓延している暴力や攻撃性を描いた過酷な物語である．若者たちの個人語（あるいは社会方言，というのもこの場合は主として社会階層に基づく話し方）は，自らのために構築したアイデンティティの表出である．攻撃的で，スラングやわいせつな言葉に満ち溢れ，結束性がほとんどないのがふつうだ．これは貧しい境遇や若さを反映している．したがって，映画の中で意図的な記号論的機能を有するのが，社会方言なのである．また仲間3人の間で社会方言が規則的に反復される点は，Hatim and Mason（1997: 103）が提示した基準も満たしている．これは，翻訳において細心の注意を要するディスコースの基準である．

書かれた字幕は表現が過度にあらたまり，非常にくだけた発話パターンがなかなか再現されないきらいがある．それにもかかわらず，翻訳者は語彙文法的な特徴の効果を再現しようと努める．例えば，感情的評価の含まれた名詞形である‘pigs’や‘bastards’という語で警官を表現したり，‘dickhead’や‘wanker’という語で愚者呼ばわりしたりする．しかし，目標テクストは文法パターンを正常化する傾向にあり，結束性や無標の主題パターンが増すことになる．このために，起点テクストでの‘je lui aurais mis une balle ... BAAAAAAP!’（‘I'd have put a bullet in him ... ZAAAAAAP!'）という台詞が，目標テクストではよりフォーマルで文法的に複雑になり，'If Hubert hadn't been there, I'd have shot him' と翻訳されている．'Tu ne parles pas comme ça!'（'You don't talk like that!'）の訳として，英語話者の若者がていねいな命令形 'Talk nicely!' を用いたり，'He didn't do anything' のような統語的に正しい否定形（'He ain't done nothing/nuffin'/nowt' ではなく）を話したりすることにも無理がある．

言語の動的要素をハティムとメイソンは指摘したが，この映画の中ではそのような要素を字幕翻訳者が見過ごすか，弱めてしまっている．目標テクストの結束性が強まり，評価的で対人的な語彙項目のいくつかが希薄になることで，起点テクストの社会方言で構築されたアイデンティティの一貫性が弱まった．さらにまた，世間に対峙する 3 人の主要登場人物を結びつける社会方言の機能が，ぼやけてしまった．

事例研究の考察

以上の短い事例研究では，談話分析やレジスター分析によって，テクストの意味構築の仕方をどのように説明できるかを提示した．ハウスのモデルは，フォーマルに書かれた目標テクストにおける「誤り」を発見するために，設計されているのであろう．"The Enigma of Kaspar Hauser" の事例分析ではそのような不整合を多く指摘したが，必ずしも改訂することはない．その理由は，画面上の制約と関係する（第 11 章参照）．例えば画面上に収まる文字数，ドイツ語テクスト上に字幕を入れる際に目標テクストの文字を読みやすくする必要性，そしておそらく，目標テクストの観客にとっての受容性に関する依頼側の見解なども関係する．このテクストの実際の翻訳依頼内容を検討すれば，興味深い問題が明らかになるかもしれない．

"La Haine" についての短い事例研究は，ハティムとメイソンが提唱した柔軟な分析アプローチの可能性を示唆する．登場人物の言葉の語彙文法や談話意味を分析することで，社会方言の構造が説明できる．この映画のくだけた文法パターンの翻訳でまず明らかになったのは，コミュニケーションの動的要素が翻訳者に難問を課すというハティムとメイソンの指摘が，裏付けられたことであろう．登場人物の攻撃的な社会方言は明らかに社会文化的な境遇を反映しているが，目標テクストでは変化を被っている．しかし多くの場合，言葉の暴力性は音声トラックからの声調や声量として，仮に目標テクストの受け手が言葉そのものを理解していない場合でも伝わる．これは視聴覚の入力を伴う映像翻訳の複雑性を示すが，テクストのみに基づく談話分析では説明しきれない点であろう．

まとめ

本章で説明した談話分析とレジスター分析からのアプローチは，ハリデー派の選択体系機能言語学モデルに依拠している．これはミクロレベルでの言語選択を，テクストのコミュニケーション機能やその背後にある社会文化的な意味に結びつける．House（1977, 1997）のレジスター分析モデルは，状況の変数，ジャンル，機能，言語について起点テクストと目標テクストの組み合わせを比較し，採用すべき翻訳方法（「潜在化」もしくは「顕在化」）と翻訳の「誤り」を同定するために設計されている．ハウスのモデルは，分かりにくい「科学的」用語のために批判されてきたが，翻訳者にとって重要な考察を明らかにする体系的手段を示す．

Baker（1992）や Hatim and Mason（1990, 1997）は，翻訳と翻訳分析に関連する語用論及び社会言語学からのさまざまな知見を接合している．ベーカーの分析は，テクストの主題構造と結束構造に注目する際にとりわけ有用である．ハティムとメイソンもハリデー派のモデルを用いて研究しているが，ハウスのレジスター分析を超えて，翻訳において社会関係や権力関係が交渉され，伝達される方法を考察し始めている．このようなイデオロギーのレベルは，第8章と第9章で論ずる文化志向の理論でさらに発展する．だがその前に，まず第7章で，翻訳を社会文化的コンテクストに位置づけようとする他の諸理論を概観する．

参考文献案内

選択体系機能言語学に関する研究へのさらに詳しい入門書については，Eggins（2004）と G. Thompson（2004）を参照されたい．Halliday and Matthiessen（2004）は最も詳細な解説をしているが，非常に複雑である．Leech and Short（1981）は，文学作品（散文）へのハリデー派モデルの応用としてよく知られている．モダリティ，過程構成，ナラティブの観点からの分析モデルに関してはSimpson（1993）を，そのモデルを適用して分析を試みるためには，Bosseaux（2007）とMunday（2008）を参照のこと．結束性はHalliday and Hasan（1976）を，過程構成はMason（2003/2004）を参照．ハウスのレジスター分析への批判はGutt（2000: 47-54），より中立的評価はFawcett（1997: 80-4）が参考になる．

特定の言語を対象とした談話分析は，Delisle（1982/88, フランス語－英語），Taylor（1990, イタリア語－英語），Steiner and Ramm（1995, ドイツ語－英語）を参照すること．ベル（Roger Bell）の“Translation and Translating”（1991, 本書第4章参照）は，翻訳の認知理論の枠組みで選択体系機能モデルを概説している．談話分析とテクスト・タイプのモデルは，Trosberg（1997, 2000）を参照．機能的文構成（FSP）の観点からの主題構造分析には，Enkvist（1978），Firbas（1986, 1992），Rogers（2006）を参照．テクストとコンテクストの動的観点に関するハウスの最近の研究は，House（2006）が参考になる．語用論については，Leech（1983），Levinson（1983），またAustin（1962）やGrice（1975）も参照されたい．社会的記号としての言語に関しては，Halliday（1978）を薦める．

討論と研究のために

1. 「科学的（言語学的）分析とは異なり，評価的判断は究極的には科学的なものではなく，社会的，政治的，倫理的，道徳的，個人的立場の反映である」（House 1997: 116）．このような指摘に対して，どの程度まで賛同できるだろうか？　そして，これは翻訳の評価に関してどのような意味合いを持つであろうか？
2. ハウスのモデルを用いて，起点テクストと目標テクストの組み合わせをレジスター分析してみよう．テクスト機能にどのような差異があるだろうか？　どのような「不整合」つまり誤りが見つかるだろうか？　潜在化翻訳と顕在化翻訳のどちらだろうか？　また何が動機となって，そのような差異が生じているのだろうか？　目標テクストを産出する訳出プロセスを理解する上で，ハウスのモデルはどの程度有用であろうか？
3. Box 6.4のテクストは，欧州委員会のブリタン副委員長が1999年5月3日に，ストラスブール（フランス）の欧州議会で行なった演説の一部である．

Box 6.4

Let me now turn to bananas. The Commission decided last week – with the consent of the Council of Ministers – not to appeal on either the substance of the issue or the so-called systemic question, but we do intend to pursue the latter issue, the systemic issue, in the panel which you brought against Section 301 of the US Trade Act. We also intend to pursue it in the dispute settlement understanding review and if necessary in the next trade round.

On the substance of the issue, our intention now is to change our regime in order to comply with the WTO [World Trade Organization] panel ruling. I believe that everybody has agreed that our objective has to be conformity with the WTO. But this will not be easy. We intend to consult extensively with all the main players with the objective of achieving a system which will not be threatened by further WTO challenges. I discussed this issue in Washington two weeks ago with the US agriculture secretary among others. My meetings were followed by discussions at official level. Subsequently, the Council asked the Commission to put forward proposals for amending the banana regime by the end of May in the light of further contracts with the US and other parties principally concerned.

関連資料を読んだ後に，このテクストに対してハリデー派の分析をし，(a)主題構造と情報構造，(b)結束性のパターンに注目してみよう．

翻訳者にとってこの分析は，どの程度に有用だろうか？　ハリデー派モデルへの批判のひとつは，英語に偏向している点だが，このテクストを皆さんの母語もしくは第一外国語へ翻訳してみよう．自分で翻訳した目標言語の分析に，ハリデー派の言語分析はどのように適用できるであろうか？

このようなスピーチの公式翻訳は，欧州議会のサイトから入手できる（http://www.europarl.europa.eu/）[訳注10]．翻訳者が結束性や主題構造をどのように扱っているか比較してみよう．

4. 「グライスの公理は英語話者の世界で価値があるとされる概念，例えば誠実，簡潔，関連などをそのまま反映しているようである」（Baker 1992: 237）．

（訳注 10）2009 年 1 月現在の欧州議会 URL．更新されるので過去のスピーチすべてが保存されているわけではないが，EU 加盟国の言語での翻訳が入手できる．

自分の使用言語との関連でグライスの公理を考察してみよう．異なる公理に関してどのような事例が見つかるだろうか？　翻訳者は相違点にどのように対処できるであろうか？

5. ベーカーやブルム＝クルカが結束性や一貫性について言及している点を確認してみよう．結束関係の明示化は翻訳の普遍的特徴であるという主張を支持する事例が，皆さんの使用言語で何か見つかるであろうか？　慣習的な結束性や一貫性を意図的に欠いている文学作品やその他のテクストに対して，翻訳者はどのように対処する傾向にあるだろうか？

6. ハティムとメイソンの“The Translator as Communicator”における事例研究を読んでみよう．そのような言語学志向のモデルは「保守的」であるとするヴェヌティからの批判（6.5 節参照）に，どの程度まで賛同できるだろうか？

7. House（2002: 107）のその後の研究では，現在の「文化普遍主義や文化的中立主義への傾向が，実はアングロ・アメリカ規範への流れ」であることを指摘し，この結果が文化フィルタリングの減少になると考える．自分の母語へ翻訳されたテクストにおいて文化フィルタリングの減少を感じるだろうか？
類似したジャンルで過去 50 年間の翻訳事例を探してみよう．

8. 事例研究 2 では“La Haine”を考察し，特に社会方言の記号論的問題とそれを翻訳する際の困難さを取り上げた．皆さんの目標言語であれば，この映画の翻訳をどのように扱うだろうか，また実際に扱ってきたのであろうか？
ちなみに，視聴覚翻訳（AVT）の制約と特徴の考察に関しては，第 11 章を参照されたい．

第7章　システム理論

主要な概念

* イーヴン＝ゾウハー（Itamar Even-Zohar）の多元システム理論（1970年代）は翻訳文学を目標言語の文化的・文学的・歴史的システムの一部とみなす．
* Gideon Toury（1995）は記述的翻訳研究（DTS）の方法論を提案する．これは翻訳のプロセスにおいて作用する「規範（norms）」を理解し，翻訳の一般的「法則」を発見するための非規定的（non-prescriptive）な手段である．
* DTSにおいては，等価は機能的で歴史的なものであり，「容認性（acceptability）」と「適切性（adequacy）」の連続体に関連している．
* その他のシステム的アプローチとして操作学派（Manipulation School）がある．

主要文献

Chesterman, A. (1997) *Memes of Translation*, Amsterdam and Philadelphia: John Benjamins, Chapter 3.

Even-Zohar, I. (1978/2004) 'The position of translated literature within the literary polysystem', in L. Venuti (ed.) (2004), pp. 199–204.

Hermans, T. (ed.) (1985a) *The Manipulation of Literature*, Beckenham: Croom Helm.

Hermans, T. (1999) *Translation in Systems*, Manchester: St Jerome, Chapters 6 to 8.

Pym, A. (2008) 'On Toury's laws of how translators translate', in Pym, Shlesinger and Simeoni (eds), pp. 311–28.

Toury, G. (1978/2004) 'The nature and role of norms in literary translation', in L. Venuti (ed.), pp. 205–18.

Toury, G. (1995) *Descriptive Translation Studies and beyond*, Amsterdam and Philadelphia: John Benjamins.

7.0　はじめに

第5章と第6章では言語学が1960年代の静的なモデルから，まずスコポス理論，次いでレジスター分析，談話分析を取り入れるアプローチへと拡大し，言語を社会文化的機能に結びつける様子を見た．1970 年代には，静的な規範的モデルに対するもう一つの反応が現れた．それが多元システム理論（polysystem theory）である（7.1 節参照）．この理論は翻訳文学を，目標文化のより大きな社会的・文学的・歴史的システムの中で作動している，一つのシステムと考えた．これは重要な進展であった．というのも翻訳文学は，その時点までは派生的な二流の文学とみなされていたからである．多元システム理論によって発達した記述的翻訳研究（7.2 節参照）は，翻訳の規範や法則の同定を目指しており，この 20 年間，翻訳研究には欠かせない存在であった．規範研究における新たな展開（チェスタマン（Andrew Chesterman）の活動）については 7.3 節で論じる．また関連する操作学派のシステム理論は 7.4 節で取り上げる．

7.1　多元システム理論

多元システム理論は 1970 年代にイスラエルの研究者，イーヴン゠ゾウハー（Itamar Even-Zohar）が，1920 年代のロシア・フォルマリズムからアイディアを借用する形で作り上げたものである．ロシア・フォルマリズムは文学史の研究を行っていた（本章の「参考文献案内」を参照）．ロシア・フォルマリズムにおいては，文学作品は孤立したものとしてではなく，文学システムの一部として研究される．文学システム自体は「他の秩序と絶えざる相互関係にある文学的秩序の諸機能からなるシステム」（Tynjanov 1927/71:72）と定義される．文学はかくして社会的・文化的・文学的・歴史的枠組みの一部となる．ここで鍵となる概念はシステムであり，そこでは「変異」のダイナミクスと文学的正典における優位を求める闘争が進行中である．

イーヴン゠ゾウハーはフォルマリストたちから想を得たとはいえ，「伝統的な審美的アプローチの虚偽」（Even-Zohar 1978:119）に反対する．そのアプローチは「高級な」文学を中心的に扱い，児童文学やスリラーもの，そして翻訳文学のシステム全部を重要でない文学システムあるいはジャンルとして無視してきた．イーヴン゠ゾウハーは翻訳文学が次のような点においてひとつのシステムとして機能することを強調する（p.118）．

(1) 目標言語が翻訳すべき作品を選ぶ仕方において

(2) 翻訳の規範，行動，方針が他の併存するシステムから影響を受ける仕方において

イーヴン＝ゾウハーはこうしたすべてのシステム間の関係を包括的な概念によって焦点化し，この概念に多元システム（polysystem）という新しい名を与える．この概念を Mark Shuttleworth and Moira Cowie は次のように定義する（1997:176）．

> 多元システムは様々な構成要素から成る，階層化された，複数のシステムの集合体（あるいはシステム）であり，各システムが相互作用することにより，全体としての多元システムの内部で持続的でダイナミックな進化のプロセスが引き起こされる．

ここで言われている階層秩序とは，多元システムの様々な層の，ある歴史的時点における位置取りないし相互作用を意味する．もし最高位を革新的文学タイプが占めているとすれば，より下位の層は下に行けば行くほど旧守的なタイプが占めることになる．逆に保守的な文学形態がトップにあれば，革新的形態の文学はより下位の階層から来ることになるだろう．さもなければ停滞期が生じる（Even-Zohar 1978:120）．この「進化のダイナミックなプロセス」は多元システムにとって極めて重要である．このプロセスは革新的システムと保守的システムが絶えざる流動と競合状態にあることを示している．この流動のため，翻訳文学の位置もまた固定的ではありえない．それは多元システムの中で主要な位置を占めるかも知れないし，従属的な位置にとどまるかもしれない．もし主要な位置にあるなら，「それは積極的に多元システムの中核形成に参与する」（Even-Zohar 1978/2004:200）．翻訳文学は革新的であり，生起する文学の歴史の主要な出来事と結びつくだろう．しばしば主導的な作家が最も重要な翻訳を生み出し，その翻訳は目標文化の新しいモデルを形成する主要な要因となり，新しい詩学や技法などを導入する．イーヴン＝ゾウハーは翻訳文学が主要な位置（primary position）を占める三つの代表的なケースを挙げる．

(1)「若い」文学が確立されようとしていて，はじめは「古い」文学にできあ

いのモデルを求めるとき

(2) 文学が「周辺的」であるか「弱く」，欠けている文学タイプを輸入するとき．これは小国が大国の文化に支配されているときに起こりうる．Itamar Even-Zohar は「そのような場合，あらゆる周辺的な文学は翻訳文学によって構成されるかもしれない」と言う（1978/2004:201）．これは様々なレベルで起きる．例えば現代のスペインでは，ガリシアのような地域は優位にあるカスティリャ語（スペインの標準語）から多くの翻訳を輸入し，一方でスペイン自体も英語圏から正典化した（canonized）文学や非正典的（non-canonized）文学を輸入する．

(3) 文学史の重要な転換期にあって既存のモデルがもはや十分とはみなされない場合，あるいは一国の文学が真空状態にあるとき．ここではいかなるタイプも支配的であることができず，外国のモデルが優位を占めやすい．

もし翻訳文学が二次的な位置（secondary position）にあれば，それは多元システムの中の周辺的システムを担う．中枢システムに大きな影響を与えることはなく，むしろ保守的な要因となって既存の形式を保守し，目標言語システムの文学的規範に従うことさえある．Even-Zohar はこの従属的な位置は翻訳文学にとって「普通の」位置であると指摘する（p.203）．しかし翻訳文学自体も階層化されている（p.202）．ある種の翻訳文学は従属的であるかもしれないが，有力な起点言語の文学を翻訳したものは優位を占める．イーヴン＝ゾウハーが挙げている例は，両大戦間のヘブライ語の多元システムである．そこではロシア語からの翻訳が優位を占め，英語やドイツ語，ポーランド語からの翻訳は二次的な位置にあった．

Even-Zohar は，多元システムに占める翻訳文学の地位が翻訳の方略を左右すると述べる（pp.203-4）．翻訳文学が優位にあれば翻訳者は目標言語の文学モデルに従うという制約を感じないため，慣例を破壊しやすくなる．こうして翻訳者はしばしば起点テクストの諸関係を再現し，適切性（adequacy）という点で起点言語に極めて近い目標言語を生み出す．そしてその翻訳自体が今度は新しい起点言語モデルを生み出すかもしれない．他方で，翻訳文学が従属的な位置にあれば，翻訳者は既存の目標文化モデルを使うようになり，より「適切性に欠ける（non-adequate）」翻訳を生み出してしまう．この「適切（adequate）」という用語は7.2節のトゥーリー（Gideon Toury）についての議論で詳しく説明する．

ゲンツラー（Edwin Gentzler）は多元システムの理論がいかなる点で翻訳研究の重要な進歩を体現しているかについて強調する（Gentzler 2001:118-20, 123-5）．この理論の強みはいくつか挙げることができる．

(1) 文学そのものを社会的，歴史的，文化的な力と共に考察することができる．
(2) イーヴン＝ゾウハーは，個々のテクストを単独で研究することから離れ，翻訳が機能している文化的・文学的システムの中で翻訳を考察する．
(3) 等価の非規定的定義と適切性という概念は，テクストが歴史的・文化的状況に従って変化することを可能にする．

この最後の点は，1960年代と1970年代に等価概念を巡って始まっていた言語学的議論の繰り返しからの脱出口を翻訳理論に与えるものである（第3章参照）．

しかし，Edwin Gentzler（pp. 120-3）はまた多元システム理論への批判も行っている．批判の概略は以下のようなものである．

(1) 比較的少ない根拠に基づく過剰一般化から，翻訳の「普遍的法則」を求めている．
(2) 歴史的基盤を持つ1920年代のフォルマリストのモデルに頼り過ぎており，イーヴン＝ゾウハー自身の進化傾向モデルに従うなら，70年代の翻訳テクストには適切ではないかもしれない．
(3) テクストや翻訳者に課せられた「現実の」制約ではなく，抽象的なモデルに焦点を合わせる傾向がある．
(4) 科学的とされるモデルが，どの程度まで真に客観的であるのかという疑問．

こうした異論はあるものの，多元システム理論は様々な文脈におかれた翻訳をより非規定的に観察する道を切り開き，翻訳研究に深甚な影響を与えてきた．

7.2 トゥーリーと記述的翻訳研究

テルアビブでイーヴン゠ゾウハーと研究していたのがトゥーリーである．初期には外国文学のヘブライ語への翻訳を決定する社会文化的条件について多元システム理論に基づいて研究していたが，その後，翻訳の一般理論を作ることに集中した．第1章ではホームズの翻訳研究「地図」がトゥーリーによって図式化されたものを見た．トゥーリーは大きな影響力を持つ著書，"Descriptive Translation Studies – and beyond"（Toury 1995:10）において，これまでの常であった，個別に独立して行なわれる研究に代え，適切に体系化した記述的翻訳研究部門の創設を求める．

> 欠けているのは，卓越した直感と優れた洞察をそなえた個別の試み（既存の多くの研究はこれにあてはまる）ではなく，明快な仮説から出発し，可能な限り明示化され，翻訳学自体の内部で正当化されるような方法論と研究テクニックを備えた，体系的な分野である．このような部門だけが，個々の研究結果を間主観的に検証し比較することを可能にし，研究自体の再現可能性を確保する．
>
> （Toury 1995:3）

こうしてトゥーリーは，記述的翻訳研究（DTS）部門のための，まさにそのような研究方法論を提案する．

Gideon Toury（1995:13）にとって，翻訳はまず何よりも目標文化の社会・文学システムの中に，ある位置を占めるものであり，この位置がどのような翻訳方略を採るかを決定する．このアプローチによって，トゥーリーはイーヴン゠ゾウハーの多元システム理論と自分の過去の理論をさらに推し進めていく（Toury 1978, 1980, 1985, 1991）．Toury（1995:36-9, 102）は体系的なDTS（記述的翻訳研究）のために次のような三段階の方法論を提案し，翻訳の産物の記述と社会文化システムのより広範な役割を取り入れる．

(1) テクストを目標文化システムの中に位置づけ，その意義あるいは受容性の如何を見る．

(2)起点テクストと目標テクストを比較してシフト（shifts）を見出し，起点テクストと目標テクストの部分の「対応ペア（coupled pairs）」の関係を見つける．
(3)一般化を試み，この起点テクストと目標テクストのペアの翻訳プロセスを再現する．

これにもうひとつの重要な段階が加わる．それは，同様のテクストの他の組み合わせに関して上記の三段階の操作を繰り返す可能性である．それによってコーパスを拡大し，ジャンル，時代，著者などを基準にして翻訳の記述的プロファイルを積み上げるのである．このようにして，それぞれの種類の翻訳に関する規範（norms）を同定する．その最終的な目的は（記述的研究をさらに積み重ねていくことによって），翻訳一般の行動上の法則（laws）を記述することである．規範と法則という概念については7.2.1項と7.2.2項でさらに詳しく検討する．

トゥーリーの方法論の第二段階は最も論争のある箇所の一つである．すなわち，起点テクストのどの部分と目標テクストのどの部分を検討するか，また両者の関係がどのようなものかを決定するものは，Touryによれば（1995:85）翻訳理論によって提供されるべきであるとされる．しかし，すでに第4章と第5章で見たように，言語学的な翻訳理論は，それが何であるかに関して意見が一致するどころではない．トゥーリーの初期の論文（Toury 1978:93, 1985:32）で最も議論になったのは，トゥーリーが仮説的な中間的不変項あるいは「比較のための第三項（tertium comparationis）」（この概念に関する議論はp.76参照）を，翻訳におけるシフトを測る基準としての「適切な翻訳（Adequate Translation = AT）」として使い続けていた点である．しかし同時にTouryは，実際にはいかなる翻訳も完全に「適切（adequate）」ではないことも認めている（1978:88-9）．この矛盾のために，そして仮説的不変項を普遍的所与と考えたために，トゥーリーは厳しい批判にさらされた（例：Gentzler 2001:130-1, Hermans 1999:56-7参照）．

1995年に出版された著書において，トゥーリーはこの不変項という考え方を捨てる．彼のモデルに残されたものは，起点テクストに目標テクストを「マッピング」して，「一連の（アドホックな）対応ペアを生み出す」ことであった（Toury 1995:77）．この種の比較は，トゥーリーも認めるように，不可避的に「部分的（そして）間接的」にならざるをえず，分析プロセス自体そのものの中で

「絶えざる改訂」が行われる．その結果として生まれたのが，厳密に体系化されているとは言いがたいものの，柔軟で非規定的な，起点テクストと目標テクスト比較の手段であった．この柔軟性があったために，トゥーリーによる一連の事例研究ではテクストの様々な側面が検討できるようになった．ある研究（pp.148-65）では，それはドイツ語のおとぎ話のヘブライ語訳における韻（rhymes）の付加とパッセージの省略であり，別の研究ではヘブライ語に翻訳された文学の等位結合句（conjoint phrases）であった（7.2.3 節参照）．

7.2.1 翻訳行動の規範の概念

トゥーリーの事例研究の目的は，翻訳行動の傾向を区別し，翻訳者の意思決定過程に関する一般化を行い，翻訳に作用している規範を「再構築」すること，そして将来の記述的研究によって検証できるような仮説を立てることにある．トゥーリーが使う規範（norms）の定義は以下の通りである．

> あるコミュニティが共有している一般的価値ないし考え—何が正しく，何が誤りか，何が適切で何が不適切か—を，特定の状況にふさわしく，適用可能な作業指示に翻訳したもの．
>
> （Toury 1995:55）

こうした規範はある文化，社会，時代に固有の社会文化的制約である．個人は教育と社会化という一般的プロセスから規範を獲得すると言われる．その「力（potency）」について，Toury は規範を規則（rules）と特異性（idiosyncrasies）の中間に位置づける（p.54）．Toury は，翻訳とは規範に支配された活動であり，規範が「実際の翻訳に現れる等価（のタイプと程度）を決定する」（p.61）と考える．このことは「規範」という用語があいまいになる可能性を示唆している．トゥーリーは規範という言葉を，はじめは行動の規則性を通じて研究される記述的・分析的カテゴリーとして使用する（規範とは「ある社会文化的文脈に置かれた翻訳者が規則的に選択するオプションである」；Baker 1998:164）．しかしながら，そうした規範は圧力を生み，何らかの規定的機能（prescriptive function）を果たすように見える．

Touryは，最初は翻訳された産物（*product*）の分析に焦点を合わせるが，それは単に翻訳者の意思決定過程（*processes*）を明らかにするために過ぎないと強調する（p.174）．トゥーリーの仮説は，ある特定のテクストで支配的であった規範は次の二つのタイプの源泉から再構築できる，というものである（強調は著者による）．

(1) 規範に支配された活動の産物であるテクストを精査することから．テクストからは「行動の規則性」（p.55）（すなわち起点テクストの一部と目標テクストの一部の間の関係と対応の傾向）が現れる．それは翻訳者が採用したプロセスを指し示し，したがってそこに作用している規範を指し示す．
(2) 翻訳者や出版者，評者，その他の翻訳行為参与者が規範について明示的に述べた発言から．しかしToury（p.65）は，そのような明示的発言は不完全かもしれないし，社会文化システムの中でそのインフォーマントが果たす役割に引き付けた内容になっているかもしれないため，避けた方がよいと警告している（この点に関する詳しい議論は第9章参照）．

Touryは異なる種類の規範が翻訳プロセスの異なった段階で作用していると考える（pp.56-9）．基本的な初期規範（initial norm）は，翻訳者が行う一般的な選択に関わる（図7.1）．すなわち翻訳者は起点テクストに実現されている規範か目標文化・目標言語の規範に従う．もしそれが起点テクストの方であれば，目標言語は適切（adequate）[訳注1]なものになり，逆に目標文化の規範が支配的であれば，目標テクストは受容可能（acceptable）なものになる（p.57）．適切性と受容可能性の両極はひとつの連続体をなしている．というのも，いかなる翻訳であれ完全に適切な翻訳とか完全に受容可能な翻訳などないからだ．翻訳によるシフトは，それが義務的なものであれ非義務的なものであれ，避けることはできず，規範に支配され，「翻訳の真の普遍性」なのである（p.57）．

（訳注1）トゥーリーの適切な（adequate）翻訳や適切性（adequacy）の概念は，第5章のフェルメールの適切性（Adäquatheit）の概念とは異なることに注意．フェルメールの場合は目標テクストが翻訳の目的（スコポス）を満たすならばその翻訳は適切なものとなる．本書p.125（第5章）参照．

Touryが記述した，より下位の規範としては，予備的規範（preliminary norms）（p.58）と運用規範（operational norms）（pp.58-9）がある．予備的規範は図7.2のように表示される．翻訳政策（**translation policy**）は特定の言語，文化，時代における翻訳のためのテクスト選択を決定する要因のことである．トゥーリーの事例研究の中では，この領域は取り上げられていない．翻訳の直接性（directness of translation）とは，翻訳が媒介言語を経て行われるかどうか（例：フィンランド語から英語を介してギリシャ語に）に関連する．この場合，研究で問題になるのは，こうした重訳に対する目標言語文化の許容度，どの言語が関与しているか，重訳という行為が偽装されているかどうか，などである．

運用規範（operational norms）（図7.3）は，目標テクストの提示の仕方と言語的要素を記述するものである．基質的規範（matricial norms）は目標テクストの完全性に関係する．ここではパッセージの脱落や再配置，テクストの分節化，パッセージの追加や脚注などが問題になる．テクスト・言語的規範（textual-linguistic norms）は目標テクストの言語的素材，すなわち語彙項目や句，文体的特徴などの選択を支配する規範である（第5章のChristiane NordとChristina Schäffnerの議論と比較）．

起点テクストと目標テクストを比較すれば，翻訳で生じた両者間の関係におけるシフトが明らかになる（第4章のシフト分析と比較）．ここにおいてTouryは，「翻訳における等価」（translation equivalence）（p.85）という用語を導入する．しかしトゥーリーは，それが伝統的な等価の概念（第3章参照）とは違うことをしきりに強調する．トゥーリーの等価は「機能的・関係概念（functional-relational

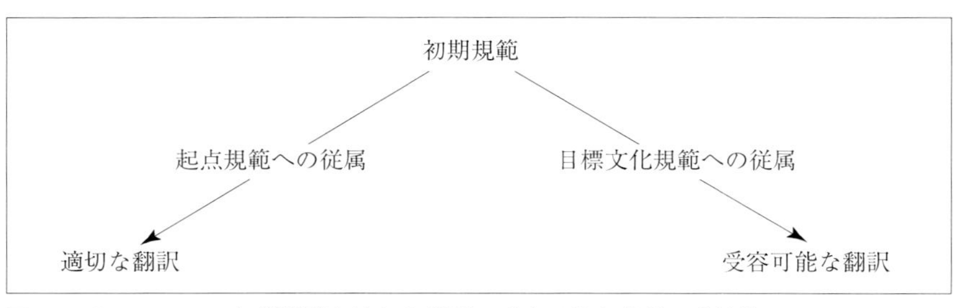

図7.1　トゥーリーの初期規範と適切な翻訳－受容可能な翻訳の連続体

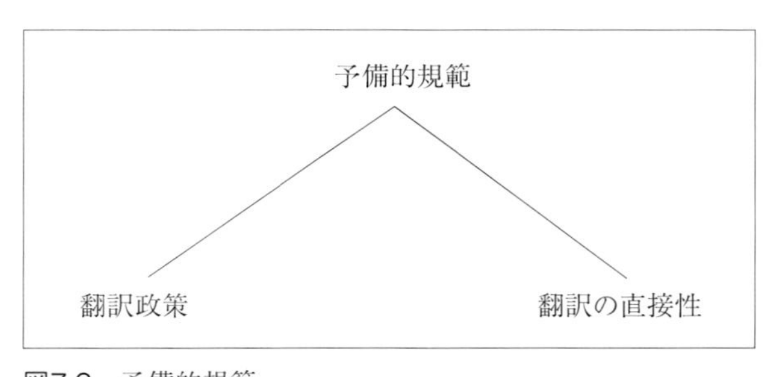

図7.2　予備的規範

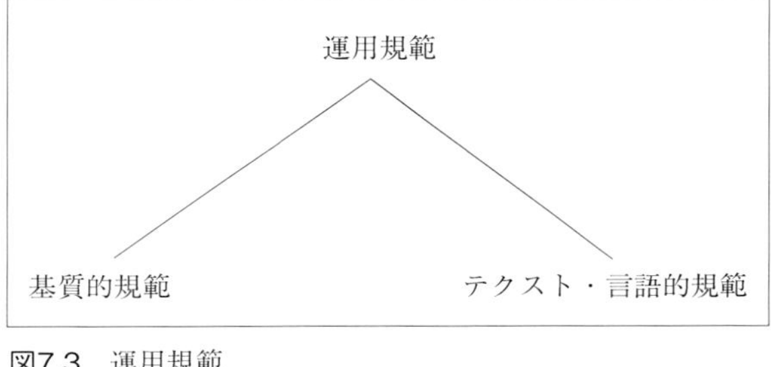

図7.3　運用規範

concept)」であり，その意味は，目標テクストと起点テクストの間の等価がすでに想定されているということである．この点は非常に重要である．なぜなら，そうなると分析は，所与のテクストあるいは起点テクストの表現が起点テクストあるいは起点テクストの表現と「等価」であるか否かを，(こうあるべきだという）規定的な形で問うことはしないからである．そうではなく，どのようにして想定された等価が実現したのかを問題にするものであり，「翻訳の基底的概念［…］翻訳により生じた意思決定という概念，そしてそれを制約した要因」(p.86）を露わにする道具なのである．

すでに述べたように，DTS（記述的翻訳研究）の目的は，翻訳プロセスに作用していた規範を再構築することにある．しかし，Toury は規範が「階層的な概念」であることを強調する（p.67）．というのも「翻訳者の行動は完全に体系的であることを期待することができない」からである．さらに，こうした規範は強度が異なっている．義務的な行動（最大強度）から一般的だが義務的ではない傾向，そして許容される行動（最小強度）までの幅がある（pp.67-9）．これについては7.2.4項と7.3節でさらに検討することにする．

7.2.2 翻訳の「法則」

トゥーリーは記述的研究によって同定される規範が累積されることで蓋然的な翻訳の「法則」，ひいては「翻訳の普遍的特性」が形成されることを望んでいる．トゥーリーが提案する暫定的な法則は次のようなものだ．

(1)標準化進行の法則（the law of growing standardization）（pp.267-74）：「翻訳ではオリジナルで作用しているテクスト的諸関係がしばしば変更され，時にはまったく無視されて，目標言語から提供される（より）習慣的なオプションが支配的になることもある」（p.268）．つまり，翻訳においては起点テクストのパターンが破壊され，目標言語において，より一般的な言語的オプションが選択されるということである．このように，例えば，全般的な標準化傾向と目標言語のスタイルのバリエーションがなくなる傾向が，あるいは少なくとも目標文化モデルへの順応という傾向が生じる．このことは特に，目標文化のシステムの中で翻訳が弱く，周辺的な位置にあるときに一般的に起こる．

(2)干渉の法則（the law of interference）（1995:274-9）：これは起点テクストから目標テクストへの干渉を「一種のデフォルト」とみなす．干渉とは起点テクストの言語的特徴（主に語彙とシンタックスのパターン）が目標テクストにコピーされることを指す．コピーの仕方は「否定的」（正常ではない目標テクストのパターンを生むから）な場合もあれば，「積極的」（起点テクストに目標テクストで非正常にならないような特徴があると，翻訳者がそれをもっと使うようになるから）な場合もある．Touryは，干渉をどの程度許容するかは社会文化的要因と，異なる文学システムの威信に依存すると考える（p.278）．威信のある言語や文化から翻訳する場合は，特に目標言語や目標文化が「マイナー」であれば，干渉を許容する程度はより大きくなる．こうした法則については7.2.4項でさらに詳しく取り上げる．

7. 2. 3　トゥーリー・モデルの実際

Toury（1995）は一連の事例研究を行っている．その中にヘブライ語を目標テクストとする等位結合句（conjoint phrases）の「範例的」研究がある．等位結合句あるいは二項名詞句（binomials）とは，ひとつの単位として機能するほぼ同義語のペアのことである．トゥーリーが挙げている英語の例では ‘able and talented’（有能な）や ‘law and order’（法と秩序），ドイツ語の例では ‘nie und nimmer’（絶対に～でない）がある．Toury はヘブライ語文学におけるそうした語句の意義について論じ（pp.103-4），このような語句の使用は聖書以後の古代ヘブライ語の書き言葉と 18 世紀末以降のヘブライ語のテクストに顕著であったと指摘する．18 世紀末というのは，ヘブライ語が近代的な書き言葉に適応しようと苦闘していた時期であり，また輸入された文学モデルの影響下にあった時期であった．しかし，等位結合句の使用は過去 60 年の間に衰退した．というのもヘブライ語が自信を深め，文学システムの中でより中心的な文学になったからである．それにもかかわらず Toury は，ヘブライ語の翻訳テクストにおけるそのような語句の数はヘブライ語のテクストよりも多くなりがちであり，さらに翻訳には，より新しく作られた等位結合句や（固定的な語句よりも）「自由な」組合せの等位結合句が含まれると述べている（p.105）．トゥーリーはそれを裏付けるために，児童文学とゲーテの作品，ハインリッヒ・ベル（Heinrich Böll）の小説 “Ansichten eines Clownes”（『道化師の告白』）のヘブライ語翻訳を挙げる．ベルの小説の場合，翻訳者は頻繁にドイツ語の単一の語彙項目を等位結合句に訳しており，そのため目標テクストは起点テクストよりも 30 パーセントほど長くなっている．また，1971 年に刊行された翻訳であるというのに，この翻訳のヘブライ語がひどく古臭く見えるという効果も生んでいる．

こうした所見にもとづいて，トゥーリーは将来様々な言語と文化での研究で検証されるべき一般化の可能性を提起する．その内容は等位結合句の頻繁な使用，とりわけ起点テクストの単一の語彙項目を等位結合句に翻訳することは，「若いか，さもなければ「弱い」システムへの翻訳の普遍的特性を示すかもしれない」（p.111）というものである．翻訳文学を位階的システムの一部と考えていることは，DTS（記述的翻訳研究）と多元システム理論とのつながり方をよく示している.

トゥーリーのモデルの最終段階は，こうした知見を実際に適用することである．その一例はトゥーリー自身が訳したマーク・トウェイン（Mark Twain）の “Connecticut Yankee in King Arthur's Court ”（邦題は『アーサー王宮廷のヤンキー』など）である．この翻訳について，Toury は意識的にヘブライ語の等位結合句を頻繁に使い，「擬古文のパロディの感じ」を出そうとしたと述べている（p. 112).

7. 2. 4　トゥーリー理論の検討

いまや明らかなように，トゥーリーの DTS（記述的翻訳研究）の方法論は将来の記述的研究のための確固たる基礎を築く上で重要な一歩であった．1993 年の時点ですでにゲンツラーは，翻訳研究に重要な影響を与えたトゥーリーの理論の四つの側面を列挙している.

(1)一対一対応という考え方と文学的・言語学的等価の可能性を（偶然的なものを除き）放棄したこと
(2)いかなる翻訳テクストの産出においても目標文化システム内の文学的傾向が関与していること
(3)固定的アイデンティティを伴った原文のメッセージという考え方を不安定化させたこと
(4)原テクストと翻訳テクストの両方を，交錯する文化システムの記号の網の目に統合したこと

（Gentzler 1993:133-4）

それにもかかわらず，起点テクストと目標テクストのマッピングがその場限りのものであることは，不可避的に，トゥーリーのモデルが客観性に欠けるところがあり，完全に再現可能でもないことを意味する．これに代わるものとしては，James S. Holmes（1988a:80）が提案した大規模な「特徴の収集」アプローチがある．ただしこれは，第 4 章で見たように，「困難で退屈」なものになる可能性がある．トゥーリーの方法論のその他の要素についてはハーマンズ（Theo

Hermans）が批判している．すなわち，トゥーリーが等価概念に対して相反した態度をとっていること（Hermans 1999:97），トゥーリーの提案した「適切」と「受容可能」という用語が，他の文脈においては評価的な含みを持つため，用語自体が混乱を招くこと（Hermans, p.77，ハーマンズ自身は「目標テクスト志向」，「起点テクスト志向」という用語を好む）．Hermans はまた，トゥーリーの前著（Toury 1980）の書評で，目標言語重視の姿勢に疑問を呈している（1995:218）．確かに，トゥーリーの初期のスタンスは，自己の文化における起点テクストの地位，起点文化が自己の文学の翻訳を推奨している可能性，翻訳が起点文化システムに影響を与え返すという効果，といった複雑なイデオロギー的・政治的要因を見落としてしまうリスクを備えていた．こうした分野は翻訳におけるイデオロギーの研究（第8章参照）や受容理論，特に新しい文学作品が読者に与える影響のあり方の研究（第9章参照）などから概念を取り入れることが有益だろう．事実，トゥーリーの最近の著作（例：Toury 2004）は，社会文化的要因の言語的選択に対する関係により強い関心を示している．そして，システム理論の研究者たちが一般に研究対象を文学作品に限定している点は注意すべきであるとはいえ，記述的モデルはノンフィクション作品や技術的なテクスト，視聴覚翻訳にも役立つことは確かである（Kramitroglou 2000, 本書第11章参照）．

最近では「規範」，特に翻訳の「法則」が最も注目を集めている．そしてゲンツラーが初期の多元システム理論に対して行った批判（7.1節参照）が，トゥーリーにも向けられている．すなわち，トゥーリーは依然としてケース・スタディから一般化（あるいは過剰に一般化）しようとしている．トゥーリーの「法則」という暫定的提案は，ある意味では翻訳についての一般的な（必ずしも証明されているとはいえない）信念の焼き直しに過ぎない，という批判である．もうひとつ議論の余地があるのは，準科学的な規範 / 法則というアプローチがどの程度まで翻訳のような周辺的領域に適用できるのかという点である．というのも記述された規範は結局のところ抽象的なものであり，それはトゥーリーの方法では，規範に支配されるといわれる，しばしば下意識的な行動の結果を検討することで，ようやく発見できるものだからである．Hermans は，一体どうすれば翻訳に関わるすべての変数を知り，すべての翻訳にあてはまる法則を発見できるというのか，と問う（1999:92）．

トゥーリーの二つの法則自体，ある程度相互に矛盾するように思われるし，それぞれが反対の方向に向かっているように思われる．つまり標準化進行の法則は目標言語中心の規範を描いているが，干渉の法則の方は起点言語が中心になっている．本書の初版（Munday 2001:118）では，干渉の法則を変更すること，さらには「翻訳における言語的実現に関するコントロール低減の法則」のような，より洗練された法則に代えるよう提案した．そう考えた場合には，いくつか異なった要因が加わることになろう．それは，翻訳プロセスに影響を及ぼし，規範や翻訳における法則という概念を，トゥーリーの研究が示唆しているよりもっと複雑なものにするような要因である．こうした要因としては，起点テクストパターンの効果，目標テクストにおける明快さの選好とあいまい性の回避，思考プロセスの効率を最大化する必要性のような翻訳者の現実的な考慮，時間の制約の下での意思決定の重要性などが考えられる（第4章で論じたレヴィーのミニマックス方略と比較）．

トゥーリーはこうした批判の一部に応え，翻訳の法則というのは言語の様々なレベルでの蓋然的説明であることを力説している．トゥーリーは「普遍的特性」よりは「法則」という用語を守ろうとする．なぜなら，「この概念はそれに内在する「例外」の可能性を備え，法則の例外（と見えるもの）は「別の」レベルで作用している「別の」法則で説明することが常に可能なのだから」（Toury 2004:29）と言う．トゥーリーの言うように，明示化（explicitation）（起点テクストで含意されていたものを目標テクストで言語化すること）のような翻訳の「普遍的特性」が，翻訳のすべての行為にあてはまると考えることはできない．翻訳のいかなる特徴であれ，普遍的ではありえないのだ．仮にそういうものがあるとしても，それは一般的すぎて退屈なもの（例：「翻訳には変化がつきまとう」）であるため，ものの役に立たないだろう．

ピム（Anthony Pym）は，トゥーリーの1995年の本の副題‘and beyond’に含まれる挑戦に応えた本の中で，[訳注2]これらの法則の矛盾を解消しようとする．

（訳注2）“Beyond Descriptive Translation Studies”のこと．トゥーリーの1995年の本とは“Descriptive Translation Studies and beyond”を指す．

> 大事なことは，このような蓋然論的な定式化（標準化進行の法則と干渉の法則を指す）のおかげで，言語的な変数のレベルで矛盾した傾向があっても，それはきわめて合理的に解釈できるという点である．ここに社会的条件Aを適用するとすれば標準化の傾向が強まるし，社会的条件Bが生じてくれば干渉が強まる．ここには何の矛盾もない．
>
> (訳注3)（Pym 2008: 321）

ピムはリスクと報酬の概念に基づき，以下のように二つの法則を統一する方法を提案する．

> 翻訳者は他のやり方をしても見返りが得られない場合，言語を標準化し，かつ干渉を導入することで，あるいはそのいずれかを行うことでリスクを避けようとする傾向がある．
>
> （Pym 2008: 326）

他方，Andrew Chesterman（2004）は，翻訳の普遍的特性には別のタイプがある可能性を示唆し，翻訳の普遍的特性を次の二つに分けることを提案している．
(i) 普遍的特性 S（S-universals）（S= 起点）：これは起点テクストと比較した場合に翻訳に起きているシフトに関するものであり，トゥーリーの二つの法則を含む．
(ii) 翻訳的普遍 T（T-universals）（T= 目標）：（翻訳ではなく）自然に生まれる言語と比較した場合に見出される翻訳言語の特徴．これには語彙の単純化や目標言語に固有な語彙項目の表現が少なくなるなどの現象を含む．

7.3　チェスタマンの翻訳規範

トゥーリーの規範概念は，主に翻訳パターンを発見するための記述的カテゴリーとしての機能に焦点を合わせていた．しかし，7.2.1 節で述べたように，たとえそのような非規定的（non-prescriptive）とされる規範であっても，社会の

（訳注 3）著者が執筆時にオンライン版を参照したため原著には引用ページ数がなかったが，著者の指示に基づいて追加した．
（訳注 4）訳注 2 に同じ．

中で承認されることもあれば，されないこともある．同様にChesterman（1997:68）は，あらゆる規範は「規定的な圧力をかけてくる」と述べる．

Chesterman自身（pp.64-70）は，もうひとつの規範のセットを提案している．これはトゥーリーの初期規範と運用規範の領域を網羅している（上図7.1節と7.3節参照）．チェスタマンの規範は（1）作品規範あるいは期待規範（product or expectancy norms）と（2）プロセス規範あるいはプロフェッショナル規範（process or professional norms）である．

（1）作品規範あるいは期待規範（product or expectancy norms）は，「（あるタイプの）翻訳の読者が抱いている，（このタイプの）翻訳はどのようなものであるべきかという期待によって打ち立てられる（p.64）．この規範を統御する要因としては目標文化の支配的な翻訳の伝統，目標言語における類似のジャンルの談話的慣習，経済的・イデオロギー的理由などがある．チェスタマンはこの規範に関して二つ重要な指摘をしている．

（a）期待規範は翻訳についての評価的判断を許容する．というのも，読者は特定の種類のテクストについて何が「妥当」で「許容可能」な翻訳であるかという見解を持ち，こうした期待に沿う翻訳を承認するからである（p.65）．

（b）期待規範は時には「何らかの規範についての権威者によりその正当性を認められる」（p.66）．例えば，教師や文芸評論家，出版の可否について出版社に助言する査読者などは，期待規範に従う翻訳を推奨することによって有力な規範を確認することができる．このことは例えば翻訳が読みやすさとなめらかさについての目標言語の基準を満たすべきであるということかもしれない（第9章参照）．あるいは，文芸評論家が規範に背馳する翻訳を批判するかもしれない．そしてこの批判は一般読者の翻訳の受けとめ方や翻訳の売れ行きにマイナスに作用するかもしれない．もちろんChestermanが言うように（p.66），時には規範についての「権威者」と社会全般とが衝突することもあるかもしれない．

（2）プロセス規範あるいはプロフェッショナル規範（process or professional norms）

は「翻訳プロセス自体を調整する」(p.67). この規範は期待規範に従属し, 期待規範によって決定される. Chesterman は三種類のプロフェッショナル規範を提案している.

(a) 責任規範 (accountability norm) (p.68)：これは倫理的規範であり, 信頼性 (integrity) と入念さ (thoroughness) といったプロとしての基準に関連する. 翻訳者は依頼主と読者のために生み出した翻訳作品の責任を引き受ける.

(b) コミュニケーション規範 (communication norm) (p.69)：これは社会的規範である. 翻訳者はコミュニケーションの専門家であり, 関係者間のコミュニケーションを最大化するよう努力する (第5章, ホルツ＝メンテリ (Holz-Mänttäri) の翻訳行為のモデルと比較).

(c)「関係」規範 ('relation' norm) (pp.69-70)：これは言語的規範であり, 起点テクストと目標テクストの関係を扱う. 第5章でも検討したが, ここでも Chesterman は狭い意味での等価関係を退け, 両者の適切な関係は翻訳者が「テクスト・タイプや依頼主の希望, 原著者の意図, 予想される読者のニーズに従って」判断するものと考える (p.69).

このようなプロフェッショナル規範は, 部分的には他のプロ翻訳者や職能団体のような規範に関する権威によって, また部分的にはその存在自体によって確証される (p.70). こうした規範はトゥーリーが扱っていない新しい領域を含んでおり, それゆえ翻訳プロセスと翻訳作品の全体的記述のために役に立つかもしれない.

7.4　その他の記述的翻訳研究のモデル：ランベール, ヴァン・ゴープと操作学派

多元システム理論によるイーヴン＝ゾウハーとトゥーリーの初期の著作の影響の下, International Comparative Literature Association (国際比較文学会) は翻訳文学のテーマをめぐって何度か会合や会議を開催した. 特に研究の中心になったのはベルギーとイスラエル, オランダであり, 初期の会議はルーヴェン (1976), テルアビブ (1978), アントワープ (1980) で開催された.

操作学派（Manipulation School）として知られる研究者グループの重要な刊行物は，ハーマンズの編集になる“The Manipulation of Literature: Studies in Literary Translation”（1985a）という論文集であった．その序論，「翻訳研究と新しいパラダイム」の中で，ハーマンズはこのグループの翻訳文学のとらえ方を要約している．

> このグループに共通しているのは，次のような点である．文学は複雑でダイナミックなシステムであるという見方．理論モデルと実践的事例研究の間には継続的な相互作用があるべきだという確信．翻訳文学に対する記述的，目標言語編制的，機能的，体系的アプローチ．翻訳の産出と受容を統制する規範と制約に対する関心．翻訳と他のタイプのテクスト処理の関係に対する関心．そして文学の内部での翻訳の位置と役割，文学の間での相互作用に対する関心である．（Hermans 1985b:10-11）

多元システム理論及び記述的翻訳研究との結びつきは強いものがあり，操作学派は「理論モデルと実践的事例研究の間の継続的な相互作用」という考え方に基づいて研究を進めていった．

当時の重要な課題は事例研究のための厳格な方法論であった．ランベールとヴァン・ゴープ（José Lambert and Hendrik van Gorp）の論文（1985/2006），‘On describing translations’は，イーヴン＝ゾウハーとトゥーリーの初期の著作に基づいて，起点テクストと目標テクストの文学システムの比較と，各文学システム内部の関係の記述のための枠組みを提案している．各システムは著者，テクスト，読者の記述から構成される．Lambert and van Gorp は，記述の枠組みを 4 段階に分ける（1985/2006：46-7）．

(1) 予備的データ（preliminary data）：タイトル・ページの情報，メタテクスト（序文など），全般的方略（抄訳か全訳か）などを指す．この結果はレベル 2 とレベル 3 についての仮説を導く．
(2) マクロ・レベル（macro-level）：テクストの分け方，タイトルと章立て，内部のナラティブ構造と著者による明示的なコメントのすべて．これはミクロ・レベル（レベル3）についての仮説を生み出す．

(3) ミクロ・レベル（micro-level）：言語の様々なレベルでのシフトの同定．これには語彙レベル，文法的パターン，語り，視点，モダリティが含まれる．この結果はマクロ・レベル（レベル2）と相互に作用し合い，「より広いシステム的文脈での考察」へ導く．

(4) システム的文脈（systemic context）：ここでミクロ・レベルとマクロ・レベル，テクストと理論が比較され，規範が同定される．テクスト間関係（翻訳を含む他のテクストとの関係）とシステム間関係（他のジャンルやコードとの関係）も記述される．

Lambert and van Gorp（p.41）は「翻訳の活動に関わるすべての関係を要約することは不可能である」ことを受け入れるが，表面的で直感的な論評と「アプリオリな判断と確信」を避けるための体系的枠組みを提案する．ハーマンズと同様に，二人もまた個別の事例研究と幅広い理論的枠組みの結びつきを強調する．

> 単一の翻訳テクスト，あるいは一人の翻訳者を研究することは不合理なことでは全くない．しかしこの翻訳，あるいはこの翻訳者が他の翻訳や翻訳者と（肯定的あるいは否定的な）結びつきがあることを無視することは不合理である．
> （Lambert and van Gorp 1985/2006:45）

この論文が書かれて以来，記述的翻訳研究は進歩したが，とりわけトゥーリーの1995年の著作の影響が大きかった．故ルフェーヴル（André Lefevere）のような研究者は多元システム理論の用語法から離れて，翻訳文学システムの中のイデオロギーと支援者（patronage）の役割を考察している．しかし記述的研究の理論に今後の指針を与えたのはハーマンズであった．

> 今，翻訳研究分野全般，特に記述的部門は，我々の時代のより活発な知的・社会的運動―例えばジェンダー研究，ポスト構造主義，ポストコロニアル研究，カルチュラル・スタディーズ，人文科学の新しい学際性などに注意を払う必要に迫られている．
> （Hermans 1999:159-60）

ルフェーヴルの著作とこうした他分野の運動による翻訳研究への貢献については第8章と第9章で取り上げる．

事例研究

この事例研究のテクストは，J.K. ローリング（J. K. Rowling）による大ベストセラーであるハリー・ポッター・シリーズ第1作，“Harry Potter and the Philosopher's Stone”[(1)]（『ハリー・ポッターと賢者の石』）とそのイタリア語訳（“Harry Potter e la pietra filosofale”[(2)]）とスペイン語訳（“Harry Potter y la piedra filosofal”[(3)]）である．トゥーリーの3段階の方法論に倣い，

(1) 目標テクストを目標テクストの文化システムの中に置く
(2) 目標テクストの一部を起点テクストの等価物に「マッピング」する
(3) そこで採られている翻訳方略と作用している規範に関してなんらかの一般化を試みる

同じ起点テクストを言語が異なるふたつの翻訳で比較することで，ひとつの翻訳の分析によって得られた知見をチェックでき，単一の孤立した研究に基づいて結論に飛びつくことが避けられるのである．

(1) イタリア語とスペイン語の目標テクストは共に翻訳として提示され，受容されており，翻訳者の名前と原題は版権のページに記載されている．イタリア語版では翻訳者の名前がタイトル・ページにもある．両目標テクストは英語から直接に翻訳されている．両目標文化には自国の児童文学の確固とした伝統があるが，この作品を翻訳出版するという決定は特に驚くにはあたらない．なにしろこの本は，英国と米国で一般書と児童書の両部門で

---

(1) 1997年に Bloomsbury（London）から出版された．
(2) Marina Astrologo 訳で 1998年に Adriano Salane editore（Florence）から出版された．
(3) Alicia Dellepiane の訳で 1999年に Emecé（Barcelona）から出版された．

ベストセラーになるという大成功を収めているのだから．

しかし，このスペイン語の本とイタリア語の本は，それが翻訳であることは強調されていない．例えばスペイン語目標テクストの裏表紙の宣伝文は，英国とイタリアの書評からの引用があり，この本が「あらゆる年齢層のすべての子どもたち」にとって意義があることを強調している．イタリア語の目標テクストもイタリアのイラストレーター，セルナ・リグレッティ（Serna Riglietti）のイラストを使っており，タイトル・ページには翻訳者の名前と並んでイラストレーターの名前も書かれており，この本が'romanzo'（小説）であるとも書かれている．この言葉が使われているということは，この本がイタリアでは大人向けの小説として販売されていることを示している．したがってイタリアとスペインの出版社がこの本に様々な変更を加える用意があったことがはっきりと分かる．その中にはジャンルを変更することさえ含まれていたかもしれず，より高度な大人の読者までを対象に，翻訳の受容性を完全なものにしようとしたのである．

(2) 目標テクストは起点テクストの完訳であり，大きな追加や省略，脚注はない．トゥーリーのモデルでは起点テクストと目標テクストのペアの選択はアドホックなものであった．『ハリー・ポッター』の場合，この本で最も際立つ特徴は（実際，多くの児童文学もそうなのだが），登場人物の名前とハリー・ポッターが生徒として学ぶ魔法魔術学校に関連する事柄である．この学校自体は，仰々しい，アングロサクソン的響きのホグワーツという名前をもっている．英国の古いグラマースクールに倣い，スリザリン，グリフィンドール，レイブンクローといういわくありげな名前の寮に分かれている．登場人物の名前も同じように仰々しく暗示的で，ハグリッド，ヘドウィグ，スネイプ，ドラコ・マルフォイ，アーガス・フィルチ，校長のアルバス・ダンブルドアという具合である．

二つの目標テクストはこうした名前をかなり違ったやり方で処理している．スペイン語目標テクストはほとんど例外なく，翻訳でもオリジナルの名前を保持している．もっともドラコ・マルフォイが最初に登場したときには，翻訳者は「ドラコ（ドラゴン）・マルフォイ」と，名前に括弧をつけて説明を付けている．ところがイタリア語の目標テクストのほうは，ホグワーツ，ハグリッド，ヘドウィグのような一部の名前はそのまま目標テクストに移しているものの，その他の名前については名前に含まれる意味を翻訳しようとしている．スリザリンは ‘Serpeverde’，レイブンクローは ‘Pecoranera’，スネイプは ‘Piton’，アーガス・フィルチは ‘Argus Gazza’ という具合である．名前の響きがもっと重要で，目標テクストの読者がオリジナルの名前を発音しにくい場合（例えば ‘Gryfindor’ グリフィンドール），イタリア語の翻訳者は翻案している（このケースは ‘Grifondoro’）．さらに校長の名前は ’Albus Silente’ となり，彼の肩書きのひとつ ‘Supreme Mugwamp’（国際魔法使い連盟議長）は口語的でユーモラスな ‘supremo Pezzo Grosso’ となっている．これは新造語ではないが，ニュートラルでフォーマルなスペイン語の ‘jefe supremo’ とは明らかに違っている．

学校生活の重要な特徴を示す名称，例えば球技の ‘Quidditch’（クイディッチ）とか魔力のない人間を指す ‘Muggles’（マグル）はスペイン語でも保持されている．ただし，その異国起源性を強調するためにイタリックにしてある．イタリア語訳ではクイディッチは保持されているが，マグルの方は ‘Babbani’ という新造語に変えてある．名前で最も滑稽な部類は，子どもたちが新学期の始まる前に受け取る教科書一覧に出てくる著者の名前である．その典型は ‘Magical Theory by Adalbert Waffling’（アドルバート・ワフリング著，魔法論）である．スペイン語訳では著者名を変えていないが，イタリア語では ‘Adalbert Incant’（呪文，魔法の意）として，言葉遊びがあることを示唆しようとしている．さらに想像力に富んだ例は，イタリア語の目標テクストで ‘The Dark Forces by Quentin Trimble’（クエンティン・トリンブル著，闇の力）の著者名を ‘Dante Tremante’ と訳しているケースである．これはイタリア語で韻を踏み，‘tremente’（‘trembling’ 震えるの意）という意味を持たせ，そしてもちろんダンテと彼の地獄を暗示しているのである．

面白いことに，名前は保持されているとはいえ，英国版と米国版では言語内翻訳が見られる．それはまずタイトル（米国では “The Sorcerer’s Stone”[(4)]）に明らかであり，‘biscuits’（ビスケット）が ‘cookies’（クッキー）に，‘rounders’（ラウンダーズ）が ‘baseball’（野球）になるなど，ある種の語彙選択，文化的選択，統語的選択に見られる．

(3) こうした知見から，翻訳に作用している規範に関してある種の一般化が提案できよう．すなわち，スペイン語訳は起点テクスト重視の翻訳方略を採っており，英語原文の語彙項目を保持している．目標テクストの読者が発音しにくい言葉に出会うことになったり，暗示を理解できなくなる可能性があってもそうしているのである．イタリア語訳は目標テクスト重視の翻訳方略を採り，多くの名前を変更してユーモラスな音のパターンや言葉遊び，暗示を新しく創造している．楽しい言葉遊びの実例はイタリア語訳の翻訳者の名前である．タイトル・ページには‘Marina Astrologo’（星占い師マリナ）とある．

二つの翻訳のこの記述的比較は，二つの目標文化には（あるいは少なくとも二つの翻訳には）異なった規範が作用していることを示唆している．またそれは，将来の研究が取り組むべき研究課題も提起している．この後に翻訳されたスペイン語とイタリア語のハリー・ポッター・シリーズでは，ここで明らかにしたのと同じ翻訳方略が踏襲されたのだろうか？　現代児童文学のスペイン語への翻訳は，一般的に起点言語の語彙パターンを強化する傾向があると言えるだろうか？　翻訳方略は翻訳者，出版社，起点言語のいずれに依存するのだろうか？　名前や文化的な事柄が，例えば中国語のような言語に翻訳あるいは字訳された場合，何が起こるのだろうか？　この種の文学のイタリア語への翻訳は通常，目標言語重視の傾向を示すのだろうか？　もしそうであるなら，それはイタリアの文化が自文化に中心的地位を与え，外国から輸入されるものに対して適応を強いるということなのだろうか？　これは時代によって変化してきたのだろうか？　他のジャンルも同じ傾向を示すのだろうか？

(4) ハリー・ポッター・シリーズ米国版の版元であるScholastic Booksの編集者Arthur Levineによれば，おそらくは「エキサイティング」なストーリーを反映したものであるとされる．

事例研究の考察

トゥーリーの方法論の利点は，翻訳をその目標文化の文脈に置こうとしたことである．この方法は実行するのが比較的簡単で，再現可能性もある．そのため他の研究が先行研究の知見に新しい知見を付け加え，現代児童文学ジャンルの翻訳について，また児童文学の翻訳の時代的変化について，イタリア語やスペイン語への翻訳方略について，そしてより強力であるとみられている英語文化に対する関係などについて，次第によりよい説明ができるようになる．このようにしてひとつの枠組みが設定されると，どんな背景を持つ研究者でも翻訳についての我々の知識に有意義な貢献ができるようになる．しかしこれには反論もあるだろう．起点言語と目標言語の対応ペア（coupled pair）の選び方はいまだ体系的と言うにはほど遠い．確かに，固有名詞の翻訳の研究は興味深い知見を生み出すし，名前は最も文化的拘束の度合いが大きいと思われるかもしれないが，だからといって全体的な翻訳方略が同一であるとは必ずしも言えない．むしろ，ホームズが示唆したように，検討すべき特徴のチェックリストを作りあげる方がいいのかもしれない．たとえそのリストが，第4章と第5章で見たようないくつかの分類法ほどには包括的でないにしても，である．目標文化の文脈の中に置くと言っても，それにもおのずから限界がある．焦点を移動させて，文化とイデオロギー，テクスト間の相互作用をより深く研究し，翻訳者と出版産業自体を考察する方が良いかもしれない．こうしたテーマについては次の二つの章で検討することにする．

まとめ

イーヴン＝ゾウハーの多元システム理論は，シフトについての静的な言語学的分析と一対一等価という強迫観念から翻訳研究を救い出し，目標文化の歴史的・文学的システムにおける翻訳文学の位置を全体として研究する方向へと向かわせた．次にトゥーリーは記述的翻訳研究の方法論を発見することに焦点を合わせる．トゥーリーの目標テクスト志向の理論的枠組みは，起点テクストと目標テクストの言語的比較と，目標テクストの文化的枠組みの考察を結びつける．彼の狙いは，翻訳における行動パターンを特定し，翻訳プロセスで作用している規範を「再構築」することにある．記述的翻訳研究の究極的な目的は，翻訳の蓋然的法則を同定することである．それは将来，翻訳者や研究者の役に立つように使われるかもしれない．ただし起点テクストと目標テクストを比較する正確な方法はまだ決定されていない．記述的研究に関係のある操作学派の研究者たちは1980年代に，理論モデルと事例研究の相互作用という考え方を導入した．その中にはランベールとヴァン・ゴープの，翻訳記述のための体系的「スキーム」がある．またチェスタマンも後に規範の概念を展開した．

参考文献案内

ロシア・フォルマリストの多元システム理論への影響に関する要約的説明はGentzler（2001:118-25）にある．英訳された論文はLadislav Matejka and Krystyna Pomorska（1971）に何篇か収録されている．多元システム理論に関してはEven-Zohar（1978, 1990, 2005）を参照．規範についての詳しい議論はVilen N. Komissarov（1993），Hermans（1996），Nord（1997），Pym（1998）を参照．操作学派とその他の記述的アプローチについてはHermans（1985a）に収録されている諸論文を参照．Lefevereによる関連した著作に関しては第8章で取り上げる．記述的翻訳研究とトゥーリーに関する最近の評価はPym et al.（2008）を参照．翻訳における普遍性の問題はAnna Mauranen and Pekka Kujamäki（2004）にある．

討論と研究のために

1. 「翻訳はもはやその性質と境界がはっきりと定められた現象ではない．それはある文化的システムの中の諸関係に依存している活動なのである」（Even-Zohar 1978/2004:204）．この発言は翻訳と翻訳研究に対してどのような意味を持っているだろうか？　この発言にどこまで同意できるだろうか？
2. 自分の国の多元システムにおける翻訳の位置を考察してみよう．中心的な位置を占めるのか，二次的な位置にあるだろうか？　時代とともにはっきりとした変化はあっただろうか？　翻訳文学自体の多元システムについてはどうだろう？　ジャンルや起点言語などによるバリエーションはあるだろうか？

3. トゥーリーの著作にある様々な事例研究を検討してみよう．共通の要素は何だろう？　ここにある知見を検証ないし拡張するためには，どのような研究が必要だろう？
4. トゥーリーの初期の仕事に対する最も厳しい批判は，彼が不変項あるいは比較のための第三項を使ったことであった．トゥーリーは 1995 年の本での「対応ペア」アプローチによって，この問題をどの程度うまく克服しているだろうか？
5. ハリー・ポッター・シリーズの一冊を使って，別の目標言語への翻訳の記述的研究をやってみよう．そこで得られる知見はこの章の事例研究の結果と似ているだろうか？　そうだとしたら翻訳プロセスについてどのような一般化が可能だろうか？　皆さんはどのような仮説を提案し，それについての研究をどのように進めるだろうか？
6. トゥーリーの著作に関して Gentzler（2001:130）は，「1980 年代と 1990 年代に翻訳研究の研究者は，理論的な矛盾があるにもかかわらず，実質的にトゥーリーのモデルを使っていることに気づいた」と主張している．この主張を支持，あるいは否定する証拠は見つかるだろか？　“Beyond Descriptive Translation Studies”（Pym et al. 2008）に収録されている多様な論文を読んでみよう．トゥーリーのモデルをどの程度に前進ないし変容させているだろうか？
7. Pym（2008）は，標準化と干渉というトゥーリーの二つの法則がありふれていて矛盾していることを論じながらも，翻訳者のリスク回避という概念によって二つの法則の統合を試みている．この統合の可能性を支持する，あるいは否定する例を見つけることができるだろうか？　この法則を条件づける言語外変数にはどんなものがあるだろうか？
8. 先にあげた参考文献の中の規範に関する議論をよく考えてみよう．研究者たちはどこまで同じ概念を論じているといえるだろうか？　統合は可能だろうか？　翻訳のプロセスと産物を記述する上で規範はどの程度役に立つだろうか？　研究者が見落としていると思われるような要素や規範は他にあるだろうか？
9. システム理論は焦点をほぼ文芸翻訳に絞っている．システム理論はノンフィクションや技術的なテクストに対してどの程度に有効だろうか？

第8章　文化的・イデオロギー的転回

主要な概念

* 「文化的転回」：翻訳研究で使用される用語として，カルチュラル・スタディーズの視点に立った翻訳分析への移行を示す.
* ルフェーヴル（André Lefevere）は，システム理論から出発し，翻訳を「書き換え」とし，テクストをめぐるイデオロギー的な緊張関係として考察している.
* ジェンダーと翻訳：フェミニストによる翻訳「プロジェクト」とゲイ言葉の翻訳.
* ポストコロニアル翻訳理論：翻訳は植民地化のプロセスと被植民地住民のイメージ形成に積極的な役割を果たしてきた.
* ニランジャナ（Tejaswini Niranjana）は，翻訳者による「介入主義的」アプローチを呼びかける.
* 翻訳について書き記してきた理論家たちは，それぞれ異なる問題意識を持つ.

主要文献

Bassnett, S. and **A. Lefevere** (eds) (1990) *Translation, History and Culture*, London and New York: Pinter.

Bassnett, S. and **H. Trivedi** (eds) (1999) *Postcolonial Translation: Theory and Practice*, London and New York: Routledge.

Cronin, M. (1996) *Translating Ireland: Translation, Languages, Cultures*, Cork: Cork University Press.

Harvey, K. (1998/2004) 'Translating camp talk: gay identities and cultural transfer', in L. Venuti (ed.) (2004), pp. 402–22.

Lefevere, A. (1992a) *Translation, Rewriting and the Manipulation of Literary Fame*, London and New York: Routledge.

Niranjana, T. (1992) *Siting Translation: History, Post-structuralism, and the Colonial Context*, Berkeley, CA: University of California Press.

Simon, S. (1996) *Gender in Translation: Cultural Identity and the Politics of Transmission*, London and New York: Routledge.

Spivak, G. (1993/2004) 'The politics of translation', in L. Venuti (ed.), pp. 369–88.

8.0　はじめに

バスネットとルフェーヴル（Susan Bassnett and André Lefevere）は，論集“Translation, History and Culture”の序文で，本書の第3章から第6章で考察してきたような翻訳に関する言語理論を退けている．両者によれば，これらの言語理論は，「単語からテクストへと分析単位は移行したが，テクストを超えるものではない」（Bassnett and Lefevere 1990: 4）．また，テクストを文化的環境において考察せずに，「ただひたすら原文と翻訳を比較すること」を否定した[(1)]．その代わりにバスネットとルフェーヴルは，言語を超え，どのように翻訳と文化が相互作用し，どのような点で文化が翻訳に影響を及ぼしたり翻訳を制約したりするのかに注目し，「コンテクスト，歴史，慣習など，より大きな問題」（p. 11）に焦点を合わせたのである．両者は，選集，注釈，映画化，翻訳などの様々な形態によって作り上げられる文学作品のイメージやその形成プロセスに関る諸制度について考察を行った．したがって，テクストとしての翻訳から文化と政治としての翻訳へという移行は，Mary Snell-Hornby（1990）がこの論集に掲載された自らの論文で「文化的転回（the cultural turn）」と呼んだものである．バスネットとルフェーヴルは文化的転回という語をこうした文化的移行の喩えとして使い，この語はこの論集の広範な事例研究の共通基盤を成すものとなる．これらの事例には，時代と共に変化する翻訳上の基準，特定のイデオロギーを追う出版業界内外で行使される権力，フェミニストの著作や翻訳，「専有化（appropriation）[(訳注1)]」としての翻訳，翻訳と植民地化，映画用リライトを含む書き換えとしての翻訳に関する研究が入る．

“Translation, History and Culture”は重要な論集であり，その後10年以上も翻訳研究において強い影響力を持つことになる文化的転回の始まりを告げるものであった．本章では，1990年代においてカルチュラル・スタディーズが翻訳研究に影響を与えた三領域について考察を行う．最初に，書き換えとしての翻

（1）したがって本論集は，これより前のバスネットの“Translation Studies”を踏襲している．この“Translation Studies”でバスネットは，当時の流行であった「狭い言語学的なアプローチ」による翻訳研究から脱却すべきことを主張した（Bassnett 1980: 13）．

訳について取り上げる．これはシステム理論から発展したものである（8.1 節）．次に，翻訳とジェンダー（8.2 節），さらに翻訳とポストコロニアリズム（8.3 節）について論じる．理論家自身のイデオロギーについては 8.4 節で，翻訳，イデオロギー，権力に関するその他の最近の研究については 8.5 節で扱う．

8.1 書き換えとしての翻訳

ルフェーヴルは，ルーヴェン大学（ベルギー）比較文学科で研究に従事した後，米国テキサス大学オースティン校比較文学科に移った．ルフェーヴルは，多元システム理論と操作学派（第 7 章参照）との強力なつながりを保つ中で，自らの翻訳研究を発展させた．彼はむしろシステム理論家に属するといってよいと主張する向きもあるかもしれないが，ルフェーヴルによる翻訳と文化に関する後の研究は，多くの点で文化的転回への架橋点となる．その考えは，“Translation, Rewriting and the Manipulation of Literary Fame”（Lefevere 1992a）で存分に発展している．

ルフェーヴルは，文学テクストの受容，容認，或いは拒否を体系的に支配する「極めて具体的な要因」，すなわち「権力，イデオロギー，制度，操作などの問題」の検証を焦点化する（Lefevere 1992a: 2）．ルフェーヴルによれば，このような権力的地位にある人々は，文学作品を「書き換え（rewriting）」，一般大衆による消費を支配する．こうした書き換えを促す動機は，イデオロギー的なも

（訳注 1）文学・文化批評，カルチュラル・スタディーズ，ポストコロニアル研究では，いくつかの訳が混在している．例えば，「専有化」「専有利用」「奪用」（チルダーズ，J.／ヘンツィ，G.（編著）（1998）『コロンビア大学 現代文学・文化批評用語辞典』（杉野健太郎・中村裕英・丸山修 訳）松柏社．［原著：Childers, J. and Hentzi, G.（eds）（1995）“The Columbia Dictionary of Modern Literary and Cultural Criticism”, New York: Columbia University Press］．），或いは「占有」（アッシュクロフト，B.／グリフィス，G.／ティフィン，H.（2008）．『ポストコロニアル辞典』（木村公一 編訳）南雲堂．［原著：Ashcroft, B., Griffiths, G., and Tiffin, H.（1998）“Key Concepts in Post-Colonial Studies”, London: Routledge］．）などである．上記チルダーズとヘンツィ（1998）では，カルチュラル・スタディーズのコンテクストにおける「専有化」を「ある種の文化資本（CULTURAL CAPITAL）を乗っ取り，その文化資本の元の所有者に敵対するような行為を指す」としている（p. 68）．

のもあれば，詩論的なものもある．前者は，支配的なイデオロギーに順応したり，逆に反旗を翻したりする場合である．後者は，支配的ないしは好ましいとされる詩論に従ったり，反対に抗ったりする場合である．André Lefevere（p. 8）は，一例としてエドワード・フィッツジェラルド（Edward Fitzgerald）の場合を挙げている．フィッツジェラルドは，ペルシャの詩人オマル・ハイヤーム（Omar Khayyam）[訳注2]の翻訳を手がけた19世紀の翻訳家（「書き換える人（rewriter）」）である．フィッツジェラルドは，ペルシャ人を劣った存在と捉え，原文を「改良」し，当時の西洋で期待される文学的慣習に合わせるためには，翻訳を「勝手に変更する」ことも必要であると考えた．

Lefevere（p. 9）は，「同様の書き換えの基本的プロセスは，翻訳，史料編纂，選集編纂，批評，編集でも行われている」とする．「原文の」文章研究と翻訳研究がこのようにひとつにまとめられたことは，翻訳が一般的な文芸批評に組み込まれたことを意味する．しかしながら，以下に示すように，ルフェーヴルの著書の中核を成すのはあくまで翻訳である．

> 翻訳は，誰が見てもはっきりと分かる書き換えの典型である．そして［…］翻訳は，最も大きい影響力を秘めている．なぜなら，翻訳は作者やその作品のイメージを，原文の文化の境界を超えて映し出すことができるからだ．
> （Lefevere 1992a: 9）

ルフェーヴルによると，翻訳がその中で機能している文学システムは，三つの主要な要因によって左右される．(1)文学システム内の専門家，(2)文学システム外の支援（patronage），(3)支配的な詩論（the dominant poetics）である．

(1)文学システム内の専門家：この中には，批評者や書評者（その意見は作品の受容に影響する），教師（往々にしてその本が学習されるか否かを決定する），

（訳注2）“Rubáiyát”の作者として有名．邦訳には，オマル・ハイヤーム（1979）『ルバイヤート』（小川亮作 訳）岩波書店．オマル・ハイヤーム（2004）『ルバイヤート』（陳舜臣 訳）集英社．等がある．

翻訳者自身（上述のフィッツジェラルドの場合など）が含まれ，こうした人々が詩論を決定し，時には翻訳テクストのイデオロギーを決めることになる．これらの支配要因については，第9章でさらに議論を深める．

(2) 文学システム外の支援：「文学を読んだり，書いたり，書き換えたりすることを促進する，あるいは妨げる，様々な権力（人もしくは制度）」を指す（p. 15）．支援者（patron）となり得るものとしては，以下が挙げられる．

* 歴史上のある時代において，影響力と権力を有する個人（例：シェークスピア（William Shakespeare）の時代のイングランドにおけるエリザベス1世や1930年代ドイツのヒットラーなど）
* 人間集団（出版社，メディア，政治家階級や政党）
* 文学作品や文学思想の普及を左右する諸制度（国立アカデミー，学術誌，そして特に教育機関）

Lefevere（p. 16）は，この支援を構成する要素として次の三つを挙げている．

(a) イデオロギー的要素：題材の選択とその提示形式を制約する．ルフェーヴルの定義では，イデオロギーは政治的なものに限定されない．つまり，やや明確さを欠くのを承知で一般化すれば，「我々の行動を秩序付ける形式，慣習，信条の絡み合ったもの」[(2)]といえる．ルフェーヴルは支援を，基本的にイデオロギー面に焦点を合わせて考える．

(b) 経済的要素：作家やリライターへの支払いに関する．過去においては，後援者（benefactor）からの奨励金や他の定期的な報酬という形で行われていた．今日では，著作権使用料や翻訳料という形がより一般的である．批評者や教師などの他の専門家にも，もちろん支援者（例：新聞社，大学，政府など）から報酬や資金が提供される．

(c) ステータス要素：これは，いろいろな形をとる．後援者や文芸出版社からの経済的な報酬への見返りとして，それを受け取る者は支援者の期待に添うよう求められことが多い．同様に，特定の集団に属してい

(2) ルフェーヴルは，ここで，Fredric Jameson（1974）"The Prison House of Language", Princeton, NJ: Princeton University Press, p. 109の定義を採用している．

るということは，その集団を支援するような形で行動することを意味している．ルフェーヴルは，1950年代サンフランシスコで集いの場であったCity Lights書店に集まったビート族（the Beat）の詩人たちの例を挙げている．

支援（p. 17）は，この三つの要素全てが同じ人物あるいは同じ集団から提供される場合には，区別されない．例えば，全体主義における支配者のような場合である．この場合は，支援者はただシステムの安定性の維持に努めることになる．これに対し，三要素が互いに依存関係にない場合は，支援に区別が生じてくる．したがって，人気のベストセラー作家は経済的に大きな報酬を受けるだろうが，文学システムの支配層からは殆どステータスを認められないこともある．

(3) 支配的な詩論：Lefevere（p. 26）は，構成する要素として次の二つを挙げている．

(a) 文芸装置：ジャンル，シンボル，ライトモチーフ，プロトタイプとなるような状況や人物像など幅広く含まれる．

(b) 文学の役割に関する概念：文学とその文学が存在する社会システムとの関係を指す．異なる文学形式間の闘争は，多元システム理論のひとつの特徴となっている（7.1節参照）．ルフェーヴルは，この考えをさらに推し進め，詩論を決定づける上での制度の役割に注目した．

> 制度は，ある時代の支配的な詩論を遂行する，或いは少なくとも遂行しようとする．その時の産出物を計る基準としてこの支配的詩論が使われる．その結果，出版後の比較的短い期間に「古典」のレベルに昇格する文学作品がある一方で，拒絶される作品も出てくる．後者の中には，支配的詩論が変化した後に，古典の地位に引き上げられるものもある．
>
> （Lefevere 1992a: 19）

ルフェーヴルは，「正典と認められた（canonized）」古典には，「システム自体の保守的な偏見や書き換えのもつ権力性が明白に見て取れる」とする．これらの作品はそのステータスが脅かされることがないとはいえ，支配的詩論における変化に合わせて再解釈されたり，「書き換えられ」たりする．ギリシャの古典がその例であり，これらは今も西洋の文学に影響を及ぼし続けている．ルフェーヴルは，「ある詩論の境界は，様々な言語や，民族的・政治的実体を超える」とする（p. 30）．例として，アフリカ全土にまたがり多くの言語や集団で共有されている詩論を挙げている．ルフェーヴルは，支配的な詩論はイデオロギーによって決定される傾向にあると見る．例えば，イスラム教が初期にアラビアから広がったことで，アラビア語の詩論がペルシャ語，トルコ語，ウルドゥー語などの他の言語に取り入れられる結果となった．

8.1.1 ルフェーヴルの研究における詩論，イデオロギー，翻訳

ルフェーヴルは，詩論，イデオロギー，翻訳間の相互作用に関して，次のような重要な主張を行っている．

> 翻訳プロセスの全てのレベルにおいて，もし言語学的な考察がイデオロギーや詩論的な特質に関する考察と相容れないような場合は，傾向としては後者が勝る．
>
> （Lefevere 1992a: 39）

ルフェーヴルにとって最も重要なのは，イデオロギー的な考察であり，この場合は翻訳者のイデオロギー，または支援者によって翻訳者に押し付けられたイデオロギーに関するものである．詩論的な考察とは，目標言語文化における支配的な詩論を意味する．これらは共に翻訳方略や特定の問題に対する解決策を決定づける（p. 41）．**Lefevere**（pp. 41-2）では，アリストパネース（Aristophanes）の“**Lysistrata**”（『女の平和』(訳注3)）からその例を引いている．この中で，リューシストラテー（Lysistrata）は，女性の平和を寓意的に象徴する登場人物に，スパルタの使者を彼女のもとに連れてくるよう頼む．そして次のように言う．**‘En mē**

（訳注 3）アリストパネース（1951）『女の平和』（高津春繁 訳）岩波書店．

dido tēn cheira, tēs sathēs age.'（もし彼があなたに手を差し出さないようであれば，彼のペニスをつかんでつれてきなさい[訳注4]）

ルフェーヴルは，何年もかけて，この 'penis' に当る語の英語訳を一覧にまとめた．そこには，'membrum virile'，'nose'，'leg'，'handle'，'life-line'，'anything else' など多様な翻訳があり，多くの場合，その訳の弁明のために脚注が付けられていた．ルフェーヴルによれば，このような婉曲的な翻訳は，「ある社会の，ある時期における支配的なイデオロギーを少なからず示す[3]」（p. 41）ものであり，起点言語テクストを読めない目標言語テクストの観客にとって「まさに字義どおり芝居（play）となる」（p.42）．

オランダ系ユダヤ人であった若き女子生徒アンネ・フランク（Anne Frank）の日記に関して Lefevere（pp. 59-72）が考察しているのは，まさにこの状況である．アンネ・フランクは，第2次世界大戦時，家族と共に隠れて暮らしていた．家族が捕えられ，自らもそこで死を迎えることになる強制収容所に送られる前，アンネは来たる日の出版を期して日記を書き換えはじめた．ルフェーヴルは，1947年のオランダ版日記でアンネのセクシュアリティに関る段落が省略されるなど，いかに少女のイメージに勝手な変更が加えられているかについて述べている．この版は，アンネの父オットー・フランク（Otto Frank）の協力で（同時に，オットーによって「書き換えられて」）出版にこぎつけた．友達や家族についての「あからさまな」描写やドイツ人に協力した人々について述べられた文章が割愛されたりもしている．後者は，名前が挙げられた個人からの依頼によって削除された．

ルフェーヴルは，その後1950年に出版されたドイツ語訳を調べている．これは，オットー・フランクの友人であるアンネリーゼ・シュッツ（Anneliese

---

（訳注4）前掲書（p. 91）での日本語訳は以下の通り．「手を引くことを拒むなら，まん中の手で引いて来い．」

(3) 最近の例としては，ローブ古典ライブラリー（Loeb Classical Library）（1989年以降 Harvard University Press の一部門）の行った決定がある．これは，アリストパネースなど，ギリシャ及びローマのテクストの翻訳を委託する際，「より正確で，かつ慎重過ぎない翻訳」を求めるというものである（Steven Morris, 'Classic translations let obscenity speak for itself', "Guardian" 23 August 2000, p. 7）．

Schütz）によりまとめられ，解釈上の間違いだけでなく，ドイツ人及びドイツのイメージに対する改変の双方を含むものであった．Lefevere（pp. 66-9）は，ドイツ人について名誉を傷つけるような批判が省かれたり，語調が和らげられたりしている例など，多くのこうした食い違いを挙げている．ドイツ人によるユダヤ人の扱いについての論及箇所にも改変があった．以下はその明確な例である．

> er bestaat geen groter vijandschap op de wereld dan tussen Duitsers en Joden
> （世界には，ドイツ人とユダヤ人の間の憎しみほど大きいものはない）
> eine grössere Feindschaft als zwischen *diesen* Deutschen und den Juden gibt es nicht auf der Welt
> （世界には，これらのドイツ人とユダヤ人の間の憎しみほど大きいものはない）
>
> （Lefevere 1992a: 66 強調は原本の筆者による）

ルフェーヴルによれば，‘Duitsers’を（単に‘den Deutschen’［ドイツ人］とするのではなく）‘diesen Deutschen’（これらのドイツ人）と翻訳するという決定は，オットー・フランクの協力の下にシュッツが行ったものである．このような決定をしたのは，これこそアンネが「意味した」ことであり，また全ドイツ人を侮辱することで戦後ドイツでの売上に影響しないようにという配慮が働いたためであったという．ルフェーヴルは，翻訳の前と途中におけるこのような書き換えを，イデオロギー的な圧力によるものと見る．

8.2　翻訳とジェンダー

カルチュラル・スタディーズで翻訳に対する関心が高まるにつれ，必然的に翻訳研究は純粋な言語学的分析から離れ，他の学問分野との接触をはかるようになった．しかし，この「学問分野のハイブリッド化のプロセス」（Simon 1996: ix）は，常に直線的に進んだわけではない．サイモン（Sherry Simon）は，その著書“Gender in Translation: Cultural Identity and the Politics of Transmission”（1996）で，文化という語が「まるで自明で問題のない現実を指すかのごとく」（p. ix）使用されることが多いと翻訳学を批判している．例えば，Lefevere（1985: 226）では，文化を単に「文学システムの環境」として定義している．

サイモンは，ジェンダー研究の視点から翻訳に取り組み，翻訳研究における性差別の言語を，支配，忠実性，誠実性，そして裏切りの心象として見る（p.1）．その典型的な例は，17 世紀の ‘les belles infidèles’（不実な美女[訳注5]）のイメージである．この言葉は，芸術的には美しいが原文に忠実ではないフランス語への翻訳を評したものである（Mounin 1955）．或いはスタイナー（George Steiner）の “After Babel”（『バベルの後に[訳注6]』）で，翻訳を挿入[訳注7]（penetration）と捉える男性中心のイメージもその例である（本書第 10 章参照）．フェミニズム理論家は，原作に対してしばしば派生的であり劣った存在として捉えられている翻訳の地位と，社会や文学作品において抑圧されることの多い女性の地位との間に類似性を見出す．この考えは，フェミニズム翻訳理論の中心を成すものである．その目指すところは，「女性と翻訳を社会と文学の最下層へと追いやる諸概念の絡み合いが何であるかを突きとめ，批判」（p. 1）することである．しかし，サイモンは，これをさらに進め，目的遂行型翻訳プロジェクト（committed translation project[訳注8]）という概念に発展させる．

> フェミニストの翻訳が忠誠を誓うべきは，著者でも読者でもなく，書くというプロジェクト，つまり作家と翻訳者の両者が参与するプロジェクトである．
> （Simon 1996: 2）

サイモンは，カナダのケベック出身であるフェミニスト翻訳者たちが翻訳プロジェクトにおいて，自らのアイデンティティとイデオロギー上の立場を強調しようとする例を挙げる．理論家でもあり翻訳者でもあるゴダール（Barbara

---

（訳注 5）辻由美（1993）『翻訳史のプロムナード』みすず書房，第 4 章，及び，米原万里（1998）『不実な美女か貞淑な醜女か』新潮社，第 3 章参照．

（訳注 6）スタイナー , G.（1999）『バベルの後に（上）：言葉と翻訳の諸相』（亀山健吉訳）法政大学出版局．

（訳注 7）（ペニスの）挿入（大修館『ジーニアス英和大辞典』）．

（訳注 8）フェミニズムという明確な政治的・社会的目的を持って翻訳を実践することを指す．

Godard）はそのうちの一人であり，翻訳プロジェクトに伴う操作について公然と自己主張する．

> フェミニストの翻訳者は，自らの決定的な差異，果てしない再読と書き換えに感じる喜びを言明することで，テクストを操作した刻印を誇示する．
>
> （Godard 1990: 91）

ド・ロトビニエール＝ハーウッド（Susanne de Lotbinière-Harwood）もまたフェミニストとしての立場を鮮明にする翻訳者である．サイモンは，ド・ロトビニエール＝ハーウッドによるリズ・ゴヴァン（Lise Gauvin）著 **"Lettres d'une autre"** の翻訳の序文から，自らの翻訳方略について政治的観点から語る以下の文を引用する．

> 私の翻訳実践は，女性に資するために言葉を語らせることを目的とする政治的な活動である．したがって，翻訳に私の署名をすることは以下を意味する．この翻訳では，言語において女性の存在を目に見えるものとするために，あらゆる翻訳方略を活用している．
>
> （de Lotbinière-Harwood, Gauvin 1989: 9 及び Simon 1996: 15 で引用）

このような翻訳方略のひとつとしてサイモンが取り上げているのは，ジェンダーに関する言語の標識の扱いである．ド・ロトビニエール＝ハーウッドによる翻訳からは以下の例を挙げている．すなわち，'one' という語の 'e' に太字を使って女性であることを強調したり，'HuMan Rights' における 'M' を大文字にして言外の性差別を示したり，（'author' に相対するものとして）**'auther'** という語を新たに作りフランス語で女性の作家を意味する 'auteure' の翻訳としたり，また 'aube'（夜明け）のような女性名詞に英語の人称代名詞である 'she' を使うなどの例である（Simon p. 21）．

サイモンによる著書の他の章では，女性の翻訳者が歴史を通し翻訳に対して行ってきた貢献を再評価すると共に，フランスのフェミニスト理論翻訳における歪曲についても議論し，またフェミニストによる聖書翻訳を考察する．事例研究の中では，20世紀前半における女性による重要な文芸翻訳についての概略も述べられている．Sherry Simon（pp. 68-71）によれば，ロシア文学の優れた古典が最初は，主にコンスタンス・ガーネット（Constance Garnett）[訳注9]という一人の女性によって翻訳され，英語で読めるようになった．60冊にも及ぶガーネットの翻訳は，ツルゲーネフ，トルストイ，ドストエフスキー，チェーホフ，ゴーゴリの全作品をほとんど網羅するものであった．同様に，ドイツ語の重要な文学作品も女性の翻訳者によって翻訳された．その中には，Jean Starr Untermeyer,（夫Edwinと共に活動した）Willa MuirやHelen Lowe-Porter[4]などがいる．

女性の翻訳者が今日までに果たした重要な役割をサイモンは強調し，ギジェルモ・カブレラ・インファンテ（Guillermo Cabrera Infante）著“Tres tristes tigres”の翻訳を行ったフェミニストのSuzanne Jill Levineについて言及している．Levine以前に活躍した前述の翻訳者の作品が自分を押さえた控えめなものであるのとは対照的に，Levineはインファンテと緊密に協力し「新しい」作品を作り上げた．これについては第9章で論じる通りである．しかしながら，フェミニストの視点から見たとき，サイモンを魅了したのは，Levineの自信のみでなく，一種の「裏切り」に対するLevineの気付きであった．つまり，裏切られた女性について述べる男性の談話（ディスコース）を翻訳するという裏切りである．サイモンは，Levineが自らのフェミニスト・プロジェクトにおいて，何らかの方法でインファンテの作品を書き換え，操作し，「裏切って」きた可能性をほのめかしている（p. 82）．

8.2.1　ゲイ・テクストの翻訳

翻訳とジェンダーの最近の研究では，言語とアイデンティティがますます大きな問題として議論されるようになってきている．ハーヴィー（Keith Harvey）の研究‘Translating camp talk’（Harvey 1998/2004）はその一例である．この研究では，文学の言語学的分析方法に文化理論の視点を組み合わせている．これによ

（訳注9）1862-1946（英国のロシア文学翻訳家）

（4）Lowe-Porterの翻訳の正確さをめぐって，1995年秋に発行された“The Times Literary Supplement”で，白熱した議論が行われた．Venuti（1998: 32-3）及びHermans（1999: 1-7）参照．

って，言葉のやりとりを条件付ける社会的・イデオロギー的環境についての研究が可能となった．ハーヴィーは，言語活動における接触に関する理論とポライトネス理論を用い，同性愛者のゲイ談話が英語とフランス語のそれぞれのテクストで，また翻訳でどのように表れているかを考察した．ハーヴィーは接触理論（contact theory）[5]を用い，多様なコミュニティおける言語パターンをしばしば使用しながら，どのように「ゲイとレズビアンが，社会で優勢であり非同性愛者（及び同性愛嫌悪者）が適切とする言説の中でやっていく」のか（p. 404）を調査した．ハーヴィー（pp. 405-7）は，トニー・クシュナー（Tony Kushner）の“Angels in America”[6][訳注10]に出てくるゲイの登場人物が，女の子らしい喋りやアメリカ南部上流階級の女性に典型的な話し方（‘Oh, my!’, ‘adorable’ など）をしてみたり，フランス語の表現（‘ma bébé’, ‘comme ça’ など）を使ったり，また改まった表現とくだけた言い方を混ぜた言葉を使用している例を記述している．これらの特徴は，英語のゲイ言葉（camp talk）[訳注11]では典型的なものである．ハーヴィーによれば，面白いことにフランスのゲイ語では，英語の言葉や文を，似たような言語「ゲーム」で使用する傾向にある[訳注12]（p. 407）．重要なのはハーヴィーが，ゲイ言葉の言語的特徴をクィア理論（queer theory）を通して文化的アイデンティティに結びつけていることである（pp. 409-12）．ゲイ語は，「非同性愛の」諸制度における敵対的な価値観や考えを露わにするばかりでなく，行為遂行的な（performative）特徴によってゲイ社会を目に見えるものとし，そのアイデンティ

(5) 以下を参照．M. L Pratt（1987）‘Linguistic Utopias’, in N. Fabb, D. Attridge, A. Durant and C. McCabe（eds）“The Linguistics of Writing: Arguments between Language and Literature”, Manchester: Manchester University Press. また，ハーヴィーは，接触理論が Rusty Barrett（1997）‘The homo-genius speech community’, in A. Livia and K. Hall（eds）“Queerly Phrased: Language, Gender and Sexuality”, Oxford: Oxford University Press. でどのように使用されているか論じている．

(6) 1992 年にロンドンの英国国立劇場（Royal National Theatre）と Nick Hearn Books によって出版された．

(訳注 10) クシュナーによる代表的な戯曲．邦訳はないが，アメリカでテレビドラマ化され，日本語字幕付き DVD『エンジェルス・イン・アメリカ』が出ている．

(訳注 11) ゲイのわざとらしい誇張された態度や話し方を表す ‘camp’ 或いは ‘camp talk’ の訳として「キャンプ」も使われるようになってきているが，この語に馴染みのない読者にも分かりやすいように，ここでは敢えて「ゲイ語」，「ゲイ言葉」とした．

ティを顕在化させる．

ハーヴィーは，以下のように二つの小説から抜粋したゲイ言葉の翻訳の分析に当り多種多様な言語的，文化的要素を集めた．まず，ゴア・ヴィダル（Gore Vidal）の“The City and the Pillar”[7]（『都市と柱』[訳注13]）のフランス語への翻訳である（pp. 412-17）．フランス語の翻訳では，語彙面でもテクスト面でも相当な変更が見られる．

* フランス語では侮蔑的な意味を持つ‘tante/s’[訳注14]（‘aunt/s’）が，英語では，軽蔑的な意味の‘pansies’という語にも，前者に比べて肯定的な意味合いの強い‘queen’という語にも使用されている．
* 「ゲイである（to be gay）」という語句が，侮蔑的な意味を持つ‘en être’（‘to be of it/them’）と訳され，ゲイのアイデンティティを覆っている．
* ゲイ語で使われる‘perfect weakness’や‘screaming pansies’などの誇張的連語（コロケーション）が，訳されなかったり（‘faible’＝‘weakness’），否定的な連語（‘voyantes’＝‘showy’）に訳されている．

このように，一般的には，ゲイであることのアイデンティティを示すものは，目標言語テクストにおいて消えてしまうか，侮蔑的な意味を加えられる．ハーヴィーはこうした発見を目標言語文化の問題に結びつけ，例えば「ゲイ」を表すものを翻訳で隠蔽してしまうことが，「アイデンティティの範疇が政治的行動を促すのに役立つことを認識しようとしないフランスの一般的な傾向につながり」（p. 415），「現代フランスにおいてゲイ（男性）に関し革新的な理論化が欠如するきらいがある」（p. 416）ことを反映しているとする．

ハーヴィーが分析対象としたもうひとつの抜粋は，フランス人トニー・デュベール（Tony Duvert）による小説をアメリカ英語に翻訳したものからである．

（訳注12）原文では，参照箇所がp. 451となっているが，著者の了解を得て訂正．
(7) ロンドンのPanther Booksから出版された．翻訳はPhilippe Mikriammosによるもので“Un garçon près de la rivière”, Paris: Persona, 1981.
（訳注13）ゴア・ヴィダル（1998）『都市と柱』（本合陽 訳）本の友社．
（訳注14）「叔母・伯母」を意味するフランス語だが，俗語で同性愛者の女性役を指す．

ここでハーヴィーは，翻訳者が付加したものや，選択した語彙によって，ゲイ語の一部が強調されたり，顕在化したりすることにつながる例や，ふざけた場面が誘惑の場面にかわってしまう例を挙げている（pp. 417-21）．ハーヴィーは，そのような翻訳方略が取られる理由として，ゲイの作品を支えていた米国の出版社，そして，米国でフランス以上にこの本が受け入れられることを確実にした，米国の一般的な（サブ）カルチャー環境からの商業的圧力のせいかもしれないとしている．

8.3　ポストコロニアル翻訳理論

サイモンは，“Translation and Gender”で，翻訳における文化的転回の重要性を示すことに焦点を当てた．結論として，いかに「現代のフェミニストの翻訳が，ジェンダーを意識的な変革プロジェクトの場，つまりテクストの権威を支える条件を再構成する場としているか」（1996: 167）を述べ，カルチュラル・スタディーズが翻訳に果たした貢献を以下のようにまとめている．

> カルチュラル・スタディーズにより，翻訳におけるジェンダーと文化の複雑性の理解が深まった．その結果，数々の「ポスト」と名のつく今日の現状，すなわちポスト構造主義，ポストコロニアリズム，ポストモダニズムなど多様な現実の中に言語的転移を位置づけることができるようになった．
>
> （Simon 1996: 136）

近年，実際に，多くの翻訳研究者の注目を浴びるようになっているのがポストコロニアリズム（postcolonialism）である．ポストコロニアリズム固有の領域については明確に定義されないこともあるが，通常は旧植民地の歴史に関する研究，ヨーロッパ列強の研究，植民地支配に対する抵抗に関する研究，さらにより広範には，植民地と旧宗主国間に存在する権力関係の不均衡がもたらす影響に関する研究を意味する．結果として，現代の様々な学問領域と重なり合うが，このことはサイモンやルフェーヴルによる論文が，翻訳に関するポストコロニアル研究の著作集の中に含まれていることや，サイモン自身，ポストコロニアリストであるスピヴァク（Gayatri Chakravorty Spivak）について幅広く言及していることからも見て取れる．特にサイモンは，「第三世界」の文学が英語へ翻訳されることによってもたらされるイデオロギー的な影響とそれに伴う歪曲に対するスピヴァクの懸念を大きく取り上げている（pp. 145-7）．スピヴァクは名著 'The politics of translation'（1993/2004）（「翻訳の政治学」[訳注15]）でこれらの問題について取り組み，フェミニスト，ポストコロニアル及びポスト構造主義のアプローチを統合している．異なるアプローチ間の緊張関係は強調され，スピヴァクは西洋のフェミニストを痛烈に非難する．ヨーロッパの外で書かれたフェミニストの著作が力を持つ言語すなわち英語に翻訳されることを期待しているからである．このような翻訳は，スピヴァクがしばしば「翻訳調（translatese）[訳注16]」と呼ぶものであり，政治的に力の弱い個人や文化のアイデンティティを消去するものである．

> 十把ひとからげに英語に翻訳されるという行為においては，民主主義の理想は裏切られ，強者の法に埋もれてしまうかもしれない．こうしたことは，第三世界のあらゆる文学が，一種の流行の翻訳調で訳されるようになる場合に起こる．そうすると，パレスティナ女性の書いた作品が，台湾の男性が書いたものと，散文として似た感じになってしまう．
>
> （Spivak: 1993/2004: 371-2）

スピヴァクによる西洋のフェミニズムと出版業に対する批判は，以下のような主張を行うとき，最も痛烈なものとなる．すなわち，「覇権的な（hegemonic）」国々のフェミニストは，ポストコロニアル的状況に身を置く女性たちが話し・書く言語を学ぶことによって，こうした女性達との真の連帯を示すべきである，という主張である（p. 379）．スピヴァクによれば，「翻訳の政治学」では，目下，

（訳注15）スピヴァック , G. C.（1996）「翻訳の政治学」（鵜飼哲・本橋哲也・崎山政毅訳）．『現代思想』第24巻，第8号，28-52頁．青土社．本書ではSpivakを「スピヴァク」と表記しているが，鵜飼他（1996）のように引用文献で「スピヴァック」と表記している場合は，それに従う．

（訳注16）スピヴァクが 'translatese' という語で示そうとしたのは単なる文体ではなく，西洋のフェミニストの姿勢や考え方を反映した翻訳という意味が込められている．

英語や他の旧宗主国で使用される「覇権的な」言語が際立つ．しかし，ベンガル語からこうした言語への翻訳では，ベンガル人による物の見方の違いを翻訳できないことがよく起こる．たとえ善意であったとしても，翻訳者が西洋の読者に分かりやすいようにベンガル語を過度に順応させてしまうからである．スピヴァク自身のとる翻訳方略[(8)]では，必然的に翻訳者に原作の言語と状況に対する緊密な理解を求めるものとなる．この方略では，ポスト構造主義のレトリック，ロジック，社会的なるもの（the social）という諸概念が使われる．このテーマについては第10章で詳しく論じる．

スピヴァクの著作は，いかにカルチュラル・スタディーズ，特にポストコロニアリズムが過去10年にわたって，翻訳，越境性，植民地化の問題に焦点を当ててきたかを示す．このように植民地化が翻訳に結びつけられて捉えられるようになると，翻訳が植民地化の過程において，また被植民地国民についてのイデオロギー的なイメージを撒き散らす（disseminate）[(訳注17)]上で積極的な役割を果たしたという議論へと発展していく．8.2節で考察したように，フェミニストの理論家は，翻訳に関する描写と女性に関する描写には伝統的な男性中心という類似性があることを指摘しているが，同様に，植民地に関しても，模倣的で劣った翻訳コピーであるという隠喩が使用され，抑圧された植民地のアイデンティティが植民者によって上書きされ続けてきたとされる．このようなイデオロギー的なイメージを撒き散らす上で翻訳の果たした役割を鑑み，Bassnett and Trivedi（1999: 5）は「翻訳の恥ずべき歴史」に言及するにいたっている．

翻訳研究とポストコロニアル理論の主要な接点は，権力関係への取り組みにある．ニランジャナ（Tejaswini Niranjana）の“Siting Translation: History, Post-struc-

---

(8) スピヴァクは多くの翻訳を手がけたが，中でもデリダ（Jacques Derrida）の翻訳や，モハッシェタ・デヴィ（Mahasweta Devi）をはじめとするベンガルの作家の翻訳が挙げられる．

(訳注17) ‘dissemination’は，スピヴァクの思想の発展に大きな影響を与えたデリダが，同名の論文において用いた語である．二つのギリシャ語の語幹である，seme＝「種」とsem＝「記号」を掛けて，「意味を無限の可能性の中に撒き散らすことと意味作用の否定（dis-semination）という二重の意味」（川口喬一・岡本靖正 編（1998）『最新文学批評用語辞典』研究社，p. 112）を表している．‘dissemination’の訳では「散種」が一般的だが，「播種」も使われている．

turalism, and the Colonial Context"では，「植民者なき植民地主義により今なお抹消されている」(Niranjana 1992: 8) ポストコロニアル状況のイメージが描かれている．ニランジャナは，「植民地支配のイデオロギー的構造の一部であるヘゲモニー装置を特徴付ける」(p. 33) 一つの言説として文芸翻訳を見る（他に，教育，神学，正史，哲学が挙げられる）．ニランジャナが注目したのは，宗主国が一般的に英語への翻訳をどのように活用し，「東洋」について書き換えられたイメージを構築していくのかという点であった．このような東洋のイメージは，その時点で真実とされてきたものである．ニランジャナは他に，植民者によるイデオロギー的価値観の強要の例も示し，宣教師から民族誌学者まで取り上げる．宣教師は被植民者のための学校を運営すると共に，言語学者や翻訳者としての役割も担った．民族誌学者は現地の言語の文法を記録した．ニランジャナは，これらの集団の全てを「植民地権力が拠って立つ収集と体系化という壮大なプロジェクトに参加する」(p. 34) ものとして考察した．ニランジャナは，とりわけこの権力構造において翻訳が果たした役割を非難している．

> 実践としての翻訳は，植民地主義のもとで機能する非対称的な権力関係を形作ると共に，その中で自らを具体化していく．
>
> (Niranjana 1992: 2)

さらに，ニランジャナは，翻訳研究における強い西洋志向と，その結果生じた以下のような三つの主な欠点ゆえに，翻訳学そのものを批判する (pp. 48-9)．

(1) 翻訳研究は，最近になるまで，異なる言語間に横たわる権力の不均衡の問題を考慮してこなかった．
(2) 西洋の翻訳理論の多くが基盤とする諸概念には欠陥がある．（「テクスト，著者，意味という考えは，疑問の余地などない単純素朴な言語の表象理論に基づいている」）
(3) 翻訳の「人道主義的企て (humanistic enterprise)」という考えには，疑いを持つ必要がある．植民地支配というコンテクストで行われる翻訳は，植民地支配の概念的イメージを西洋哲学の言説に組み込むものだからである．

ポスト構造主義者を自認するニランジャナは，その立場にたって執筆を行っている．ポスト構造主義的視点は第10章の基盤を成すものであり，そこではデリダ（Jacques Derrida）など脱構築主義者の影響について考察する．こうした重なりは，カルチュラル・スタディーズの多彩な側面の相互作用，及びそれらが翻訳研究とどのように連動しているかを示している．これはまた，ニランジャナによる行動への呼びかけに結びつく．ニランジャナは以下のように行動することを促す．

(1) 一般的に，ポストコロニアル翻訳者は，植民地主義と自由主義的ナショナリズムのあらゆる面に異議を唱えなければならない（p. 167）．ニランジャナにとって，これは単に西洋の形而上学的表象を回避するという問題に留まらない．「覇権的な西洋を内部（*within*）から崩す」ものであり，いかにして西洋が非西洋を抑圧し，またその他者性を周縁化するのかというその手段を脱構築し，正体を明らかにするものである（p. 171）．このような方法で，抑圧を阻止できるのである．

（強調は原本の筆者による）

(2) より具体的に，ニランジャナは翻訳者からの「介入主義的（interventionist）」アプローチを呼びかける．「ここで私は，まだ思索的であり，暫定的で，介入主義的な翻訳を実践にうつす」，と南インドの神聖なる詩であるヴァチャナ（vacana）の翻訳を分析するにあたってニランジャナは宣言する（p. 173）．ここでニランジャナは，（名高きラマヌジャン（A. K. Ramanujan）をはじめとする）既存の翻訳を，「シヴァ神崇拝者（Śaivite）の詩を，キリスト教の言説，或いはポストロマン主義新批評の言説へ同化させてしまう試み」（p. 180）であり，19世紀の植民地主義に対する現地の反応に類似するとして激しく非難している．そして，植民地の言説を「閉じ込めてしまうこと」に抵抗を示す翻訳を提唱した．ニランジャナが実践してみせた抵抗は，詩人の神であるグヘシュヴァラ（Guhēśvara）の名前とリンガ（*linga*）なる光の表象を翻訳に再び刻み付け，もともとの隠喩の形を和らげてしまうような直喩を避けるという方法によるものであった（pp. 182-

6).（強調は原本の筆者による）

ポストコロニアルのコンテクストにおける非対称的な権力関係は，Susan Bassnett and Harish Trivedi（1999）編集による“Postcolonial Translation: Theory and Practice”と題する重要な論集を貫く概念である．この序文で（p. 13）編者は，このような権力関係が，「我々の住むこのポストコロニアルの世界で唯一支配的言語である英語」に対する様々な地域言語の不平等な闘争において展開していると考察している．したがって，翻訳は戦場であり，ポストコロニアル的コンテクストの典型的事例であると捉えられている．つまり，翻訳（translational）は越境（transnational）という語と密接に関連している．後者は，国家の「狭間（between）」に生きるポストコロニアル的状況にある移住民を指す語であるが，（Bhabha, 1994 で述べられているサルマン・ラシュディ（Salman Rushdie）の例にもあるような）より広い意味では「場所的分断（locational disrupture）」にある人々も指している．この「場所的分断」とは，自らの生まれた「場所」のもつ坩堝的状況の中に留まる人々の状況を表すものである．

> したがって，現在の理論的言説では，ポストコロニアル翻訳について語ることは，言葉を不必要に繰り返すも同然である．移住，亡命・追放，ディアスポラ（に新たな価値を付与する）という我々の時代にあって，「翻訳」という語は完全に一回りして元の位置に戻り，二言語間の処理という比喩的・文学的意味から再び場所的分断という語源的・物理的な意味へと立ち返ってきているようだ．翻訳がその本来の場所へ戻されているように見える．
>
> （Bassnett and Trivedi 1999: 13）

ここで重要なのは，「狭間性（in-betweenness）」[訳注18]）「第三の空間（the third space）」「異種混淆性（hybridity）」「文化的差異」など互いに関連のある諸概念である．これらの用語を使って，ポストコロニアル理論家であるバーバ（Homi Bhabha）は，その著書“The Location of Culture”（『文化の場所』[訳注19]）（Bhabha 1994）でアイデンティティ，行為主体性（agency）[訳注20]，帰属（belonging）の問題を理論化している．バーバにとって，宗主国の言説は，洗練されているが故に往々にして外からは目に付かないようになっている．しかし，その言説の権威は，不確かな文化的異種混淆性が生み出すものによって切り崩される可能性のあるものである．このような異種混淆性によって，被植民地の言説といえる空間が植民地支配の権威と相互に関係を持つことができ，その結果，権威を衰えさせることになる．翻訳者にとってその影響は重大である．Michaela Wolf（2000: 142）が述べているように，「翻訳者はもはや異なる二つの極の仲介者ではなく，翻訳者の活動は差異を内包する文化的重なりの中に刻み込まれるものである」．一方，Sathya Rao（2006）は植民地の差異性に関する最近の著書で，ポストコロニアル翻訳が破壊性を持つとするバーバの考えに異議を唱える．ラオ（Sathya Rao）は，「非コロニアル翻訳理論（non-colonial translation theory）」という用語を提唱しているが，これは「（植民地）世界に関心のない，またそれ故に翻訳不可能となる根源的内在として原文を捉える」ものである（p. 89）．この語は，「異質性の徹底的な実行」，つまり非翻訳を呼びかけるものである．この第三の空間の問題については第9章でもう一度振り返る．

バスネットとトゥリヴェディ（Harish Trivedi）の編書に寄せられた論文に見られるように，ポストコロニアル翻訳研究は様々な形をとる．その中の幾つかの章は，インドの視点からの翻訳理論や翻訳実践に基づくものである．「インド

（訳注 18）バーバ，H. K.（2005）『文化の場所：ポストコロニアリズムの位相』（本橋哲也・他 訳）．法政大学出版局．では，‘in-between’ に「中間地点」「中間地帯」「介在する中間地帯」などの訳を当てている．また ‘in-betweenness’ については「イン・ビトインネス（中間領域性）」の表現も見られる．本書では，翻訳学・通訳学の視点から翻訳者・通訳者が必然的に陥る「狭間」を念頭に置き「挟間の存在性」「挟間性」という訳語を考えたが，最終的に「狭間性（in-betweenness）」を選択した．

（訳注 19）訳注 18 参照．

（訳注 20）「媒介行為」（スピヴァック，G. C., 1996），「行為媒体」（ブルッカー，P.（2003）『文化理論用語集：カルチュラル・スタディーズ』（有元健・本橋哲也 訳）．新曜社．［原著：Brooker, P.（1999）．“Cultural Theory: A Glossary”, London: Arnold］．），「エイジェンシー」「行為主体性」「能動的実践主体」（チルダーズ，J.／ヘンツィ，G. 編著，1998）などの多様な訳語がある．ブルッカー（2003）では，「個人あるいは集団として，歴史の流れを方向づけたり，またそれに深く介入するときの人的行為者の役割を指す」としている（P. 72）．

文学の伝統は，本質的には翻訳の伝統である」と述べているのは Ganesh Devy（1999: 187）である．また，著名な翻訳者である B. M. シュリカンタイア（B. M. Srikantaiah）や A. K. ラマヌジャン（A. K. Ramanujan）の訳書を扱った，Vanamala Viswanatha and Sherry Simon（1999）と Vinay Dharwadker（1999）の研究も含まれている．ダルワドケル（Vinay Dharwadker）は，ニランジャナがラマヌジャンに対して行った非難について，ラマヌジャンの翻訳は問題とされている版とは異なる，それより以前のものからであること，またニランジャナがこの翻訳者によって書かれた詩の注釈を無視していることを指摘し，この翻訳が目指すものは西洋の読者の目を異文化との類似性に向けさせることであった，と述べている．

8. 3. 1　アイルランドというコンテクスト[9]

翻訳に関してポストコロニアル的立場にたつ著述は，非ヨーロッパのコンテクストには限らない．その一例が，Michael Cronin（"Translating Ireland", 1996）及び Maria Tymoczko（"Translation in a Postcolonial Context", 1999a）の研究テーマとなっているアイルランド文学の翻訳である．本節では，この二つのうち政治的主張をより強く展開しているクローニン（Michael Cronin）の研究に注目する．

Cronin（p. 3）は，翻訳とポストコロニアリズムに関するニランジャナと他の著者に反論を試みている．その根拠は，これらの著者が「ヨーロッパと新世界，ヨーロッパと植民地といった単純な対峙」に終始していたり，ヨーロッパの中の「内なる植民地主義」を無視していることである．クローニン自身は，アイルランド語と英語の間の言語的・政治的闘争に果たす翻訳の役割に焦点を当て，アイルランドの翻訳者が歴史を通して，はしがき，注釈，その他の著述で自らの仕事について，いかに議論し表現してきたかを検証している．とりわけ興味深いのは，このプロセスについての歴史，政治，文化という角度からの記述，又，異なる時代において翻訳がどのように植民者と被植民者双方の利益にかな

---

(9) "Introducing Translation Studies" の初版では，ブラジルの食人の風習に関する節があったが，第二版では割愛した．しかしながら，資料については以下の本書ウェブサイトから読むことができる．http://www.routledge.com/textbooks/0415229278/

うものと捉えられていたかという描写である．イングランドによるアイルランド征服において言語の果たした役割は，アイルランド人に英語を話させる目的で制定された1537年のAct for the English Order[(訳注21)]を見れば明らかである．クローニンは翻訳という隠喩を使って，アイルランド人に起きたこととの類似性を描いている．

> 文化レベルでの翻訳は，領土レベルでの翻訳に対応する．前者はイングランド文化の受容であり，後者は住民の強制的な退去と移動を意味している．
> （Cronin 1996: 49）

他方，Cronin（pp. 49-51）は，イングランドの詩人エドマンド・スペンサー（Edmund Spenser）の1596年の著述から引用している．スペンサーは，征服者の権力を支持はしながらも，アイルランド詩の英語翻訳を評価した．翻訳されたアイルランド文学に対する評価は，野蛮なアイルランド人という当時のステレオタイプに逆らうものであった．

Cronin（pp. 67-71）は続けて，17世紀において英語への翻訳が，新たな形での支援（教育制度，土地所有貴族，教会，多数の新たな入植者）を得ていかに推進されていったかについて述べている．これは，英語使用を経済的にも政治的にも促す契機となり，18世紀19世紀には，英語への翻訳はアイルランドの学者が担うことになった．これは，イングランドで書かれたアイルランドの歴史や文学の見方に対抗し，自らの文化を守るためであった．Cronin（p. 92）が指摘するように，皮肉なのはこのことがアイルランドにおける英語の強化につなが

（訳注21）ヘンリー8世の治世下でローマ教会からの分離の動きを強めていたイングランドでは，1534年「国王至上法」が成立し，国王がイングランド教会の地上における唯一最高の首長となった．この法律は，数年後アイルランド議会でも承認された．さらに1541年にアイルランド議会で「王国昇格法」が制定され，イングランド王にアイルランド王位が与えられた．Act for the English Orderは，この間の1537年に制定されたAct for the English Order, Habit and Languageのことを指すと考えられる．この法律は，イングランド国民全てにイングランドの習慣，服装，言語に従うことを義務づけるものであった．Crowley, T.（2005）"Wars of Words: The Politics of Language in Ireland 1537-2004"，New York: Oxford University Press, p. 13参照．

ってしまったことである．翻訳は，アイルランド語と英語とが共存する近代ポストコロニアルのアイルランドにおいて，依然として政治問題であり続けている．

アイルランド人作家たちによりアイルランド語と英語の両方で書かれた文学が，他のヨーロッパ言語に翻訳される場合，今日では Arts Council in Ireland（アイルランド芸術協会）が財政的支援を行っている．Cronin（p. 174）には，同機関のローレンス・キャシディー（Laurence Cassidy）について以下のような引用があるが，これを読むと文化に及ぼす経済の力が以前の植民者の権力と共に今もなお存続していることが分かる．

> 最も重要なのは，独立した文学を二つの言語で持つ独立国は，自らその文学を代表するのであり，ロンドンの出版社に任せたりしないということである．ロンドンの出版社はただ単に出版プロセスに関し著者の目的と経済的な目的の促進につとめるだけで，アイルランドのイメージに関心などない．

このようにクローニンの著書の政治的立場を見ると，翻訳内部でポストコロニアル的権力関係がどう作用しているかは，単に地球の北と南，或いは西と東という尺度では計れないことが分かる．

8.4　理論家のイデオロギー

翻訳研究がこのようにその領域を拡大してきたことは，広範な経歴をもつ研究者の結集を促す結果となった．しかし，重要なのは，文化の理論家と呼ばれる人々（実際のところ，いかなる理論家も）自身，自らの批判の原動力となるようなイデオロギーと問題意識を持っていることを忘れないことである．したがって，カナダのプロジェクトにおけるフェミニストの翻訳者たちは，自らがテクストを操作していることを全く隠そうとはしない．サイモンも，ジェンダーと翻訳に関する自身の著書の目的が「翻訳におけるジェンダーの問題の周りにできるだけ大きな網を打ち［…］ジェンダーを通して翻訳研究をさらにカルチュラル・スタディーズの枠組みに近づけること」（Simon 1996: ix）だと率直に述べている．これは，必然的に翻訳に関する言語理論に対する痛烈な批判となって現れている．こうした方向性が示されたのは，はるか以前に遡る．早くも1980年，バスネットは，その後大いに影響力をもつことになった概説書“Translation Studies”で翻訳の言語理論を公然と否定していた．

確かに，こうした新しい文化的アプローチは翻訳研究の裾野を広げ，新しい洞察を数多くもたらしたが，同時にまた軋轢と競合の要素も強く見て取れる．例えば，Simon（1996: 95）はジェンダー研究の立場から書かれたものだが，フランスのフェミニストであるエレーヌ・シクスー（Hélène Cixous）が，翻訳における表象でいかに歪曲されているか述べている．これは，多くの評論家が，シクスーの作品の中でも英語で入手できる当該箇所を専ら読むからだという．それに対し，Rosemary Arrojo（1999）は，ポストコロニアルの立場から，ブラジル人作家クラリッセ・リスペクトール（Clarice Lispector）をシクスー自身が専有化すること自体，「実のところ，差異に対する攻撃的な「男性的」アプローチの典型的な実証例」となっている（Arrojo 1999: 160）と主張を展開する．

このような見解の違いは，避けがたいものであり，むしろ翻訳と翻訳学がその影響力をさらに強めていくために歓迎すべきものだともいえる．いろいろな意味で，これはルフェーヴルの言う書き換えのプロセスの一環である．また，選集編纂や正典化のプロセスも至るところで観察できる．例えば，本書も書き換えは不可避であり，ある程度，翻訳分野の他の研究を操作することになるのは避けられない．文化的転回も，カルチュラル・スタディーズによる，翻訳研究という未だに十分確立されていない領域の植民地化の試みとして捉えられるかもしれない．

加えて，ポストコロニアルの作家たちにはそれぞれ，自らの政治課題がある．例えば，クローニンは，英語話者であるアイルランド人翻訳者の可能性を説く．非帝国の英語話者として「ヨーロッパの視聴覚産業の架け橋となり，世界の文化に対し格段の貢献をする」（Cronin 1996: 197）としている．クローニンは，「適切な翻訳方略を使って」これを達成できると考える．しかし，「多様性と異質性を守ることの必要性」以外は，特に詳述していない．このような翻訳政策を進めることは，それが「マイノリティ」文化の視点からのものであっても政治的な行為となり，特定の政治的経済的利益のための翻訳の操作であることを意味する．

8.5　翻訳とイデオロギーに関する他の視点

ポストコロニアル翻訳研究，及び書き換えのイデオロギー的要素に関するルフェーヴルの研究における権力の問題は，翻訳が関る他のコンテクストでの権力とイデオロギーの考察へと引き継がれていった．これらの用語のいずれかを特集する書籍がいくつか出版されている．例えば，Lawrence Venuti（1992）"Rethinking Translation: Discourse, Subjectivity, Ideology", Luise von Flotow（2000）"Translation and Ideology", Edwin Gentzler and Maria Tymoczko（2002）"Translation as Power", Calzada Pérez（2003）"A Propos of Ideology" そして Sonia Cunico and Jeremy Munday（2007）"Translation and Ideology: Encounters and Clashes" などである．イデオロギー自体の概念は，極めて多岐にわたる．思想という新しい科学を指すのに1796年にデステュット・ド・トラシー（Destutt de Tracy）伯爵が考案した中立的な定義に始まって，「誤った認識」，間違った考え，さらには操作を意味するなどのマルクス主義者による否定的な使用まであり，翻訳研究の長年のテーマとも結びついている（Hermans 1985a, Lefevere 1992a 参照）．言い換えれば，イデオロギー的観点からの多くの研究は，目標言語テクストにおける操作の解明に関心がある．こうした操作は，翻訳者の意識的な「イデオロギー」を示すものでもありうるし，出版社，編集者，公的機関・政府関係等の圧力といった翻訳環境の「イデオロギー的」要素により生じる場合もある．これまで翻訳研究で使用されてきた言語モデルには，談話分析（Hatim and Mason 1990, 1997, 本書第6章参照），批判的談話分析（Fairclough 2001, 2003 に続き，Munday 2007a も参照），ナラティブ理論（Baker 2006）などがある．

検閲という厳しいマクロ・コンテクスト的制約は，専制的な政権では今もあり得るが，恐らくイデオロギー的操作の最も明白な例であろう．Kate Sturge（2004）は，ナチス・ドイツにおけるテクストの選択の背後にあったイデオロギーに関心を向けている．スタージ（Kate Sturge）は，本の製作と販売に関する資料を使って，ドイツ語と同属と見なされた文化のテクストは奨励されたこと，それ故にスカンジナヴィア語やフラマン語，オランダ語のテクストは推奨されたことを検証している．公に認められている新聞での書評も，「ドイツ語の特徴とは異質の全ての要素」つまり外国文学に特徴的であると思われる全ての要素を排除する，公然たる人種差別政策を支えるものであった（Sturge 2004）．

最近の研究では，言語間に横たわる権力の不均衡，具体的に言えば，英語の世界規模での普及とそれに伴う非対称性が文学以外のジャンルでの翻訳環境で意味するものに焦点が当てられるようになっている．**Karen Bennett**（2006, 2007）は，英語の表現形式が自然科学や人文科学で支配的となっていることにより引き起こされる「エピステーメーの抹殺」について取り上げ，こうした科学分野で伝統のあるポルトガル語による論証的な著述を事実上排除する（少なくとも甚だしく見劣りさせる）事態を招いていると述べている．国際的な学界で受け入れられるということは，こうしたジャンルやテクスト・タイプについて一般に認められている英語の表現形式に従うことを意味するだけではない．その帰結として，考えを練り上げ表現するのにも英語の仕方に従うということを意味している．確かに，言語間の不均衡（及びその背後にある経済的・政治的権力）は，いつの時代も翻訳の背景をなすものであった．ギリシャ語，ラテン語，サンスクリット語などの古典語は，優位性と威信を誇り，それ故に聖典を現地語に翻訳する際の制約ともなった．アイルランド語やバスク語などの「話者の少ない」言語が現代においてその使用が奨励されるようになったり，セルビア・クロアチア語のように政治やアイデンティティに関る理由から別個の言語に分かれてしまった例まである．同様に留意すべきは，英語の学問的な言説の優位性が翻訳研究領域自体でも急速に高まる傾向にあり，大きな懸念を引き起こしていることである（例：House 2002, Snell-Hornby 2006）．

事例研究

この事例研究は，“The Last Flicker”（1991）に関するものである．これはグルディアル・シン（Gurdial Singh）によるパンジャブ語の小説“Marhi Da Deeva”（1964）[10]の英語訳である．パンジャブ語と英語は，不均衡で問題を孕む権力関係にあったが，それはインドにおける英国支配の長い歴史と，その時代における英語の強制的使用が原因となっている．最近では，パンジャブ固有の文学が価値を認められるようになり，中でもシンは高く評価され，1999年，インドの名誉あるジュナンピット文学賞（Jnanpith Literary Award）をもう一人の受賞者

(10) Gurdial Singh (1991), “The Last Flicker”, Ajmer S. Rode 訳, New Delhi: Sahitya Akademi.

と分かち合っている.

何よりも重要なのは，原文テクストの出版から27年もたっているにも関らず，シンの小説が翻訳のために選ばれたこと自体である．この事実によって，この小説の地位は瞬く間に起点文化において高くなる．ヒンディー語やロシア語での翻訳が大きな成功をおさめたことも英語での出版の追い風となり，同じ頃この小説を元にした映画がインドで公開された．他の政治的・文化的理由もあるかもしれない．例えば，翻訳を手がけた出版社 Sahitya Akademi（サーヒトヤアカデミー）はインド政府が設立した国家機関であり，「インドのあらゆる言語での文学活動の育成，調整をはかり，さらにこうした活動を通しインドの文化的統一性を推進するため[11]」のものであった．そうなると，この場合は，英語が国内的にも国際的にも道具として使用されるということになる．

翻訳は，カナダ在住のパンジャブ人，アジュメル S. ロード（Ajmer S. Rode）によるものである．翻訳者がパンジャブ人の同胞であること，しかし西洋の国に居住する者であること，この翻訳が中央の政府機関によって推進されたこと，また英語という覇権的な言語で書かれた等の事実は，テクスト及び翻訳者の内外に影響力を持つ権力構造をめぐり，様々な複雑な文化的問題を提起することになった．

さらに，小説の舞台がパンジャブ州のマルワ（Malwa）地域の孤立した村であったことで，新たな要因が加わることになった．小説の登場人物は，まともな教育を受けておらず，互いにパンジャブ地方のマルワ方言で会話を行う．彼らの日常のやりとりが，小説における談話の重要な要素となっている．第三者たる語り手は，登場人物の話が醸すリズムとそのリズムが喚起する文化的環境を通して，登場人物と状況を描写して見せる．

英語への翻訳では，会話箇所でレジスターが混ざり合う．例えば，時代遅れの侮蔑表現（'wretched dog!'）があると思えば，田舎暮らしを思わせる表現がやや古めかしい言葉と共に使われていたり（'that oaf'，'big-boned like a bullock'），現代アメリカにおけるののしり言葉（'asshole'，'Goddam dumb ox'，'fucking God'，'fucking

(11) Sahitya Akademi（サーヒティヤアカデミー）のウェブページ http://www.sahitya-akademi. org /sahitya- akademi/org1.htm（2008年4月13日最終アクセス）より.

piece of land', 'king shit!', 'bullshit', 'bloody big daddies'）や発話の標識（'huh', 'yeah', 'right?'）なども使われている．'Goddam', 'bullshit', 'fucking God' などの語彙は，この小説が着想された文化的なコンテストとは大いに異なるコンテクストを指し示していることは間違いない．これによって，パンジャブの田舎に住む人物がその土地から切り離され，北米の世慣れた都会人の発話の特徴をまとうことになるのである．

翻訳においてレジスターが混じり合うことで，親族関係を示す標識にも影響が出てくる．これらは文化的な意味を担っていることが多いが，時には英語で最も意味の近い語に置き換えられ，また他の場合には強調のために原語の形を留める．例えば，父親または年長者に使う 'Bapu' という語は，原語の形が保持されているが，'Maa' と 'Chachi/Tayyi'(12) という語に対しては，それぞれ明らかに米国式の 'mom' や英国式の 'aunty' に置き換えられている．親族関係を基盤とするパンジャブの文化は，序列や社会的地位に関する意識と密接に結びついていると共に，人物間の感情的な結びつきを明確に示すものである．翻訳では時折，感情的なきずなをアメリカ的な愛情表現，例えば，父親が娘に使う 'honey' という語で表すこともある．これは，起点文化から中心的なテーマを翻訳する際に起こる分裂を示唆するものである．

しかしながら，この種のテクストは，どんな翻訳者にも問題を引き起こすだろうこともまた間違いない．パンジャブという一地方の小説を，国境を越えた読者に向かって翻訳しようとすれば，必然的に空間的にも文化的にも位置的移動（dislocation）(訳注22) を伴う．翻訳者がしたことは，小さな村落共同体の地域的・社会的な方言を，翻訳者自身が数年間過ごした都市労働者階級の多く住む北アメリカの社会方言を使って翻訳したということになる．このことは，英語で書かれたテクストをインドで読もうとする人々にとっては問題となるかもしれない．というのも，ここにはスピヴァクやニランジャナの言う覇権的なアングロサクソン文化への位置的移動がはっきりと見て取れるからだ．しかし，レジスターが混ざり合っていることで，我々が読んでいるのは翻訳であるとはっきり分か

(12) 叔母または伯母のうち年が若い方を指すか年長の方を指すかで 'Chachi' または 'Tayyi' と使い分けられる．

るようにもなっている．結果は，スピヴァクが嘆くような「流行の翻訳調」，或いはVenuti（1995，本書第9章参照）が痛烈に批判したような支配的なアングロ・アメリカによる受容化翻訳（domesticating translations）とは必ずしもいえない．むしろ，それは位置的移動を伴う翻訳の実践であり，異なる文化間の衝突を浮き彫りにするものといえるだろう．登場人物は原文の文化からは追い出されることになるが，同時に，再び息を吹き込まれ英語の読者に挑むことになる．これは，この翻訳者が実行してきた複雑な介入主義的アプローチといえるようなものだが，このことで翻訳者は覇権を有する社会方言を重ね合わせる手法を選んだという批判に自らをさらすことになる．

興味深いことに，“**Marhi Da Deeva**”の翻訳に続いて，シンの小説が他に二冊，翻訳されている．ひとつは“**Addh Chanini Raat**”（“Night of the Half-Moon”，Madras: Macmillan, 1996），もうひとつは“**Parsa**”（National Book Trust, 1999）である．これらの翻訳で，さらに広範な読者にシンは注目されるようになった．このこと自体，最初の翻訳の成功を意味するのかもしれない．

事例研究の考察

この事例研究は，目標言語テクストの言語に注目し，そこで為された選択における文化的意味合いを考察するものであり，マイノリティの言語で書かれた小説が，国家の中央機関（サーヒティヤアカデミー）の支援の下で，覇権的な国際語（英語）に翻訳される場合を検証するものであった．登場人物の言語は宗主国の言語と入り混じり，パンジャブの文化的環境に組み込まれている自らのアイデンティティは不鮮明になってしまっている．ポストコロニアル理論は，

（訳注22）アッシュクロフト，B.／グリフィス，G.／ティフィン，H.（2008）では，この用語は「帝国による占領の結果として起きる転位といった出来事とそれに関連する様々な体験を指して用いられる」（p. 91）とする．つまり，植民地支配の結果生じる「既知の国から未知の国への強制的もしくは自発的移動」（p. 91）とそれに伴う体験を含めた現象を指すとし，訳語として「転移」を当てている．本書では「転移」はtransferの訳語として，また「転位」はtranspositionの訳語として使用するため，それと区別するため「位置的移動」という訳語とした．しかし，上記定義でも明らかなように，これは単に地理的な移動のみを指すのではなく，植民地支配の結果として起る移動とそれに伴う体験を含む．

翻訳過程で作用する権力関係を理解するのに役立ちはするが，“The Last Flicker” について簡単に分析した結果からまた明らかなのは，ありとあらゆる相互作用的要因が働いていることである．この要因の中には，おそらく避けることのできない起点言語文化の位置的移動，カナダに住むパンジャブ人翻訳者自身の位置的移動，そしてインド自体の中での支援の場所そのものといった要因も含まれる．今後，他の小説で取られている翻訳方略と比べてみると面白いだろう．この翻訳方略がどの程度まで翻訳方針によるものなのか，文芸翻訳者の一般的な仕事の仕方によるものなのかを考察するためである．後者の問題については，次章で考察する．

まとめ

この章では，翻訳研究で取り入れられている多様なカルチュラル・スタディーズに焦点を当てた．翻訳の言語理論は主流からは外れることになり，代わって文化的転移としての翻訳や，カルチュラル・スタディーズ内で進展している他の学問領域と翻訳の接点に関心が向けられるようになっている．以下が，この章で考察した点である．

* 8.1 節：書き換えとしての翻訳．これは，ルフェーヴルがシステム理論から発展させ，彼自身がその先駆となったものである．ルフェーヴルは，文学の支援と詩論，また文芸翻訳とをつなぐ文化システムに存在する権力関係とイデオロギーを研究した．
* 8.2 節：翻訳とジェンダー．ここではサイモンの述べるカナダのフェミニストによる翻訳プロジェクトを取り上げた．これは，翻訳の中で女性的なものを可視化させる．ここでは，ゲイのテクストの翻訳に関する研究（ハーヴィー）についても考察した．
* 8.3 節：翻訳とポストコロニアリズム．スピヴァク，ニランジャナ，クローニンの研究から例を挙げ，テクスト，そしてヨーロッパ列強の旧植民地おいて，或いは彼らの言葉を使って仕事をする翻訳者の「位置的移動性」を比較検討した．

特にニランジャナは，被植民地住民の翻訳に関る権力関係に注目し，翻訳研究自体が西洋哲学やイデオロギーに偏向している点を非難している．次章では文化の接点における翻訳者の役割について検証する．

参考文献案内

カルチュラル・スタディーズの入門書としては，Easthope（1991）や During（1999）を読んでいただきたい．書き換えとしての翻訳については，本文に挙げたものに加え Lefevere（1981, 1985, 1993）を読むとよいだろう．ジェンダー問題の入門書としては，Butler（1990）及び Buikema and Smelik（1995），翻訳とジェンダーについては，Godard（1990），Harvey（2003a），Santaemilia（2005）を薦める．ポストコロニアリズムの入門書としては Said（1978）を挙げておきたい．さらに，翻訳とポストコロニアリズムについては，Cheyfitz（1991），Rafael（1993），Bhabha（1994），Robinson（1997a）及び Simon and St Pierre（2000）を読んでほしい．アラビア語の翻訳では Faiq（2004），アジアの翻訳では Hung and Wakabayashi（2005），また Hermans（2006a, 2006b）にある豊富な研究成果も参照．アフリカの翻訳では Bandia（1993, 2008），Mehrez（1992）を参照されたい．翻訳，権力，イデオロギーについては，von Flotow（2000），Gentzler and Tymoczko（2002），Calzada Pérez（2003）及び Cunico and Munday（2007）を参照のこと．検閲については Billiani（2007）を挙げておく．

討論と研究のために

1. ルフェーヴルは翻訳を「最も大きい影響力を秘めた」（1992a: 9）書き換えの形として考察した．この考えにどの程度まで賛成するだろうか？　書き換えの他の形態（映画化，選集編纂，史料編纂など）から例をとって比較してみよう．
2. ルフェーヴルは文学システムを支配する三つの要因（専門家，支援，詩論）を挙げた．皆さんの文化では，これら三つはそれぞれどのように機能し，またもし一番重要といえるものがあるとすれば，それはこのうちのどれだろうか？　この三つ以外に付け足すものはあるだろうか？

3. 女性の作家は，女性しか翻訳しないのが理想的だろうか？　男性の作家についてはどうだろうか？　すでに出版されている翻訳やその序文を読んでこれがどの程度に問題となっているか考えてみよう．
4. 様々な時代や場所で行われた翻訳で，ジェンダーによる偏向が見て取れる例を探してみよう．その偏向はどのように表れているだろうか？　それらの例には何かパターンがあるだろうか？　翻訳者によってどのように行動が異なるだろうか？
5. フェミニストの目的のために「テクストに対する自らの操作を公言して憚らない」ゴダールについて，どの程度まで正当だと感じるだろうか？　あるいは，ニランジャナの「介入主義的」アプローチについてはどうだろうか？
6. 皆さんの国や言語では，どのような研究がポストコロニアリズムと翻訳に関してなされてきただろうか？　その研究の結果はここでの議論とうまく結びつくだろうか？
7. 翻訳研究は西洋の理論にあまりにも支配されてきたとするニランジャナにどのくらい同意するだろうか？　もしニランジャナの言うことが真実だとすれば，どうすればこの状況を変えることができるだろうか？　あるいはどのように変えるべきだろうか？（Tymoczko 2005, 2006, 本書 1.1 節も参照）
8. 「共存とは，他者の文化と（政治的，宗教的，感情的）言語を，他者の存在によって強固になる言語と文化に翻訳することを意味する．翻訳に代わるものは，恐怖の沈黙である」（Cronin 1996: 200）．この言葉は，皆さんの国の言語政策にどの程度まで当てはまるだろうか？　二つの言語と文化の間に権力の差がある場合の翻訳の例に心あたりがあるだろうか？
9. 研究者自身のイデオロギーは，どのように分析手段の選択や文化理論に対する関係を条件づけるだろうか？
10. イデオロギーは，これまで翻訳研究において操作という意味で理解されることが多かった．この分野での最近の著作に関心を向けてみよう．そこでは，「イデオロギー」をどう定義しているだろうか？　イデオロギーが翻訳においてどう表れるかについて，研究者はどのような仮説を立てているだろうか？　様々な研究の発見には何か決まったパターンがあるだろうか？

第9章　翻訳者の役割：可視性，倫理，社会学

主要な概念

* ヴェヌティ（Lawrence Venuti）：翻訳者の「不可視性」と倫理的影響.
* ヴェヌティ：「異質化」対「受容化」翻訳，並びに「行動の呼びかけ」.
* ベルマン（Antoine Berman）：「否定分析論」と翻訳の歪曲.
*「介入者」としての翻訳者.
* 文芸翻訳者の翻訳作品説明：「耳」と「声」と創造性.
* 出版産業の権力ネットワーク.
* 翻訳の受容：パラテクスト，受容理論，翻訳批評.
* 翻訳者の役割に関するテーマが翻訳の社会学の中心を占める.

主要文献

Berman, A. (1985b/2004) 'Translation and the trials of the foreign', translated by L. Venuti, in L. Venuti (ed.) (2004), pp. 284–97. (Originally published as 'La traduction comme épreuve de l'étranger', *Texte* (1985): 67–81).

Gouanvic, J-M. (2005) 'A Bourdieusian theory of translation, or the coincidence of practical instances: field, "habitus", capital and illusio', *The Translator* 11.2: 147–66.

Levine, S. (1991) *The Subversive Scribe: Translating Latin American Fiction*, St Paul, MN: Graywolf Press.

Maier, C. (2007) 'The translator as an intervenient being', in J. Munday (ed.), pp. 1–17.

Tymoczko, M. (2003) 'Ideology and the position of the translator: In what sense is a translator "in between"?', in M. Calzada Pérez (ed.), pp. 181–201.

Venuti, L. (1995) *The Translator's Invisibility: A History of Translation*, London and New York: Routledge.

Venuti, L. (1998/2008) *The Scandals of Translation: Towards an Ethics of Difference*, London and New York: Routledge.

9.0　はじめに

第8章では，翻訳に焦点をあてたカルチュラル・スタディーズを幅広く検証した．本章では，翻訳者や翻訳プロセスに関与する人々の立場と関与について扱っている研究を取り上げる．9.1節では，大きな影響を与えたヴェヌティの研究に焦点をあてる．すなわち，アングロ・アメリカ文化における翻訳と翻訳者の「不可視性」（9.1.1項）や翻訳者が用いる「受容化」と「異質化」という翻訳方略（9.1.2項）について見る．9.1.3項では，同じような流れを汲むベルマンの研究を取り上げ，文芸翻訳の均質化を批判する「否定分析論（negative analytic）」について考察する．

さらに，本章の残りの頁では，他の関連分野や関係者の検証を行なう．すなわち，9.2節では，文芸翻訳者が自らの実践行為について語っていることと，翻訳者の「立ち位置（ポジショナリティ）」に関する最近の議論に焦点をあてる．9.3節では，強大な力を有する出版産業の重要な諸相について述べ，9.4節では，ヴェヌティへの批判について論じる．9.5節では，翻訳の受容について，特に批評過程をみる．そして，翻訳全般に対してどのような文化的態度が示されているかを検証する．事例研究では，翻訳テクストの書評をエピテクスト(訳注1)として分析し，このようなテーマを研究するためのひとつの方法を紹介する．そして，最終節の9.6節では，翻訳の社会学，特にブルデュー（Pierre Bourdieu）の著作を取り入れた最近の研究を紹介する．

9.1　翻訳の文化・政治的課題

第8章で取り上げた文化理論家と同様，ヴェヌティも社会文化的枠組みの価値観主導という性質を考慮にいれる為，翻訳研究の範囲を拡大する必要性を唱える．そこでヴェヌティは，「価値観から離れた」翻訳の規範と法則を目指すトゥーリー（Gideon Toury）の「科学的」記述モデル（第7章参照）に対し，次の

（訳注1）エピテクストとは，ジェラール・ジュネット（Gérard Genette）がパラテクストを下位分類し用いた用語で，9.5節に詳しい説明がある．エピテクストは，「同じ書物の中のテクストに物質的に付随しておらず，実質的に無限の物理的・社会的空間をいわば自由自在に流通している，あらゆるパラテクスト的要素のことである」（Genette 1997: 344）．

ように異議を唱える.

> トゥーリーの方法で［…］データの重要性を判断し，規範を分析するためには，やはり文化理論が必要になる．規範は，まずは言語学的または文学的であるかもしれないが，特定の集団の利益になるようなイデオロギー的な力を有する多種多様な国内の価値観，信条，社会的表象を含む．そして，このような規範を組み込んだ社会制度の中で，翻訳は生産され，文化的かつ政治的な課題に供される．
>
> （Venuti 1998a: 29）

政府や他の政治目的を有する組織というものは，ある作品を検閲するか推奨するかを決めるかもしれないが（8.1節ルフェーヴル（André Lefevere）の支配要因に関する議論と比較），加えてヴェヌティが言及している集団や社会的制度とは，出版業界全体にわたる様々な関係者を含む．とりわけ，作品を選び，翻訳を委託し，翻訳者に支払い，しばしば翻訳方法を指図する出版社や編集者が入る．この中には，著作権代理人[訳注2]やマーケティングや営業チーム，評者[訳注3]も含まれる．評者の意見は，目標文化における翻訳の読まれ方や受け止められ方を示し，ある程度，決定付ける．これらの関係者それぞれが，その時と場所で優勢な文化・政治的趨勢の中で，特定の立場と役割を有している．翻訳者自身はその文化の一部であり，それを受け入れることも抗うこともできる．

9.1.1 ヴェヌティと翻訳者の「不可視性」

不可視性（invisibility）という言葉はLawrence Venuti（1995: 1）が「現代のアングロ・アメリカ文化で翻訳者のおかれた状況とその活動を記述するために」用

（訳注 2）‘literary agent’ 著作権代理人．著作権代理人に関しては，9.3節でも触れている．

（訳注 3）‘reviewer’ は書評をする人間を意味するが，出版にあたって審査を行う査読者を指すこともある．欧米の出版社は匿名の査読者（reviewer）複数に審査を委託し，その意見を参考に刊行を決定することが多いので，査読者の意見が出版物の内容，翻訳のあり方を大きく左右する．査読は通常，その分野で第一人者とされる研究者などの専門家に依頼する．

いた用語である．ヴェヌティは，不可視性が生じる典型的な要因を以下のように捉えている．

(1)翻訳者自身が，「流暢な」英語に訳出し，慣用的で「読みやすい」目標テクストを産出する傾向があり，その結果，「透明性という幻想」を創出する．
(2)訳出されたテクストが，目標文化で普通はどのように読まれるか．

> 翻訳されたテクストは，散文か詩か，フィクションかノンフィクションかにかかわらず，滑らかに読め，言語的もしくは文体的に奇異な特徴がなく透明に感じられ，外国作家の人柄や意図，あるいは外国テクストの本質的な意味を反映しているように見えるもの（言い換えると，翻訳が実は翻訳ではなく，「原著」であるかのような見かけ）であれば，大半の出版社，評者や読者は，容認できると判断する．
>
> （Venuti 1995: 1）

Venuti（1998a: 31）は，ここで最も重要な要因は「著者性（authorship）という支配的な概念」だとする．翻訳は派生物で，品質や重要性が二次的なものとみなされている．かくして，ドライデン（John Dryden）以来の英語圏の実践では，翻訳行為が隠蔽され，現在でも「翻訳は文学研究の一形式とみなされることは稀である」（Venuti 1998a: 32）．

9. 1. 2　受容化と異質化（訳注4）

Venuti（1995: 19-20）は，受容化（domestication）と異質化（foreignization）という二つの翻訳方略とあわせて不可視性を議論している．これらの方略は，翻訳するテクストの選択と翻訳方法の両者に関するものである．ヴェヌティは，この起源をシュライアーマハー（Friedrich Schleiermacher）による1813年の論考‘Über die verschiedenen Methoden des Übersetzens’（「翻訳のさまざまな方法について」）にまで遡る（第２章参照）．Venuti（1995: 21）によれば，アングロ・アメリカ翻訳文化では受容化が支配的である．ポストコロニアル研究者が植民地と旧植民地間の権力関係における差異の文化的効果に敏感であるのと全く同様に，Venuti（1995: 20）は，受容化というのは「外国テクストを［アングロ・アメリカの］目標言語の文化的価値へ自民族中心的に還元させる」とし，受容化という現象を憂いている．受容化は目標テクストの異質性を最小限に抑えるために，透明で滑らかで「不可視的な」翻訳を意味する．ヴェヌティはこのような「受容化」を，シュライアーマハーの「読者のほうをできるだけそっとしておいて，著者を読者に向けて動かす」(訳注5)（Schleiermacher 1813/2004: 49，本書第2章参照）という翻訳についての記述と結びつける．さらには，このような翻訳方略を採りやすいテクストを入念に選択することによって，自国の文芸作品の規準に従うのも受容化である（Venuti 1998b: 241）．

他方，異質化は，「目標言語で支配的な文化的価値によって排除されるような外国テクストを選択し，翻訳手法を開発することを意味する」（Venuti 1998b: 242）．これは，シュライアーマハーが好んだ選択肢である「翻訳者は著者をできるだけそっとしておいて，読者のほうを著者に向けて動かす」(訳注6)（Schleiermacher 1813/2004: 49）という翻訳方略の記述に該当する．Venuti（1995: 20）は，異質化という手法は「読者を外国に送り，外国テクストの言語的・文化的差異を刻印する，［目標言語文化の］価値に対する自文化乖離的圧力（ethnodeviant pressure）(訳注7)」であると考える．ヴェヌティによれば異質化は，「翻訳という自民族中心的な暴力を抑制する」取り組みとして，「非常に望ましい」．換言すると，異質化という手法は，「暴力的に」順応させようとする英語圏の文化的価値観を抑制で

(訳注4) ‘foreignizing’ と ‘domesticating’ は，これまで「外国化」，「内国化」，または，「異化」，「同化」と訳されることが多かったようである．鳥飼（2006）が指摘しているように，「外国」，「内国」という言葉は「国家」を想起させるが，ヴェヌティは「言語の権力」を問題にしているものの，「国家」を論じているわけではない．本書では，鳥飼（2006, p. 21）が用いた「異質化」，「受容化」という訳語を採用する．詳しくは，ヴェヌティ，L.（2006）鳥飼玖美子訳「ユーモアを訳す：等価・補償・ディスコース」『異文化コミュニケーション論集』（7-22）立教大学大学院異文化コミュニケーション研究科の訳者解説を参照．

(訳注5) 三ツ木訳（2008, p. 38）．

(訳注6) 同上．

(訳注7) 鳥飼訳（2006, p. 11）．

きる．翻訳の異質化という手法は，Venutiが「抵抗性（resistancy）」（1995: 305-6）とも呼んでいる方略であり，滑らかではなく，あえて異質性を出す翻訳スタイルを取ることで，起点テクストの異質なアイデンティティを前面に打ち出し，起点テクストを目標文化のイデオロギー的支配から保護することで翻訳者の存在を可視化することを目指す．

後の著書 "The Scandals of Translation" でもVenutiは，多様で「異種なディスコース（heterogeneous discourse）」（Venuti 1998a: 11）を育むために，異質化，または別の用語で「マイノリティ化（minoritizing）」翻訳を主張し続けている．ヴェヌティは，マイノリティ化翻訳の一例として，19世紀のイタリア人，イジニオ・ウーゴ・タルケッティ（Iginio Ugo Tarchetti）の作品のヴェヌティ自身の翻訳を挙げる（pp. 13-20）．まず，翻訳する作品の選択がマイノリティ化である．というのも，タルケッティは19世紀イタリアの非主流の作家で，ミラノ生まれのボヘミアンであった．トスカーナ地方で標準的な方言を用いた実験的なゴシック小説を書いて文壇に挑み，当時の道徳的・政治的価値観に挑んだ．言語に関して言えば，ヴェヌティのマイノリティ化翻訳もしくは異質化という手法は，近代アメリカのスラングのような異質な要素をあえて入れることにより翻訳者を「可視化」し，外国文化の作品の翻訳を読んでいるのだと読者に意識させようとすることに表れている．ヴェヌティはBox 9.1に示したような抜粋をこのアプローチの例として紹介する．

Box 9.1

Nel 1855, domiciliatomi a Pavia, m'era allo studio del disegno inuna scuola privata di quella città; e dopo alcuni mesi di soggiorno aveva stretto relazione con certo Federico M. che era professore di patologia e di clinica per l'insegnamento universitario, e che morì di apoplessia fulminante pochi mesi dopo che lo aveva conosciuto. Era un uomo amantissimo delle scienze, della sua in particolare – aveva virtù e doti di mente non comuni – senonché, come tutti gli anatomisti ed i clinici in genere, era scettico profondamente e inguaribilmente – lo era per convinzione, né io potei mai indurlo alle mie credenze, per quanto mi vi adoprassi nelle discussioni appassionate e calorose che avevamo ogni giorno a questo riguardo.

In 1855, having taken up residence at Pavia, I devoted myself to the study of drawing at a private school in that city; and several months into my sojourn, I developed a close friendship with a certain Federico M., a professor of pathology and clinical medicine who taught at the university and died of severe apoplexy a few months after I became acquainted with him. He was very fond of the sciences and of his own in particular – he was gifted with extraordinary mental powers – except that, like all anatomists and doctors generally, he was profoundly and incurably skeptical. He was so by conviction, nor could I ever induce him to accept my beliefs, no matter how much I endeavored in the impassioned, heated discussions we had every day on this point.(1)

(Venuti 1998: 15)

ヴェヌティが異質化の弁別的特徴とみなしているBox 9.1に示された要素の中には，起点テクストの構造と統語法への密着（例：第一文における付加詞の位置），'soggiorno' を 'sojourn'，'indurlo' を 'induce him' とするような語義借用（なぞり calque），そして，'nor could I ever' のような古めかしいい構文などがある．他の箇所では（Venuti 1998: 16-17 参照），ヴェヌティは，古語の用法（例：'scapegrace'）と近代的な口語表現（例：'con artist'，'funk'）を併用し，英国式綴り（例：'demeanour'，'offence'）を用いて，「異種なディスコース」で読者に耳障りな不快感を与えている．

Venutiは，翻訳書の書評の幾つかは「可視的」翻訳方略に好意的であったと言っている（p. 15）．しかし中には，ヴェヌティの用語でいえば，受容化されていない，と攻撃的なものもあったと記している（pp. 18-19）．

Venutiは異質化翻訳を支持しているが，その矛盾点に関しても認識している（1995: 29）．つまり，（異質化というのは）主観的かつ相対的な用語であり，ある程度の受容化は伴う．なぜなら，支配的な目標文化の価値観から離れて可視化するためには，起点テクストを目標文化のために翻訳し，支配的な目標文化の価値観に依存することになるからである．それでもヴェヌティは異質化翻訳を擁護する．「異質化翻訳は外国テクストの解釈においては，［受容化翻訳と］同じく偏るが，それを隠蔽せず，誇示する傾向がある」（1995: 34）．ここでさらに

(1)　I. U. Tarchetti (1977) "Racconti fantastici", ed. N. Bonifazi, Milan: Guanda, L. Venuti 訳 (1992) "Fantastic Tales", San Francisco, CA: Mercury House.

指摘しておかなければならない重要な点は，Venuti（1999）が“The Translator's Invisibility”のイタリア語訳の序文で，受容化と異質化というのは，二項対立的なものではなく，「思考や研究を促進することを狙った［…］発見的な概念である」と記していることである．ヴェヌティは「受容化と異質化という概念は，偶発的可変性を有しており，翻訳がなされ，その効果が作用するある特定の文化的状況においてのみ画定される」と述べている．ヴェヌティによると，これは，用語の意味は時や場所が変われば，変化するものであることを意味する．しかし，変化しないのは，受容化と異質化が，「翻訳が，どの程度に外国テクストを，翻訳する言語と文化に同化するのか，そして，翻訳が，どの程度に外国テクストの差異を示しているのかという問題」を扱っているということである．これは，フランスの著名な理論家，故アントワーヌ・ベルマンが既に関心を抱いていた問題である．

9. 1. 3　アントワーヌ・ベルマン：翻訳の「否定分析論（negative analytic）」

ベルマンの主要な理論的研究である“L'épreuve de l'étranger: Culture et traduction dans l'Allemagne romantique”（1984）は，“The Experience of the Foreign: Culture and Translation in Romantic Germany”（1992）[訳注8]として英訳されており，ヴェヌティに先行し，影響を与えた．ヴェヌティ自身も最近，ベルマンの重要な論文‘La traduction comme épreuve de l'étranger’（1985a）を英訳（‘Translation and the trials of the foreign’, Venuti 2004 所収）している．書名にある‘experience’（経験）が，論文では‘trials’（試練）に変わっているのは恐らく，翻訳が起点テクストに対して加える挑戦や試練を読者に強調することにより，読者に挑みたいというヴェヌティの願望を表しているのであろう．Antoine Berman（2004: 276）は‘épreuve’（「試練」）を二つの意味（sense）で用いて説明する．

(1)未知の外国テクストと言葉を経験するという目標文化にとっての試練
(2)元の言語コンテクストから引き離される外国テクストにとっての試練

（訳注8）藤田省一訳（2008）『他者という試練：ロマン主義ドイツの文化と翻訳』みすず書房．

ベルマンは,「同化作用（naturalization）」という翻訳方略により, 翻訳における異質性を否定する一般的な傾向を慨嘆する. この「同化」という翻訳方略は, 後にヴェヌティが「受容化」と呼ぶものと同等のものである.「翻訳行為の適切な倫理的目的」は, Berman（p. 277）によれば,「異質なものを異質なものとして受け入れること」である. これが, ヴェヌティの「異質化」翻訳方略に影響を与えたと見られる. しかしベルマンの考えでは, 一般的に, 目標テクストには異質性が入って来ないようにする「テクスト歪曲(訳注9)システム」が存在する. ベルマンによる歪曲形式の分析は,「否定分析論」と呼ばれる.

> 否定分析論が主として対象とするのは, 歪曲の力が自由に行使される, 自民族中心的で併合主義的な翻訳や超テクスト的翻訳（模倣作品, 文体模写, 翻案, 自由な書き直し(訳注10)）である.
>
> （Berman 1985b/2004: 278）

ベルマンは, ラテン・アメリカ小説やドイツの哲学書を翻訳したが, あらゆる翻訳者は不可避的かつ内在的に, これらの自民族中心主義の力にさらされるとみなす. この力によって,「翻訳したいという願望」と目標テクストの形式が決定される. ベルマンは, このような傾向を緩和するには, 精神分析的手法で翻訳者の作業を分析し, 翻訳者にこのような力への気づきを促す以外にはないと考える. ベルマンの主たる関心は小説の翻訳である.

> 小説を翻訳する際の重要な問題は, とりとめのない多語性（shapeless polylogic）(訳注11)を尊重すること, そして, 恣意的な均質化を避けることである.
>
> （Berman 1985b/2004: 279）

（訳注9）本章では, 藤田訳（2008）を参照し, ‘deformation’ に「歪曲」, ‘transformation’ に「変形」という訳語を当て, 訳し分けた. ベルマンが唱える「否定分析論」では, 翻訳は必然的に ‘deformation’（歪曲・変形・歪み）を伴う傾向があるとされており, 本章で用いた訳語「歪曲」には必ずしも意図性があるわけではない.

（訳注10）原文では ‘free writing’ と引用されているが, 正しくは ‘free rewriting’（Berman 2004）であることを著者に確認し, 引用元にあわせた.

上記でベルマンが言及しているのは，小説の言語的多様性と創造性，そして翻訳が多様性を損なわせる傾向を有することである．Berman は，翻訳における12の「歪曲傾向」（p. 280）を同定する．[訳注12]

(1) 合理化（Rationalization）：主として，句読法や文構造，語順を含む統語構造に影響を与える．ベルマンは，合理化の抽象性や，動詞を名詞形で訳出すること，そして一般化の傾向についても述べている．
(2) 明確化（Clarification）：「原文では明瞭にされたくないことを「明瞭」に訳すことを目指す」（p. 281）明示化を含む．
(3) 拡張（Expansion）：他の理論家（例えば，ヴィネイとダルベルネ（Jean-Paul Vinay and Jean Darbelnet），本書第4章参照）と同様，ベルマンは，目標テクストは起点テクストよりも長くなる傾向があると言う．これは，リズムを台無しにする「空虚な」明示化や，「過剰翻訳」，「平板化」に起因する．このような付加は，作品の「声」の明瞭さを失わせるだけである．
(4) 高尚化（Ennoblement）：一部の翻訳者は，原文を「改良する」ためにより優雅な文体に書き換える傾向を持つ．Berman（p. 282）によると，この結果，起点テクストにおける口頭表現（oral rhetoric）や雑然とした多語性（formless polylogic）が壊滅してしまう．同様に破壊的なのは，余りにも「通俗な」口語表現が用いられた目標テクストである．
(5) 質的貧困化（Qualitative impoverishment）：「音の豊かな響きが欠けているもの

（訳注11）'shapeless' とは，Berman（1985b/2004）によると，（小説などの）作品中で用いられる様々な言語や言語体系が混在する結果生じる（p. 279）．'polylogy' は精神医学用語では 'talkativeness'（多弁，饒舌）という病名である．また，文学の分野では 'polylogy' をバフチンの多声性（polyphony）や対話性（dialogism）と同義で用いる場合もある（例えば，Kristeva（1977）の "Polylogue"（赤羽研二ほか共訳『ポリローグ』白水社）．ベルマンは 'polylogic' という用語をここでは 'polylingual'（多言語の）（p. 279）という意味で用いている．ベルマンがいう「多言語」とは，同じ言語の言語変種を指す．例えば，『ドン・キホーテ』では当時の様々なスペインの「言語」（サンチョの大衆的な慣用表現から騎士言葉まで）が用いられていることを例示している．

（訳注12）（1）から（12）の訳語の選択にあたり，藤田訳（2008）を参照．

や，同様に，意味作用的な豊かさ，もしくは「類像的」な豊かさ[訳注13]が欠ける」（p. 283）語彙や表現を目標テクストで等価なものとして置き換えること．類像的，もしくは類像性という用語をベルマンは，形式と音が何らかの形で意味（sense）と結びついているという語義で用いる．ベルマンは例として，'butterfly' という言葉と，他の言語でこれに対応する複数の語を挙げている．

(6) 量的貧困化（Quantitative impoverishment）：翻訳において語彙的多様性が失われること．ベルマンは，スペイン語の起点テクストでは 'face' の同義語が三つ（'semblante', 'rostro', 'cara'）用いられている例を挙げる．これら全てを 'face' と訳出するのは損失を生じさせることになる．

(7) リズムの破壊（The destruction of rhythms）：リズムは，詩の方がより一般的だが，小説にとっても重要であり，語順や句読法が歪曲されると，「破壊」されてしまう．

(8) 表面に現れない意味のネットワークの破壊（The destruction of underlying networks of signification）：翻訳者は，テクスト全体において形成されている言葉のネットワークを意識する必要がある．個別に見た場合，それぞれの語は重要ではないかもしれないが，テクストに基礎的統一性と意味（sense）を供している．例えば，ラテン・アメリカのテクストにおける示大辞（'jaulón', 'portón' など）．

(9) 言語的体系性の破壊（The destruction of linguistic patternings）：起点テクストが文構築やパターン形成において体系的であるのに対して，翻訳は「非体系的」になる傾向がある（p. 285）．翻訳者は，合理化や明確化，拡張など一連のテクニックを採用しがちであり，目標テクストは言語的により均質になるのだが，原文の体系性が破壊されるので，一貫性が欠如する．

(10) 地域口語ネットワークの破壊ないしその異国風処理（The destruction of vernacular networks or their exoticization）：これは特に，小説の場面設定に重要な役割を果たす，地域の話し言葉や言語パターンに関係する．これらが

(訳注13) 引用元の Venuti 訳では 'richness' となっているが，原文では 'features' と引用されている．著者に確認し，引用元にあわせて日本語訳した．

消去されてしまうのは重大な損失である．とはいえ，これらの言葉を異国風に処理するという伝統的な解決法をとり，例えば斜字体を用いると，コ・テクスト（co-text）から孤立してしまうことになる．代わりに，目標言語での地域口語やスラングを探し出して訳出するのは，異質性を異国風に処理するばかげた方法である（第8章のパンジャブ語の事例研究と比較）．

(11) 表現や慣用語句の破壊（The destruction of expressions and idioms）：ベルマンは慣用句や諺を目標言語の「等価」なものに置き換えることは，「自民族中心主義」であると考える．ベルマンは，「『等価』を弄ぶのは，外国作品のディスコースを攻撃することである」と述べる（p. 287）．よって，ジョセフ・コンラッド（Joseph Conrad）の英語の作品に良く知られた‘**Bedlam**’という精神病院の名前が出てくるが，フランスの精神病院の名前である‘Charenton’を訳語に用いるべきではない．なぜなら，目標テクストがフランスの文化的指示対象ネットワークを生み出す結果になるからである．

(12) 複数言語[訳注14]の重層性の消去（The effacement of the superimposition of languages）：ここでベルマンが意味するのは，起点テクストに共在している様々な言語の痕跡を，いかに翻訳が消し去る傾向を持つかである．例えば，バリェ＝インクラン（Valle-Inclán）の作品では，スペインとラテン・アメリカのスペイン語が混在して用いられ，ジョイス（James Joyce）の“Finnegan's Wake”（『フィネガンズ・ウェイク』）では，社会方言や個人語などの多くの言語変種が用いられ，効果を与えている．**Berman**（p. 287）は，これが小説翻訳の「中心的問題」であると捉えている．

この「否定分析論」の「普遍的特性」に対抗するものとして，ベルマンの「肯定分析論（positive analytic）」が挙げられる．これは，目標テクストに異質性を表す為に必要な翻訳タイプの提案である．これをベルマンは「文字通りの訳（literal translation）」と呼んでいる．

（訳注14）ここでいう「言語」とは，方言と共通語等のように同一言語内に存在する言語変種を指す．

ここでいう「文字通り（literal）」とは，（作品の）文字に張り付くということである．翻訳において文字を扱うことは，一方では（その意味以上の）作品の特定の意味作用過程を復元し，他方では訳出先言語を変形させる．

（Berman 1985b/2004: 288-9）

ベルマンの用語は，第2章で紹介した従来の直訳（literal translation）という用語とは，はっきり異なり，より具体的である．ベルマンの「文字通り（literal）」や「文字（letter）」の使用，「意味作用過程」への言及は，ソシュール的視座を志向し，訳出先言語[訳注15]の肯定的な変形を指し示している．「文字通り」という用語についてはVenuti（1995: 146-7）も議論しており，「文字」を訳出先言語における意味作用可能性[訳注16]の幅と解釈している．

ベルマンの研究は，既存の翻訳から多くの例を挙げ，哲学的思考を翻訳方略に接合させた点で重要である．ベルマンの翻訳倫理に関する議論は，目標テクストの言語的「歪曲」で示されたとおり，特に重要であり，文芸翻訳に関するそれ以前の研究と対照的である．だが，ベルマンは翻訳における異質性に関心を示しているが，より多くの注目を集め攻撃的な反応を引き起こしたのはヴェヌティの著作である（9.4節参照[訳注17]）．この後に続く節では，ヴェヌティの「行動の呼びかけ」など，様々な社会文化的コンテクスト（翻訳者，出版社，評者）について検討する．これは，文芸翻訳者をはじめとする参加者自身の視点からの観察に関係する．

9. 2　文芸翻訳者の立場と立ち位置（ポジショナリティ）[訳注18]

Toury（1995: 65，本書第7章も参照）は翻訳プロセスに関わった人々の明示的

（訳注15）TLは「目標言語（target language）」と訳出してきたが，直前の引用文でBermanが 'translating language' という言葉を使っているので，ここに限り「訳出先言語」とする．

（訳注16）「訳出先言語における意味作用可能性（signifying possibility）の幅」に該当する原文はシングル引用符で括られていたが，引用元からの直接引用ではないため，著者に確認し，引用符を外した．

（訳注17）原文では '10.4' となっているが，著者に確認したうえで '9.4' に訂正．

なコメントは，偏向しているかもしれないので，慎重に取り扱うべきであると警告しているが，そのようなコメントは，良くて翻訳実践の顕著な表れである．最悪でも，少なくとも翻訳関係者が何をしなければならないと感じているかが分かる．本節で扱うのは，ラテン・アメリカ小説の英語の翻訳者に限定されているが，ここで紹介される考えや議論は他の多くの翻訳者の作品にも当てはまる．

ヴェヌティの「行動の呼びかけ」(1995: 307-13) は，翻訳者に「可視的」で「異質化」の方略をとるよう呼びかけるが，おそらく，第2章で議論したような，昔ながらの曖昧な用語にふさわしいようなやり方で自分たちの作品を論じる同時代の翻訳者たちへの反発であろう．例えば，高名なラバッサ (Gregory Rabassa) は，文芸翻訳においては「正確性」や「流れ」は相対的にしか要求されない点について述べている (Hoeksema 1978: 12)．翻訳者は往々にして，翻訳の仕事は直感的であり，自分の「耳」に聞かなければならない，と考える (Rabassa 1984: 35, Felstiner 1980: 81)．同様に，エルネスト・サバト (Ernesto Sábato)，イサベル・アジェンデ (Isabel Allende) やラウラ・エスキベル (Laura Esquivel) の翻訳者である Margaret Sayers Peden (1987: 9) も，起点テクストの「声」に耳を傾ける．Peden は，これを「何かが伝わる方法，物語の語られ方，詩の謡われ方」と定義し，「抑揚や語調，語彙や統語の全ての選択」(p. 9) を決定するとしている．John Felstiner は，パブロ・ネルーダ (Pablo Neruda) によるマチュピチュを詠んだ有名な詩の翻訳者であるが，ネルーダが詩を詠むのをわざわざ聞きに行き，強勢や強調を見るまでしている (Felstiner 1980: 51)．ガブリエル・ガルシア・マルケス (Gabriel García Márquez) の翻訳者であるグロスマン (Edith Grossman) も，古典作品『ドン・キホーテ』のアメリカでの新訳で，「翻訳の本

(訳注18) ‘positionality’ はポストコロニアル研究では「立場性」と訳され，用いられることが多い．例えば，上野千鶴子 (2005)『脱アイデンティティ』(p. 269) では，「立場性（ポジショナリティ）」を「アイデンティティ」に相対する用語として用い，「(立場性とは) 他者が私を何者であると名指しているのか」という社会学者の千田有紀の定義を引用し，用語の意味が説明されている．しかし，本書の文脈では，‘positionality’ という用語がより広義で一般的なニュアンスで用いられていると解釈し，「立ち位置」という訳語を一貫して用いる．

質的な挑戦は，できる限り深くスペイン語のテクストを聞き，英語でそのテクストを再び言う（つまり，書く）ための声を発見すること（である）」（Grossman 2003/2005: xix）と述べる．

翻訳者は「不可視」であったため，その実践について書いた翻訳者は比較的少ない．しかし，これも変わってくるかもしれない．最近出版された Norman Thomas di Giovanni（2003）のホルヘ・ルイス・ボルヘス（Jorge Luis Borges）との協同作業に関する説明や，最も著名な翻訳者，Gregory Rabassa（2005）の回想録などが現れ始めている．現代のラテン・アメリカ・スペイン語文芸翻訳者の重要な長編著作は，ほかに2点ある．John Felstiner の "Translating Neruda: The Way to Macchu Picchu"（1980）と Suzanne Jill Levine の "The Subversive Scribe: Translating Latin American Fiction"（1991）である．Felstiner（1980: 1）は，翻訳を生み出すことになる作業の大半は「新たな詩が完全に出来上がると，見えなくなる」という重要な指摘をしている．これには，翻訳者自身の背景や研究，そして作成過程も含まれる．Felstiner は，起点テクストの著者の作品や文化にどっぷりと浸かると述べており，マチュピチュ自体を訪れネルーダの詩をその場で詠んだことを語る．しかし，Felstiner は未だ古い用語を用い「翻訳の求める二重性」を記述する．すなわち，「原作は，本質的に，それ自体が真実と響く言葉で，表れるべきである」（Felstiner 1980: 24）．「本質的に表れる」や「真実と響く」という表現は，第2章で考察した初期の翻訳理論アプローチの典型である．

他方で，Levine は自分自身をキューバ人作家ギジェルモ・カブレラ・インファンテ（Guillermo Cabrera Infante）の「翻訳者－協同作業者」と考える（1991: xi）．また，原作の形を「破壊」するが，意味を新たな形で再生する「破壊的筆写者(訳注19)（subversive scribe）」であるともいう（p. 7）．Levine は時として翻訳で完全に異なった一節を創作し，英語のもつ語呂合わせを自由に表現し，ラテン・アメリカとアングロサクソンを混在させて読者の意表を突くこともある．Levine が，カブレラの "Tres tristes tigres" から挙げている一例は（p. 15），グワンタナメラ

（訳注 19）'scribe' とは，印刷技術発明以前の写本筆写者が原義．筆記者，物書きなどを指す．

（Guantanamera）という歌の1行目（‘Yo soy un hombre sincero’［僕は誠実な男だ］）を‘I'm a man without a zero’［僕はゼロなしの男だ］と訳し，言葉の音遊びをしている（‘sincero’は「誠実な（sincere）」という意味だが，音声は，‘without zero’（ゼロなし）という意味の‘sin cero’と全く同じ）．Levine（p. 23）は，また，スペイン語の起点テクストのリストを，ユーモラスな書名や作家名（例えば，I. P. Daleyの“Yellow River”や（H）ugo Firstの“Off the Cliff”など）を創作し置き換えた．これは，かなり「受容化」の手法であるように見える．言い回し全体を変えて異質性を取り除き目標言語文化の期待に沿うようにするものである．しかし，ラテン・アメリカのコンテクストと並置され，英語（訳）に言語的な「耳障りな不調和」を与えた結果，「異質化」的な読みを創出することになるかもしれない．翻訳作業をフェミニスト的且つポスト構造主義的な視座で捉えているLevineは，翻訳の言語はイデオロギー的な役割も果たしていると言う．

> 翻訳は批判的行為であるべきで［…］，疑義を呈し，読者に疑問を投げかけ，原文のイデオロギーを再コンテクスト化するものであるべきだ．
>
> （Levine 1991: 3）

翻訳の創造性は，関心が高まりつつあるテーマであり，翻訳研究とクリエイティブ・ライティングを横断的に捉えた研究が始まり，読むメカニズムと認知過程，そして原典の実験的再構成を結び付ける（Loffredo and Perteghella 2006）．

翻訳者の姿勢と立ち位置（ポジショナリティ）も翻訳研究において大いに中心的な研究課題になっている．第8章では，社会文化的なコンテクストのイデオロギーによって，翻訳が操作されるいくつかの形について述べた．このようなイデオロギー効果は，翻訳者自身の姿勢にも見てとれる．ティモツコ（Maria Tymoczko）は，‘Ideology and the position of the translator: in what sense is a translator “in between”?’という題目の論文でバーバ（Homi Bhabha）の「第3の空間」（第8章参照）に共鳴し，翻訳者をコミュニケーション行為の中立的な仲介者とみなすことに反論している．

> 翻訳のイデオロギーは，訳出されたテクストのみに宿っているのではなく，翻訳者の声や姿勢にも，そして，受け手である聴衆との関連においてもみら

> れる．後者の特徴は翻訳者の発声場所によって左右される．まさにこれらは発声「場所」ということが意味することの一部である．この「場所」こそ，地理的，空間的なものであると同時に，イデオロギー的な位置取りである．翻訳のこのような諸相は，翻訳者が語る時間的・空間的な所在と同等，またはそれ以上に，翻訳者の文化的，イデオロギー的属性によって動機付けられ決定されるものである（Tymoczko 2003: 183）．

Tymoczko（p. 199）は，一人で懸命に仕事をする中立で個人的な翻訳者という「ロマン主義的」で「エリート主義」の西洋的な概念を拒絶し，「社会変革の倫理的主体として行動するようにと翻訳者たちに効果的に呼びかけるには，アンガージュマン[訳注20]・モデルと集団行動の双方を合わせて示さなければならない」（p. 201）と述べている．Carol Maier（2007）は，自身が（ラテン・アメリカ作家の）文芸翻訳者であり理論家であるのだが，この位置取りを「介入」と呼び，翻訳者を「介入者」と呼ぶ．

翻訳者の中には，出版過程における不公正を声高に叫ぶものもいれば，翻訳理論に対してあからさまな敵意を示すものもいる．Gregory Rabassa（2005）は，評者という「翻訳警察」や「粗探しをする学者」を酷評している．顕微鏡でしか見えないほどの細かい誤訳の指摘をし，目標テクストの文学的価値を無視しているからである．英国人の翻訳者である Peter Bush（1998, 2006）もまた，翻訳理論（少なくとも言語学的な理論）を否定しているが，読者，研究者，作家そして修正者としての文芸翻訳者のプロフェッショナリズムを詳述している．Bush（2006）は，自身が 8 回までも訳出草稿を作成すると記述している．British Centre for Literary Translation（英国文芸翻訳センター）の長だった当時，ブッシュは翻訳構築プロセスを将来的に研究するために，翻訳者の下訳や原稿を収集するという同センターのプロジェクトを推進した．しかし，ここで言っておかな

（訳注 20）サルトルのアンガージュマンの意味で使われていると思われる．『広辞苑［第六版］』によれば，アンガージュマン（engagement）は，仏語で拘束・契約・関与の意．第二次大戦後，サルトルにより政治的態度表明に基づく社会参加の意として使われ，現在一般に意志的実践的社会参加を指す．

ければならないのは，ブッシュ自身の説明では，最重要の一番目の下訳原稿の産出については，充分に調査できていない．それでも，テクスト（生成）並びに創造的過程と同様に，ブッシュは，文芸翻訳は経済的活動であり，「現金によって結びつく関係」であり，「社会文化的な実践の複雑なネットワークの中心でなされる独自の主観的な活動」であるという重要な指摘をしている（1998: 127）．このネットワークについては次節で扱う．

9.3　出版産業の権力ネットワーク

Venuti（1992: 1-3. 1998a: 31-66）は，文芸翻訳者の宿命を記述し嘆く．典型的な翻訳者は，出版ごとの契約で，わずかばかりの買い取り料金で仕事を請け負うことが多く，（翻訳者ではなく）出版社がほとんどの翻訳出版を決定し，しかも翻訳費用を最小限に抑えようとするのが一般的である．Venuti（1995: 9-10）が示しているように，出版社は翻訳者に著作権を付与したり，印税を折半したりすることには大抵，消極的である．ヴェヌティはこれを出版業界による形を変えた抑圧であると批判している．しかし，この種の抑圧は業界で翻訳者が弱い立場に置かれているため，極めてよく見られるものでもある．Peter Fawcett（1995: 189）はこの複雑な業界ネットワークを，要するに「権力プレイ」であると捉え，編集者と校正編集者（copy editor）(訳注21)が最終的に相当部分を決定し完成品を作ると言う．その結果，たいていの場合，受容化翻訳になってしまう．出版社へのインタビューでは，編集者が外国語に精通しておらず，翻訳が目標言語で「読みやすい」ことが最大の関心である場合が多いと判明した（Munday 2008）．

権力プレイの結果，起点テクストの著者が翻訳過程から完全に除かれてしまう場合もある．例えばPiotr Kuhiwczak（1990）は，クンデラ（Milan Kundera）の“The Joke”（『冗談』）(訳注22)の劇的な運命を報告している．この作品の最初の英語翻訳

（訳注21）‘copy editor’の訳語については，校正編集者，原稿整理編集者，コピー・エディターなどが見受けられるが，専門分野のジャンルの知識を有した校正者であることから「校正編集者」とした．

（訳注22）関根日出男・中村猛 訳（2002）『冗談』みすず書房．

者と編集者は協同で作業を進め，読者のためにストーリーを明瞭にしようと，起点テクストで意図的に歪められていた時間の流れを，分かりやすく解きほぐしてしまった．クンデラは非常にショックを受け，著者という優位な立場を使って，新たな翻訳を要求した．Venuti（1998: 6）はこのクンデラの役割を，最初の翻訳者の訳を，訳者名を明記せずに使用した点も含め疑問視し，「クンデラは，翻訳が交渉しなければならない言語的・文化的差異を認めようとしない」と批判する．ミッチェル（Stephen Mitchell）のメソポタミアの叙事詩 "Gilgamesh"（『ギルガメシュ叙事詩』[訳注23]）の新詩「版」のケースのように，著者がはるか昔に亡くなっていたり，知られていない場合は，このような争いは生じない．ミッチェルは序文で，繰り返しや列挙など，彼が言うところのアッカド文体の冗長さを省略したことを公然と認めている．さらに，パッセージの間につなぎを加え，時には順序を変更して，「アッカド語の原文に忠実な」（Mitchell 2005: 66），より一貫性のある詩を創り上げたと主張している．

翻訳過程で鍵を握るもう一人の役者に，著作権代理人がいる．実際，翻訳における代理人の役割については殆ど書かれていない（文芸翻訳学会ではいろいろ言われてはいるが）．代理人は様々な作家の代理を務め，作家の利益の一定の割合を受け取る．見込みのありそうな目標言語の出版社に起点テクストを売り込み，出版社はお気に入りの翻訳者に連絡を取る．

英語以外の言語で執筆している著者の多くにとって，成功の尺度は英語に翻訳されることである．事実，ある作品を翻訳するかどうかは，編集者と出版社が絶大な権力を行使して決断する．Venuti（1998a: 48）によると，英国と米国の出版社は目標文化に同化させやすい作品を選ぶ傾向にある．英米両国で翻訳出版の割合は極めて低く，出版書籍全体の 2.5 ～ 4 パーセント[訳注24]に過ぎない（Venuti 2008: 11）．他方，ドイツやイタリアなどの国では，翻訳出版の割合がずっと高いだけでなく，大半が英語からの翻訳でもある（Venuti, ibid）[訳注25]．ヴェヌティは，

（訳注 23）矢島文夫 訳（1965）『ギルガメシュ叙事詩』山本書店，月元昭男 訳（1996）『ギルガメシュ叙事詩』岩波書店．

（訳注 24）原文では 3 パーセントになっていたが，著者に確認し，4 パーセントに修正した．文献情報も著者の指示に従い第 2 版に訂正した．

（訳注 25）著者からの指示で文献情報を前掲の第 2 版に訂正した．

この不均衡状況もまたアングロ・アメリカの出版界並びに文化的覇権の一例であるとみなす．非常に閉ざされた文化であり，異質性の受け入れを拒絶しつつも，自国の作品が他国において強い支配力を維持することを喜ぶと捉えている．ヴェヌティは，このような状況に対して，“Rethinking Translation: Discourse, Subjectivity, Ideology”の序文において，批判的な口調で次のように述べる．

> アングロ・アメリカ出版界は，圧倒的に単一言語話者で文化的にも偏狭な読者を生み出すことに寄与し，アングロ・アメリカ文化の価値観をかなりの数にわたる海外の読者に押し付けることに成功し，経済的利益を享受していると言える．
>
> （Venuti 1992: 6）

市場の力がこのような傾向を強化し，決定付けさえしている．したがって，英国や米国において，文芸翻訳書の初版部数が5,000部を超えることはほとんどない（Venuti 1995: 12）．このような事情により，英語への多くの翻訳は，米国のNational Endowment for the Arts（全米芸術基金）や英国のArt Council（芸術文化振興会）のような文化団体からの助成金に依存し続けている．

9.4　ヴェヌティの論考に関して

アングロ・アメリカ出版界の覇権についてのヴェヌティの分析は，ポストコロニアル世界の権力関係と連関するように見えるかもしれない（第8章参照）．しかしこれは広く物議をかもし，一部の翻訳理論研究者からの反発も呼んだ（例えば，Hermans（1999: 1-3）の批判や，「南」に起因するものの異質化ではなく，むしろ「代表的な正義」を求めるLiu Yameng（訳注26）（2007）を参照）．Pym（1996）は，ヴェヌティの数字に関して異議を唱え，英国や米国では，出版書籍数に翻訳書が占める割合が低いようにみえるかもしれないが，実際は，翻訳書の数は莫大であり，出版書籍数が多くなるにつれて翻訳書の数も増えている，と言う．

ピムはヴェヌティに対して辛らつな姿勢を示しているが，多くの的を射た問

（訳注26）漢字表記は劉亜猛（刘亚猛）．

題提起もしている．以下の通りである．

(1) 翻訳者が滑らかに翻訳することを拒否すれば，翻訳は本当に変わるのだろうか（Pym 1996: 166）．Pym（p. 174）は，翻訳者がより高い可視性を求めていこう，というヴェヌティの「行動の呼びかけ」は，翻訳者かつ理論家としてのヴェヌティ自身が最良の例になっていると言う．ピムは，他の翻訳者がこのようなスタンスを取って生き残れるか疑問を呈しているが，Richard Pevear とラリーサ・ヴォロホンスキー（Larissa Volokhonsky）によるドストエフスキーの新英訳のように，滑らかに訳さない方略が称賛されるという事例もある．

(2) ヴェヌティは英語への翻訳に焦点を当てているが，「滑らか」（または「受容化」）という翻訳方針への傾倒は他言語への翻訳でも同様に生じている．Pym（p. 170）は，ブラジル，スペイン，フランスを例に挙げる．これは，現時点で，翻訳では，起点・目標文化間の権力関係とは無関係に，典型的に受容化が行われていることを示唆しているのであろう．

(3) Pym（2004a: 200, fn. 7）は，英語の書籍市場は他言語に比べて非常に大きいため，はるかに多様性に富んだ自言語の出版物が容易に入手できるとみている．ピムは，「英語の規模だけでも，他言語の集団が翻訳を通して求める多様性や新たな血などを，英語文化圏は翻訳書がなくても，入手することができる」ということではないかと仮定する．

(4) ピムはまた，ヴェヌティの「抵抗」は検証可能なものかを問うている．ピムはこれをトゥーリーの干渉に対する許容の法則（第 7 章参照）に関連付ける．その法則では，滑らかさ（「干渉に対する不寛容」）は，翻訳一般で起こるとされる．したがって，Pym（1996: 171）は，アングロ・アメリカの翻訳でこの現象が起きても驚くに値しないと言う．

しかしながら Pym（p. 176）は，次のようにも述べている．ヴェヌティのおかげで「政治的状況における現実の人間としての翻訳者について，翻訳政策をめぐる量的な諸相について，そして，未来社会と翻訳者を結ぶかもしれない倫理的な基準について議論できることになった」．翻訳を政治的・イデオロギー的な課題と関係づけることはすでに第8章で議論した．社会文化的なコンテクストについては，トゥーリーも既に述べている（第7章参照）が，このようなコンテクストを特定の翻訳方略と関連づけることを試みたのは，ヴェヌティである．

しかし，ヴェヌティは翻訳分析に用いる特定の方法論は打ち出していない．数多くの翻訳の事例研究を幅広い手法を用いて行っている．例えば，翻訳者の前書きについての議論や，起点テクスト－目標テクストの組み合わせを抜粋して分析することで，特定のコンテクストや文化において優勢な翻訳方略を評価している．とはいえ，ヴェヌティの「異質化」と「受容化」という翻訳方略，翻訳者の不可視性，そして出版社と翻訳者間の相対的な権力関係という一般的な前提に関しては，様々な方法で研究可能であろう．

* 起点テクストと目標テクストを言語的に比較し，異質化と受容化方略の兆候を調べる．
* 翻訳方略について翻訳者にインタビューする．そして / または，翻訳者が自らの翻訳作業について語っていることと，原著者とのやりとり，入手可能であれば，様々な下訳を調べる．
* 出版社，編集者，代理人にインタビューし，翻訳出版の目的，翻訳する本の選び方，翻訳者に出す指示について調べる．
* 翻訳された書籍の数，販売部数，どの本が選ばれ，何語に翻訳されたのか，時間の経過とともに傾向が変わっているかなどを調べる．
* 翻訳に当たって交わされる契約書を見る．そして，翻訳者が完成品においてどの程度「目に見えるか」を調べる．
* 翻訳という事実が文字通りどの程度「目に見える」ものなのかを調べる．本の装丁や外見，タイトルを記載したページに翻訳者名が記されているかどうか，著作権の割り当て，翻訳者によるまえがき，書簡などを見る．

*翻訳の書評並びに著者や時代を分析する．目的は，翻訳者について何が言われているか（翻訳者は「目に見えるか」？），そして評者（や文芸エリート）がどのような基準で，特定の時代や文化において翻訳を判断しているかを見る．

翻訳の書評に関しては，次節でより緻密に検討する．

9.5　翻訳の受容と書評

出版業界の仕組みと，特定の翻訳が受け入れられることの間に繋がりがあることが，1980年代の西ドイツで出版されたラテン・アメリカ小説に関するブラウン（Meg Brown）の詳細な研究で明らかにされた（Brown 1994）．Brown（p. 58）は，最近出版された本を紹介したり，作品の読者を用意したりする書評の役割を強調する．ブラウンは受容理論（reception theory）の知見を援用し，ある作品が読者の美的な「期待の地平」にどのように合わせるか，挑戦するか，落胆させるかなどを検証する．「期待の地平」とは，Hans Robert Jauss（1982: 24）が用いた用語で，ある新作のジャンルやシリーズに対する読者の一般的な（文体，形式，内容などへの）期待のことである．

受容を検証する一つの方法は，作品の書評を見ることである．というのも，書評は原著者やテクストに対する「まとまった反響」を表している（Brown 1994: 7）し，また，ホームズ（James Holmes）の「地図」（第1章参照）における翻訳批判の下位区分でもあるからだ．書評が，その文化で翻訳というものがどのように見られているのかに関する有益な情報源ともなることは9.1.2項で見たとおりで，Venuti（1998: 18-20）は，タルケッティの作品を異質化の手法で翻訳したのだが，その翻訳が受け入れられたかどうかを測定する手段として文芸批評を使っている．ヴェヌティは特に，「耳障りな」効果ゆえに翻訳を批判する書評を引用している．これは，英語の書評は大半が，「自然」で「こなれた」近代的で一般的な標準英語で書かれた「流暢な」翻訳を好む，というVenuti（1995: 2-5）の考察に繋がる．

ヴェヌティはこのように，流暢さばかりが取り上げられ，翻訳について議論が乏しい状況を，「見えない」と言って良いほどに軽視されている翻訳者の役割の主たる指標とみなしている．目標テクストは，通常，その作品がもともと目標言語で書かれたものであるかのように読まれ，翻訳者の貢献は，ほぼ完全に無視される．書評が，翻訳過程について取り上げることが少ないのには，いくつか理由がある．一つは，アメリカ人書評者クーヴァー（Robert Coover）が記し，Ronald Christ（1982: 17）で引用されているもので，「書評について出版社から削減が要求された場合，はじめに削られるのが大抵，翻訳に関する所見である」という．多くの書評者もまた，起点テクストと目標テクストを比較することができず（Christ, p. 21），せいぜい個々の単語について，往々にして批判的な，コメントをするくらいである．クライストの論文は翻訳の書評に関連する問題を，比較的詳細に議論している数少ない一つである．また別に，Maier（1990）がラテン・アメリカ文学全般についての書評を考察している．マイアーは一歩踏み込み，北米では書評者が「[作品の] 英語での潜在的な役割に専ら焦点を当て，「類似した」北米文学作品と比較し，読みやすいかどうかを評価する」（p. 19）ことで，いかに翻訳の異質性を損なわせているかについて述べる．マイアーは，翻訳の書評は「大きく発展が遅れている」（p. 20）状況にあると見ており，一連の提案を行っている．その一つは，「書評をする際に，翻訳理論と翻訳批評の成果を取り入れる」という必要性である．

翻訳の書評を分析するモデルは特にない．ただ，パラテクスト（paratexts）（テクストに付随する装置）全領域が，文化理論研究者のジェラール・ジュネット（Gérard Genette）による“Paratexts”（1997）で，分析対象とされている．原著はフランス語で1987年に出版された“Seuils”（threshold）（『スイユ：テクストから書物へ』[訳注27]）である．ジュネットは，パラテクストの要素を2種類考えた．ペリテクスト（peritexts）とエピテクスト（epitexts）である．ペリテクストは，テクストと同じところに現れるもので，著者や出版社によって書かれたものである．Genette（p. 12）は例として，題名，副題，ペンネーム，はしがき，献辞，序文，エピローグ，そして，表紙や宣伝文などのフレーミング要素を挙げる．エピテクストは，「同じ書物の中のテクストに物質的に付随しておらず，実質的に無限の物理的・社会的空間をいわば自由自在に流通しているあらゆるパラテクス

（訳注27）和泉涼一訳（2001）．

ト的要素のことである」(p. 344)[訳注28]．例えば，出版社が用意するマーケティングや販売促進用資料，テクストについて書かれた著者の手紙，他の人間によって書かれた著者やテクストについての書評，学術的，批判的な言説である．パラテクストはテクストに「従属」(p. 12) しているが，読む過程を導く鍵を握っている．例えば，ある本の書評をまず読んだ読者は，そのエピテクストに基づいた予断を抱いて，テクストを読むことになるだろう．さらに，受容理論 (Jauss 1982) の分析手法を援用すれば，批評を共時的に，又は，通時的に分析することも可能である．共時的分析の例は，ある一つの作品の様々な批評を検討することであるし，通時的分析の例は，ある一人の作家の本の書評や新聞記事を長期にわたって検討することである．

事例研究

この事例研究では，一冊の書籍の英語翻訳のエピテクストに焦点をあて，本章で検討した様々な分野から考察する．取り上げるのは，コロンビアのノーベル賞作家，ガルシア＝マルケスの短編集 ("Doce cuentos peregrinos" (『十二の遍歴の物語』[訳注29])) である．この短編集は，モンダドリ・エスパーニャ社 (マドリッド) とオベハ・ネグラ社 (ボゴタ) からスペイン語で 1992 年に出版された．この英語訳，"Strange Pilgrims" は，グロスマンが翻訳し，1993 年にハードカバー版が，アルフレッド・クノップフ (ニューヨーク) とジョナサン・ケープ (ロンドン) という，どちらもランダム・ハウス社系のインプリントで出ている．この事例研究の課題は次の通りである．

＊書評で翻訳者はどの程度「目に見える」か．
＊翻訳は英語圏の書評者に，どのように判断されるか．
＊書評者のコメントでは，ガルシア＝マルケスの成功は，ヴェヌティが「自民族中心的な受容化」や「暴力」と呼ぶようなことのおかげであると示唆して

(訳注 28) 和泉訳 (2001) p. 389 参照．
(訳注 29) 旦敬介訳 (1994)『十二の遍歴の物語』新潮社．または，野谷文昭・旦敬介訳 (1998)『予告された殺人の記録・十二の遍歴の物語』新潮社．

いるだろうか．

これらの翻訳の書評は，米国と英国では翻訳の受け入れ方に顕著な違いがあることを示している．米国では，書評は褒める風潮がある．場合によっては，書籍の販売促進という私利的動機によって書かれている場合もある．従って，出版業界の“Booklist”[2]の近刊の書評では，「マルケスの全ての短編が素晴らしい」と絶賛する．新聞や週刊誌も同様に熱狂的である．例えば，“Time”[3]（タイム誌）は「ガルシア＝マルケスの最盛期の魅惑的な濃厚さ」と言い，“The New York Review of Books”（『ニューヨーク書籍批評』[4]）は，大半の短編を「紛れもない傑作」だとする．

マルケス短編集が翻訳作品であることは殆ど見逃されており，翻訳者の姿が見えない（invisibility）というヴェヌティの主張を裏付ける．“Booklist”も“The Atlantic Monthly”[5]も“Time”も，この本が翻訳されたことさえ一言も触れていない．“The New York Review of Books”では「物語の質は，グロスマンの見事な翻訳で大きく高められている」と，手短に賞賛している．この最後に紹介した書評は，より詳細に書かれていて，ガルシア＝マルケスの評価についても概要を入れている．そして，ガルシア＝マルケスの文体を分析しようと試みてもいるのだが，これが翻訳であるということが見事に忘れ去られているというのが肝心な点である．書評者（ベイリー（Bayley））が，「マルケスの特徴的な文」として選んだ例は，“Miss Forbes's Summer of Happiness”[訳注30]（『ミセス・フォーブスの幸福な夏』）の最初の文，‘When we came back to the house in the afternoon, we found an enormous sea serpent nailed by the neck to the door frame’[訳注31]である．これは実際に

(2) John Mort, Untitled, “Booklist” 1 September 1993, p. 4.
(3) Paul Gray, ‘Twelve stories of solitude’, “Time” 29 November 1993, p. 80.
(4) John Bayley, ‘Singing in the rain’, “New York Review of Books” 17 February 1994, pp. 19-21.
(5) Untitled, November 1993, p. 158.
（訳注30）スペイン語原著のタイトルは señora（ミセス）である．日本語訳は「ミセス」で出版されているが，英訳は Miss として出版されている．
（訳注31）参考までに同じ文の旦敬介訳は以下の通り，「午後になって家に帰ると，私たちは巨大な海蛇が首のところで，ドア枠に釘で打ち付けられているのを見つけた」．

は，完全なマルケスの文では全くない．起点テクストの長文が翻訳者によって分割され，状況を示す付加詞の語順が並び替えられたものである．このような文に対する書評者の反応は，翻訳者のアイデンティティは不明瞭になっているかもしれないが，翻訳者の言葉は確かに起点テクストの著者の言葉として解釈されていることを明白に示している．

ベイリーは，又，ガルシア＝マルケスを欧州や米国の世界で受容されている文芸文化に組み入れようとしている．ガルシア＝マルケスの「細部にこだわる感覚」をカフカやクンデラと比較し，「魔術的リアリズムが欧州全体に広がっているだけではなく，それと非常に似たものが欧州やアメリカで，我々の時代の文芸精神の一部だった，または一部になったと言えよう」という．このことは，ガルシア＝マルケスやラテン・アメリカ作家は，近年，欧州や米国に大きな影響を与えているが，魔術的リアリズムは現代「文学精神」の核をなしていると示唆しており，ラテン・アメリカの貢献を過小に見せる．

ラテン・アメリカ（文学）の成功を占有（appropriation）しようとする傾向は，米国のペンギン・ペーパーバックの表紙にも見られる．裏表紙の宣伝文は当然ながら高らかで，次のような結論で終わる．「“Strange Pilgrims”（『十二の遍歴の物語』）は，我々の中で第一級の書き言葉の魔術師の一人によるナラティブ魔術の勝利である」．使われている所有代名詞を見ると，ガルシア＝マルケスの国籍やアイデンティティが我々（*our*）という全般的な文学遺産に包摂されていることがわかる．ラテン・アメリカの受動性は，短編のテーマが「欧州を彷徨うラテン・アメリカの登場人物」と要約されていることでも示唆されている．他方，英国のペーパーバック版のカバーでは，「欧州におけるラテン・アメリカ人の超現実的で忘れられない「旅」」と，登場人物をより能動的にしている．

英国の翻訳書評は米国ほど追従的ではない．“Times Literary Supplement”(6) では，ガルシア＝マルケスは，「人気取り」だと批判されている．なぜなら，「ほとんどが軽薄なストーリーで，心地よすぎて，感傷的で，焦点が定まっていない」．“The Independent”(7)（インデペンデント紙）は，全体的に短編集が「つまらなく」

(6) John Sturrock, ‘A wilder race’, “Times Literary Supplement” 17 September 1993, p. 20.

(7) Janette Turner Hospital, ‘García Márquez: chronicle of a text foretold’, “Independent” 18 September 1993, p. 29.

「ぎこちなく」「もったいぶった」「がっかりさせる」ものだとしている．

“The Independent” の書評者，ジャネット・ターナー・ホスピタル（Janette Turner Hospital）は，著者の「重い散文体」と翻訳者の「時として不明瞭な代名詞の数々」の双方を批判している．ここで，言語に関してこのような判断をするに当たり，書評者はどのような資格があるのかという疑問が浮かぶ．ターナー・ホスピタルが読んだのは恐らく翻訳であろうが，その英語を評して「小説の隠喩と奇抜な叙情性」について述べている．「奇抜な叙情性」は，書評者自身が，ガルシア＝マルケスを魔術的リアリズムの作家というステレオタイプでみなしており，“Strange Pilgrims” においては，そのような要素を見出せなかったことに失望しているということを示唆している．彼女の期待の地平が失望したのである．「不明瞭な代名詞の数々」という批判は，いささか奇妙である．なぜなら，代名詞の効果は，結束性を高め，曖昧になる可能性を回避することにあるからだ．このことは，翻訳者と書評者では「議論」の波長が異なり，翻訳者にはおよそ勝ち目などないことのさらなる証左である．

これらの書評は，翻訳者の役割が，「不可視」ではないにしても，書評においては滅多に取り上げられることがないことを示す．翻訳者に関する記述がたいていは少なく，表面的であるということは，クライストとマイアーの考察や，ヴェヌティが引用した例と全く同じである．翻訳は，もともと英語(訳注32)で書かれたかのように読まれるのだ（第2章でドライデンのような翻訳者があげている良き翻訳の秘訣と比較）．このような印象は，特に，英語で受け入れられるようにもって行こうとする書籍販売用の宣伝文句などのエピテクストによって，さらに助長される．また，ガルシア＝マルケスの全体的イメージや言語が，特に米国というコンテクストにおいて，ある種の文化的専有化（cultural appropriation），もしくは受容化を被っていることを強く物語っている．

事例研究の考察

事例研究では，翻訳者を取り巻く社会文化的システムの一分野を検証した．

（訳注32）ここで，「英語」とは，「目標言語」という意味で使われている．

幅広い書評の分析は，方法論的にもかなり正攻法で，翻訳に対する一人の文芸「エリート」の反応についての情報を得られることがわかった．この事例研究を通して，ヴェヌティが主張する翻訳者の不可視性や，アングロ・アメリカ出版業界における文化的覇権は証明されたように思える．しかし，この種の研究は，前の二つの章で述べた他の考えを取り入れ，さらに深める必要がある．例えば起点テクストと目標テクストについて詳細に分析すれば，グロスマンが採った翻訳方略の詳細が明らかになるであろうし，出版社や他の関係者にインタビューをすることもできるだろう．また，この研究結果を他の本の書評と比較することもできるだろう．さらには，テクストの受容に関しては，様々な異なる制度や文化的な場における幅広い読者を対象に調べれば，評者だけの受け止め方よりも明らかに幅広い受容のされ方が見えるだろう．そして，前章でみたように，翻訳の文化的側面は，テクストの文芸的な受容の分析を越えて，政治的，イデオロギー的に入り組んだ網の目に巻き込まれていることがわかるだろう．

9. 6　翻訳の社会学並びに歴史的研究

近年，テクストや文化よりも，翻訳者についての研究が翻訳研究の主役になってきている．これには，第 2 章で見たような歴史的な研究手法を取り入れた翻訳研究の急増も含まれる．このような変化もしくは「転回（turn）」が起きるのに，これほどまで時間がかかったのが不思議なくらいである．結局のところ，翻訳者，または通訳者なしでは翻訳は不可能であり，また，仮に完全に自動化された機械翻訳があったとしても，データと目標プロダクトを扱うプログラマーやオペレーター，修正者が必要である．同時に発展した翻訳の「社会学」（Pym 2006, Wolf and Fukari 2007 参照）では，能動的主体としての翻訳者の役割について，主としてフランスのエスノグラファーで社会学者である Pierre Bourdieu（1977, 1991）の理論に依拠した研究が行われている．フィールド（界 field）（参与者間または主体間—我々にとっては翻訳者も含まれる—の権力抗争の場），ハビトゥス（habitus）（フィールドを構築し，フィールドによって構築される主体の広範な社会的，アイデンティティ的，かつ認知的な性向）（Gouanvic 2005: 157 fn. 15 も参照），蓄積可能な象徴資本と物質的資本，イルーシオ（illusio）（認識の文化的限界のように解釈可能）などのブルデューの概念が援用されている．ブルデューの理論は，特に，これまでの理論では残念ながら扱われなかった翻訳者の役割を理論化する手段として，多元システムの枠組み（第7章参照）に取って代わる，より決定論的ではない選択肢として何人かの研究者が使っている．この系統での初期の論文には故ダニエル・シメオニ（Daniel Simeoni）の ‘The pivotal status of the translator's habitus’（Simeoni 1998）がある．この論文では，翻訳者のハビトゥスは「自発的な隷属」としてやや気が滅入るような記述がなされている．数年後，“The Translator” 誌がブルデュー理論の特集号（Inghilleri 2005a）を刊行し，その序文で，Moira Inghilleri（2005b）は，より肯定的な考えを述べ，ブルデュー理論を採用した研究は，翻訳者や通訳者がいかに「実践の形態内に両者が関与しており，それを変容させることができる」（強調は著者による）かを理解する助けとなると述べている．ゴウアンヴィック（Jean-Marc Gouanvic）の研究はこの文脈において重要である．ゴウアンヴィックの単著論文 “Sociologie de la traduction”（Gouanvic 1999）は，アメリカのSF作品のフランス語翻訳を検証している．そして，インギレーリ（Moira Inghilleri）編の特集号に収録されている論文はアメリカ文学の主要フランス語翻訳者3名，コインドロー（Maurice-Edgar Coindreau），デュアメル（Marcel Duhamel），ヴィアン（Boris Vian）のハビトゥスを研究したものである．ここではハビトゥスが，個人（翻訳者）の歴史，教育，経験の不可欠な部分として強調される．

> *ハビトゥス*（*habitus*）とは，ある特定のフィールドの需要に多少なりともうまく適応した応答を生み出していく原則であり，個人史の産物であるのだが，同時に幼少期の人格形成を通しても培われ，また家族や階級の集団的歴史の産物でもある．
>
> （Gouanvic 2005: 158-9 で引用された Bourdieu 1990: 91）

ゴウアンヴィックは，語彙並びに韻律的選択は翻訳者の「声」を明らかにするものであり，「意識された方略的な選択ではなく，固有の*ハビトゥス*の効果である．このようなハビトゥスは翻訳者が目標文芸フィールドにおいて習得したものである」（p. 158）と主張しているが，テクストにおけるこれらの選択と翻訳者の「性向（disposition）」の関係は明確とは言い難い．何がいったい翻訳者をそのような方法で，そのような状況で行動させる原因になっているのか，そして，なぜ翻訳者は一人ひとり異なる行動をするのか．この問題は主に言語学的視点から翻訳文体論の研究において扱われてきた（Boase-Beier 2006, Bosseaux 2007, Parks 2007, 並びに Malmkjær 2003 の 'translational stylistics'（翻訳文体論）を参照）．Munday（2008）は，この問題を翻訳者のイデオロギー的背景との関連で，ホーイ（Michael Hoey）の語彙的プライミング理論（Hoey 2005）を使って研究しようとしている．この理論では，「個々の単語はそれが出逢うコンテクストとコ・テクストとによって意味が充填される」（Hoey 2005:8）．そして，そこではこうした出会いは，教育やマスメディアによる標準化がなされても，個人の経験によって不可避的に異なる．

社会学は，Ferreira Duarte et al.（2006）において扱われた翻訳研究において，主要な「新たな視座」になっている．チェスタマン（Andrew Chesterman）の論文 'Questions in the sociology of translation' は，この手法の重要性は，翻訳実践を重視する点にあることを強く主張している．翻訳者やその他の行為者が，翻訳過程もしくは「出来事（event）」において業務を遂行する際，いかに行動するのか，そしてこれらの行為者同士にどのような相関関係があるのか（Pym（2006: 4）が「原因」と名づけたもの）．具体的な問題と共に，チェスタマンはラトゥール（Bruno Latour）のアクター・ネットワーク理論の応用についても簡単に記述している．この理論は科学技術に応用されてきたものである．Hélène Buzelin（2005: 215）は，この利点を見出し，ネットワークにおけるそれぞれの行為者，参与者または仲介者の役割を分析し，「翻訳プロセスの性質に関する解釈仮説を検証するためのしっかりした基礎を提供する．仮説というのは［…］カルチュラル・スタディーズやポストコロニアル研究，そして解釈学などのものである．」翻訳研究に現在，新たな材料が潤沢に入ってきていることを鑑みると，例えばドイツの社会学者ルーマン（Niklas Luhman）を援用したハーマンズ（Theo Hermans）の最新の研究（Hermans 1999, 2007）があるように，今後，ますます精緻な研究が盛んになる分野であるのは明らかである．

まとめ

本章では（主に）文芸翻訳者の役割に焦点をあてた．本章前半のキーワードはヴェヌティの「不可視性」であった．これは，アングロ・アメリカ文化において，出版戦略においても，また異質性の形跡を消してしまう「滑らかな」目標テクストが好まれるという傾向においても，いかに異質性が隠されるかを論じたものである．ヴェヌティは「受容化」と「異質化」という二つの方略について議論し，後者（の「異質化」）を支持し，出版業界と文芸批評において支配的な「自民族中心主義暴力」という価値観に対する「抵抗」の手段としている．ヴェヌティに大きな影響を与えたベルマンも，目標文化で「異質性（foreign）」を感じさせることができるような翻訳方略の必要性について論じている．

本章の後半では，テクスト，文化，そして「象徴資本」をめぐる権力闘争を繰り広げるネットワークにおける翻訳過程の行為者あるいは参加者を取り上げている．翻訳者は，自分の仕事を曖昧な言葉で表現しがちであり，出版社は世界規模で市場の力を動かし，かつ，動かされている．そして評者は，目標テクストの受容のひとつの形を表している．翻訳者という主体が，これらの分野で主要研究対象となってきている．そして，多元システム論を用いるよりも，より高度で，実行可能な形で相互行為（作用）を理解するために，翻訳研究では，社会学の，時には競合的な概念（ブルデュー，ラトゥール，ルーマンなど）を導入し始めた．

同時に，ヴェヌティやベルマンの研究は，異質性という概念と，起点との言語的，解釈学的，倫理的関係性を重要視する，第8章でみたカルチュラル・スタディーズや次章で紹介する哲学的アプローチと繋がりがある．

参考文献案内

ヴェヌティの研究に影響を与えたものとして，Schleiermacher（1813/2004）及び翻訳と哲学に関する本書第10章で紹介している参考文献を参照のこと．ベルマンに関する詳細は，Berman（1984/92, 1985/99, 1995）を参照．翻訳者自身が自らの翻訳について述べている論考については，Frawley（1984），Warren（ed.）（1989），Weaver（1989），Orero and Sager（1997），di Giovanni（2003），Qvale（2003），Rabassa（2005），Bassnett and Bush（2006），そして Balderston and Schwarts（2002）

の便利な短編論文集を参照．創造性については，Loffredo and Perteghella（2006）を参照．19 世紀並びに 20 世紀の英語の出版・翻訳産業，そして翻訳の歴史については，France（2000），Classe（2000），France and Haynes（2006），Venuti（近刊予定）を参照．歴史的研究方法については Pym（1998）と Bastin and Bandia（2006）を参照．受容理論については Jauss（1982）と Holub（1984）を，批評など翻訳の受容については，Brown（1994）や Gaddis Rose（1997）を参照．表紙については，Harvey（2003b）を参照．翻訳と倫理については，Pym（2001），Bermann and Wood（2005）を参照．社会学については，Buzelin（2005），Wolf and Fukari（2007），Hermans（1999, 2007）を参照．

討論と研究のために

1. 短編文学テクスト（例えば，9.1.2 項のタルケッティの抜粋）を皆さんの目標言語に翻訳してみよう．まず，受容化方略を用いて訳し，次に異質化方略を用いて訳してみよう．翻訳のどのような分野に差異が生じるだろうか？
2. 異質化と受容化方略についてヴェヌティ自身の説明を読み，この用語に対してなされた批判について調べてみよう．この二つは二項対立的な概念ではないというヴェヌティの主張を受け入れられるだろうか？　このような用語は「発見型研究ツール」として，どの程度に役立つだろうか？
3. 皆さんの文化では，翻訳がどのくらい「可視的」か，調べてみよう．分析結果はヴェヌティの分析と一致するだろうか？「今日，可視的な翻訳を試みることは必然的に政治的姿勢を示すことになる」というヴェヌティの主張（1992: 10）にどのくらい同意できるだろうか？
4. ベルマンの「否定分析論」の説明を詳しく読んでみよう．文芸テクストとその翻訳の分析にこれを応用してみよう．分析では，ベルマンの範疇のうちどれが最も顕著だと思われるだろうか？　他にも説明がなされるべきだと思う関連現象があるだろうか？
5. 「英語（出版数）の規模自体，他言語の集団が翻訳を通して求める多様性や新たな血などを，英語文化圏は翻訳がなくても入手することができる」という Pym（2004a: 200, fn. 7）の仮説についてどう思うだろうか？　これを検証する方法はあるだろうか？

6. トゥーリーは，翻訳者自身の翻訳行為についての説明は信用できないと考えている．ラバサとレヴァインの研究，ヴェヌティが自分の翻訳について書いたものを読んでみよう．トゥーリーにどの程度まで賛成できるだろうか？
7. 「耳」と「声」という用語から何を理解するだろうか？　第3章から第6章で見たような精緻な理論用語で文芸翻訳を考察することは可能だろうか（または，そのほうが好ましいだろうか）？
8. Maier（1990）は，翻訳理論を翻訳批評にも取り入れるよう呼びかけている．（本章並びにこれまでの章で扱った）理論要素を取り入れて，翻訳批評モデルを作ってみよう．作ったモデルを使って，目標テクストの批判を書いてみよう．どのくらいうまく行くだろうか？
9. 本章の事例研究の結果を，翻訳書のパラテクストを読んで比べてみよう．翻訳された本や著者や新聞や文芸誌の書評欄などの，パラテクスト（ペリテクストとエピテクスト）を読んでみよう．皆さんの事例では，これら種々の異なるパラテクストの機能は何だろうか？
10. 多くの翻訳理論研究者は，翻訳者や翻訳者の歴史，翻訳の実践についての「生の資料（raw material）」（Maier 2007: 2）が必要だと言う．皆さんの言語では，どのような翻訳の歴史的研究が出版されているだろうか？　それは，どこで探せるだろう？　どのような種類の「生の資料」が入手可能で，どのように研究することができるだろうか？　どのような種類の資料が欠けているだろうか？
11. 翻訳の社会学は，発展している研究分野である．ブルデューやラトゥール，ルーマン（参考文献案内の「社会学について」（p. 261）を参照）を援用した研究を調べてみよう．各モデルの様々な用語や特徴に注意しよう．それぞれの主要点は何か．皆さんの意見では，研究したいテーマに最も適しているのはどれだろう？　可能なら，大学の社会学者や，翻訳者研究に応用できそうな他の理論の研究者と話してみよう．

第10章　翻訳の哲学的理論

主要な概念

＊解釈学（意味の解釈理論），ドイツロマン主義との関連.

＊スタイナー（George Steiner）の解釈学的運動，翻訳の四つの動き.

＊パウンド（Ezra Pound）：言語の力，当時の文学詩論を転覆させるための古風な語・文体の使用，異質化の先駆け.

＊ベンヤミン（Walter Benjamin）：行間翻訳の「純粋」言語.

＊デリダ（Jacques Derrida）：言語学的翻訳理論の基本前提の脱構築と弱体化.

主要テクスト

Benjamin, W. (1969/2004) 'The task of the translator', translated by H. Zohn, in L. Venuti (ed.), pp. 75–85.

Derrida, J. (1985) 'Des tours de Babel', in J. F. Graham (ed.), French original pp. 209–48; English translation in the same volume by J. F. Graham, pp. 165–207.

Derrida, J. (2001/2004) 'What is a "relevant" translation?', translated by L. Venuti, *Critical Inquiry* 27: 174–200, reprinted in L. Venuti (ed.) (2004), pp. 423–47.

Graham, J. F. (ed.) (1985) *Difference in Translation*, Ithaca, NY: Cornell University Press.

Pound, E. (1918/2004) 'Guido's relations', in L. Venuti (ed.) (2004), pp. 86–93.

Steiner, G. (1975, 3rd edition 1998) *After Babel: Aspects of Language and Translation*, London and Oxford: Oxford University Press.

10. 0　はじめに

前章までは，文学・言語学・文化的翻訳理論の考察を行った．本章では，（概して文芸）翻訳の本質を考究してきた近現代の哲学的アプローチをみていく．ここで取りあげる文章は，20世紀後半の翻訳学に対し重要な影響を与えたことから選ばれたものである．ニランジャナ（Tejaswini Niranjana）（第8章）とブラジルのカニバリスト（第8章原注9）[訳注1]や，ヴェヌティ（Lawrence Venuti）とベルマン（Antoine Berman）（第 9 章）など異なる伝統で研究する学者にもその影響はみられる．

本章は，翻訳と哲学の相互の誘引を考察するものであり，スタイナー（George Steiner）の解釈学的運動（hermeneutic motion）（10.1 節），パウンド（Ezra Pound）の言語の活性化（energizing of language）（10.2 節），ベンヤミン（Walter Benjamin）の翻訳における「純粋」言語（'pure' language）（10.3 節），デリダ（Jacques Derrida）と脱構築運動の翻訳との関係（10.4 節）を検証する．参考文献案内では，本章で紹介した論を展開しているものや，このテーマに新たな視点をもたらすその他の研究を紹介する．

10. 1　スタイナーの解釈学的運動

解釈学的展開は，シュライアーマハー（Friedrich Schleiermacher）などのドイツロマン主義者（第 2 章参照）や，20 世紀のハイデガー（Martin Heidegger）に起源をもつ[(1)]．しかし，多大な影響力をもったスタイナーの "After Babel"（『バベルの後に』[(訳注2)]）によって，翻訳の解釈学は重要な進展を果たしたのである．著作の中で George Steiner（1975/98: 249）は，解釈学的アプローチ（hermeneutic approach）を次のように定義する．「口頭または書かれた一つの発話を「理解する」とは何を意味するかという研究，また意味の一般的なモデルの観点からこの過程を分析する試みである」．

"After Babel" は 1975 年に初版が刊行され，1992 年，1998 年と版を重ね，「翻訳の理論とプロセスに関する 18 世紀以来初めての体系的な研究」とされる．スタイナーが初めに焦点を当てたのは，翻訳者の精神の心理的・知的機能であり，次に翻訳プロセスに内在する意味と理解の過程を論じた．スタイナーが翻訳の（常に鍵括弧つきの）「理論」の検討に立ち戻る際には，独自の解釈学志向

（訳注 1）「（第 8 章原注 9）」は，原文にはないが，著者の了承を得て追加した．

（1）シュライアーマハーからガダマー（Hans-Georg Gadamer）までの解釈学の基本的な入門には，Palmer（1969）を参照．

（訳注 2）スタイナー，G.（1999）『バベルの後に（上）：言葉と翻訳の諸相』（亀山健吉訳）．法政大学出版局．（ただし，"After Babel" の第 1 ～ 3 章のみの訳．本章で引用されている箇所は第 4 章以降のもの．）

である「総体的（totalizing）」モデルを前提とする．

> 翻訳の「理論」，意味の転移の「理論」は，二つの事柄のうちどちらかを意味するはずだ．一つは，意図的に鋭敏にされ解釈学の志向性をもつもので，全ての（*all*）有意のやりとり，そして意味のコミュニケーションの全体（ヤーコブソン（Roman Jakobson）の記号法間翻訳[訳注3]，即ち「移し換え」を含む）が機能する仕方を示す方法である．もう一方は，そのようなモデルの下位区分として，言語間のやりとりや，異言語間での重要なメッセージの送信と受信に特に関連するものである．[…]「総体的」指示は，表出された発言と解釈を伴う受信の全手順が，言語内であれ言語間であれ翻訳であるという事実を論じており，非常に有益なものである．
>
> （Steiner 1998: 293-4 強調は原本の筆者[訳注4]）

Steiner の「意味の誘出及び専有的転移の行為」（p. 312）という翻訳における解釈学の説明は，科学としてではなく，「精密な技法」としての翻訳概念に基づいており，「集中しているが非体系的」（p. 311）な正確さを伴うものである．解釈学的運動（hermeneutic motion）は，Steiner の説明（pp. 312-435）の核をなすものであり，次の四つの部分から成り立つ．（1）発端の信頼，（2）攻撃（または挿入），（3）結合（または具現），（4）補償（または賠償）．それぞれの主要点は次の通りである．

（1）発端の信頼（initiative trust）（pp. 312-13）：翻訳者の最初の動きは，「信用の投資」であり，起点テクストには理解可能な何かがあると信用，信頼することである．スタイナーはこれを，人間が世界を象徴的に見る方法の集中したものだと見なす．翻訳の場合，翻訳者は起点テクストが世界に

（訳注 3）ヤーコブソン，R.（1973）『一般言語学』みすず書房，p. 57 掲載の訳語に従った．

（訳注 4）原文に「強調は原本の筆者」に相当する語はないが，この引用内の傍点の箇所は，引用者によるものではなく，Steiner（1998）による強調なので，著者の了承を得て追加した．

存在する何か，翻訳可能な一貫性のある「何か」を表していると考える．このような理由から，スタイナーは，ナンセンス詩などは「翻訳不可能である．語彙的にコミュニケーション不能か，意図的に無意味なものだからである」と論ずる．この立場は，スタイナーが以下の通り説明する二つのリスクを伴う．

* 「何か」は「全て」であると判明するかもしれない．中世において聖書翻訳者と解釈学者が包括的な神の教えに圧倒されてしまった場合のように．
* 「何もない」かもしれない．何故ならば意味と形式は密接に結びついており，切り離して翻訳できないからである．

(2) 攻撃（aggression）（pp. 313-14）：これは，「侵入的［…］抽出的［…］侵略的」動きである．スタイナーは，理解を「専有的」で「暴力的」だとするこの考えの基礎をハイデガーに求めている．聖ヒエロニムス（St. Jerome）が，翻訳者は起点テクストを自分の家に捕われの奴隷として連れて来ると説明したように（第2章参照），スタイナーも，翻訳者が起点テクストを奪い，意味を抽出することを，露天掘り鉱山のメタファーを用い表している．「翻訳者は攻め入り，絞り出し，家に持って帰る．これは，地形に空虚な傷跡を残す露天掘り鉱山の直喩である」（p. 314）．スタイナーは，一部のテクストやジャンルは「翻訳により使い果たされ」，他にも非常にうまく訳されており今や翻訳でしか読まれないものもあると考える（スタイナーはリルケ（Rainer Maria Rilke）によるラベ（Louise Labé）の短詩の翻訳を例に挙げている）．

時に Steiner は，攻撃を「挿入（penetration）」（pp. 314, 319）と関わるものとして説明する．10.1.1 項(訳注5)において論じるように，このメタファーは，暴力的な男性中心主義の性的な比喩だとして，フェミニストによって強く批判されている．

（訳注5）原文には‘11.1.1’とあるが，著者の了承を得て訂正した．

(3) 結合（incorporation）（pp. 314-16）：これは，スタイナーの解釈学における三段階目の動きである．二段階目の動きで翻訳者が抽出し，すでに自身の言葉と意味に満ちている目標言語へと持ち込んだ起点テクストの意味に注意を向けたものである．異なるタイプの融合が起こり得る．スタイナーは二つの極を検討しており，「完全なる受容化」は，目標テクストが目標言語規範の中で完全なる地位を得るもので，もう一方の極は「永続する違和感と周辺性」である．Steiner が強調する肝要な点は（p. 315），異質なテクストの意味を持ち込むことは，もともとの構造全体を変化あるいは転換する可能性を持つということである．さらにスタイナーはメタファーを用いて，このプロセスが機能する二つの方法を，「神聖な取入れ」か「感染」として提案している．換言すると，目標文化は摂取して，異質なテクストによって豊かになるか，そのテクストに感染し，最終的に異質なテクストを受け入れないかである．後者の例としてスタイナーは，フランス新古典主義の 18 世紀文学モデルによって引き起こされ，ヨーロッパ・ロマン主義により拒絶された感染を挙げている．文学システム間における優位性をめぐる争いは，イーヴン＝ゾウハー（Itamar Even-Zohar）のような多元システム論者が説明する概念（第 7 章参照）と類似する．

この「具現の弁証法的相剋」という闘いは，個々の翻訳者の中でも行われる．

> 具現の弁証法的相剋には，我々を消耗する可能性が内包されている．この相剋は，個人の感覚のレベルで行われる．翻訳する行為は，我々の手段を増やし，代替的な力と感情の源を体現させることになる．しかし我々は，持ち込んだものによって征服されたり，不完全にされるかもしれない．
>
> （Steiner 1998: 315）

ある翻訳テクストの輸入により文化の平衡が失われるのと同じように，翻訳者のエネルギーは，翻訳者自身の作品を制作するために必要となる創造力を奪う翻訳によって消耗される．Steiner は，このような不均衡が

「危険なほど不完全」な解釈学的運動から生じるとみる（p. 316）．均衡は，第四の段階である補償の行為によってのみ復元される．

(4) 補償（compensation）（pp. 316-19）または「相互依存関係の制定」は，「翻訳の技巧と道徳における最重要事項」である．Steiner は，起点テクストの意味の攻撃的専有と結合を，「弁証法的に不可解な残留物を原作に残す」（p. 316）と説明する．弁証法的というのは，起点テクストに対する損失はあるものの，「残留物」とは前向きなものだからである．スタイナーは，起点テクストは翻訳行為によって「高められる」ものだと見なしている．高まり（enhancement）は，起点テクストが翻訳する価値のあるものと見なされるとすぐに起こり，その後の他文化への転移が原作を拡張し，拡大する．起点テクストは翻訳の結果である，一つ，あるいは複数の目標テクストとの多様な関係の範囲に入り，「こだま」や「鏡」と喩えられ（p. 317），以上の全てが起点テクストを豊かにする．例えば，目標テクストが「部分的にのみ適切」であっても（スタイナーは「適切（adequate）」という言葉を専門的な意味ではなく用いている），起点テクストはそれでも高められる．何故ならば，「抵抗性の活力」や「具体的な特徴の不透明な中心」が目標テクストと対照的に強調されるからである．

不均衡（imbalance）は，「起点からのエネルギーの流出と，受容側への流入により生じ，両者を変え，そして全体系の調和に変化をもたらす」（pp. 317-18）．このような不均衡は，補償されなければならない．目標テクストが原作よりも劣る時，目標テクストは原作の長所を「よりはっきりと見えるように」し，目標テクストが原作より優れている時であっても，「起点テクストは，潜在的可能性や，基本的な蓄えをもっているが，自身では実現できていないことを暗示する」（p. 318）．このようにして，平衡は回復される．スタイナーは平衡の要件を，現実の，そして「倫理的な」意味を忠実性の概念に与えることだと考える．

翻訳者，聖書解釈学者，読者が自身のテクストに対し忠実（*faithful to*）で，自らの反応を信頼のおけるものとするのは，専有的理解により崩壊させてしまった力の均衡と統合された存在を元に戻そうと努力するときのみである．

（Steiner 1998: 318 強調は原本の筆者）

Steiner は，この流動的で倫理的そして均衡のとれた「信頼の解釈学」（p. 319）により翻訳理論は，第2章でみた通りかくも長きにわたり理論を特徴づけた「不毛な三点モデル」（直訳，自由訳，忠実訳）から逃れることができる，と確信している．

スタイナーの著作の解釈学的運動についての章の残りの部分は，そのようなコンテクストのもとで文芸翻訳の事例を詳細に分析することに割かれている．Jean Starr Untermeyer がブロッホ（Hermann Broch）と協同した，ブロッホ著“Der Tod des Vergil”（『ウェルギリウスの死』）の英訳など，特に成功した翻訳を選び出し，そのような翻訳においては，目標テクストが「様々な点において原作にとって不可欠な」ものになる，と Steiner は考える（p. 337）．英語とドイツ語が融合する「メタ統語」では，英語は非常に厳密にドイツ語に付き従い，そこにスタイナーは，「完全な個人語という詩人の夢に近い」一種の「行間」テクストを認める（p. 338）．同じように，ヘルダーリン（Friedrich Hölderlin）によるピンダロス（Pindar）とソフォクレス（Sophocles）の翻訳については，「言葉の行間，古代と近代の，ギリシャとドイツの中間地帯」という点を，Steiner は高く評価している（p. 341）．ここでもスタイナーは，逐語訳や直訳を嘲笑してきた以前の翻訳理論と自らを差別化している．Steiner が注目したのは，「取り囲まれ，こじ開けられ，有機的な単一性を明らかにできる」言葉である（p. 347）．

もしスタイナーが真の理解と翻訳は，言語が互いの中で拡散する時点において起こると感じていたとしたら，自己の外に出る能力が重要となる．「この自己が他者に入り込むということは，翻訳者の技能の究極の奥義である」（p. 378）と，スタイナーはパウンドの中国語からの翻訳について語る中で述べている．パウンドは，中国語からの翻訳を，中国語の知識があまりない状態で行っていた．Steiner（pp. 379-80）はこのことが有利であったと見なしている．何故ならば，起点テクストと文化から遠く離れていることにより，翻訳者は先入観や相互接触の混乱なしに作業を行えるからある．ここに，おそらくスタイナーの論じる重大な問題があり，それは本章が扱う他の翻訳に関する哲学的論考と関わる．

> 「近い」ものに対し翻訳者がもつ関係は，本質的に曖昧で弁証法的である．決定条件は，親近性の選択と抵抗する差異の両方である．
>
> （Steiner 1998: 381）

スタイナーにとって，デリダの論考の中心である（10.4節参照）差異の問題は，二種の方法で起こる．翻訳者が外国語を母語とは違ったように経験することと，起点・目標言語ペアのそれぞれが異なり，両者の鮮明な差異を翻訳者と社会に課すことである．翻訳者が課されるこの経験は全面的である．

> 差異を体験すること，異なるものの独特の抵抗と「具体性」を感じることは，アイデンティティを再体験することである．
>
> （Steiner 1998: 381）

抵抗する差異（resistant difference）の言語的，文化的体験は，原作を浸透不可能にするかもしれない．しかしSteinerは，この不浸透性は「親近性の選択（elective affinity）」（p. 398）によって超越されるとも考えており，それは，気の合ったものとしてテクストに惹き付けられた翻訳者が，自己をその中に認めるときである．差異の抵抗と親近性選択の両者が存在するとき，決着がつかない緊張が生まれ，翻訳者を惹き付けかつ拒絶し，それが良い翻訳となって表出する．

> 良い翻訳とは［…］次のように定義できる．不可入性と侵入との，そして手に負えない異質さと，感じられる「安住」感との対立が，決着のつかないままに，しかし表情豊かに残る．抵抗と親和の緊張，二つの言語と歴史的な共同体の近接性に正比例する緊張から，偉大な翻訳の明快な異質感が生じる．
>
> （Steiner 1998: 413）

したがってSteinerの考えでは，逆説的なことに，二つの離れた文化，言語間の翻訳は「取るに足りない」（p. 413）．偉大な翻訳なら表れる緊張が，減少するからである．

10.1.1　スタイナーについての考察

スタイナーの著作の人気は，初版から30年以上経った今でも改訂され，再版されていることにより測ることができる．参照した文学の幅広さにおいて間違いなく不朽の作であり，また多数の非専門家に翻訳理論を紹介してきた．今では様々な点において，現代翻訳学にとって重要ではないとしても，である．しかし，その影響は，ベルマンやヴェヌティなど最近の理論家に見てとれる（第9章参照）．両者とも，異質性を目標文化に持ち込むことを重視し，スタイナー同様，良い翻訳を流暢な受容化と等しいものとはしない．スタイナーの「抵抗する差異」と「親和の選択」は未解決の緊張状態にあり，ヴェヌティの受容化と異質化方略の引き合いに反映されている．

しかし，様々な面で“After Babel”は，過去にとどまったままの作品である．チョムスキー（Noam Chomsky）の生成・変形文法を広範に参照することで言語に関する，従って翻訳の包括的理論に関する普遍主義的な考えを裏付ける点は，今では時代遅れに見える．同様に，文章における男性支配的な言語使用も，Sherry Simon（1996）や Lori Chamberlain などのフェミニスト翻訳理論家から厳しい批判を受けている．Chamberlain（1988/2004: 312-13）は，次の点において特にスタイナーを批判している．「性的所有」のメタファー，とりわけ解釈学的運動の第二の段階に「挿入を伴う（penetrative）」を用いた点，スタイナーのモデルの復元の段階の基盤を「社会構造を言葉や女性，物品の交換を通し達成される動的な均衡への試みと見なす」（Steiner 1998: 319）レヴィ＝ストロース（Claude Lévi-Strauss）の“Anthropologie structurale”（『構造人類学』[訳注6]）に置いている点である．

このような批判があっても，やはりスタイナーの著作は，解釈学及び翻訳の言語についての理論に対する，いまだに重要な貢献である．次に，20世紀に大きな影響を及ぼした他の二人の人物について考察する．スタイナーもある程度詳しく考察していたこの二人とは，エズラ・パウンドとヴァルター・ベンヤ

（訳注6）レヴィ＝ストロース，C.（1972）『構造人類学』（荒川幾男他訳）みすず書房．

ミンである．

10. 2　エズラ・パウンドと言語の力

Steiner（p. 249）は，パウンドとベンヤミンの両者を，「哲学・詩的理論と定義」の時代に属するとし，言語間の関係についての理論を発展させる上で重要な貢献をしたとしている．20世紀アメリカのモダニズムの詩人であるパウンドの場合，この貢献は翻訳の実践と批評の両方を通して行われた．

長い活動期間の中で関心の焦点は変わってきたかもしれないが，パウンドは常に実験的で，言語の表現の性質について考え，意味よりも明瞭さや，リズム，音，形式から言語を活性化しようとしていた．パウンドの漢字の「読み」は，記号の創造的形式を特権化し，描写された事物や出来事の力を捕えるというイマジスト・アプローチを象徴するものである．パウンドの全作品は，ギリシャやラテン，アングロ・サクソン，そしてイタリアの詩を含む過去の文学を読んだことから大きな影響を受けている．自身の翻訳作品では，古風化（archaicizing）（そして必ずしも明瞭でない）文体を実験し，ヴィクトリア朝／エドワード王時代の英語の伝統の凝り固まった締めつけから逃れようとした．これは，Venuti（1995: 34）が異質化方略と関連づけているものである．ヴェヌティは，アングロ・サクソンの詩“The Seafarer”のパウンドによる忠実な訳に言及している．その翻訳でパウンドは，原文の歩格を真似し，また‘bitre breostceare/ bitter breast-cares’や，‘corna caldast/ corn of the coldest’のように，起点テクストの語を語義借用（なぞり calque）している．

パウンドの翻訳についての文章は，形式張らない時があって特異であり，翻訳における古風化と対照をなしている．‘Guido's relations’（Pound 1929/2004）と題された，「清新体」を用いた13世紀イタリアの詩人カヴァルカンティ（Guido Cavalcanti）のパウンド自身の手による翻訳についての小論の中では，ヴィクトリア朝，さらには13世紀の英語の方言に訳出する可能性を捨て去っている．

究極のブリトン人はその頃ズボンを着用せず，大青の染料を体に塗り，プランタジネット王家のオック語（the Langue d'Oc）やイタリア語（the Lingua di Si）

よりも，習得するのが我々にとってはるかに難しい方言でうなるように話していた．

(Pound 1929/2004: 92)

代わりにパウンドは，革新的な解決法を主張し，イタリア語テクストが持つ差異を見せるのに，明瞭で明確な「エリザベス朝以前の英語」と名付けたものを使用している．その方法によるパウンドの翻訳は，今では古風な言葉とその時代の綴り（'makying'，'clearnesse' など）で充満することは避けられない．Ezra Pound 自身が（p. 93），この方略に対する異論を提示している．それは，純文学の詩はこの方法では単に「時代離れして」訳されるだろうこと，13 世紀のイタリア語は現代の読者にとって，14 世紀あるいは 15 世紀の英語よりも古めかしさがはるかに少ない「感触」であること，そしてこのような解決法が自身の以前の試みよりも「忠実」であるかどうかは疑わしいからであった．

パウンドの実験主義と当時の詩的教条への挑戦は，その後の多くの翻訳者や理論家に刺激を与え続け，その作品にパウンドの考えを読み取れる．こうしたことから，パウンドの翻訳の使用は，「文化的葛藤における道具」と表現され（Gentzler 2001: 28），翻訳における意識的な古風化と異質化は，「周縁化」（Venuti 1995: 第 5 章）に繋がる．パウンドが翻訳を批評と見ることと，「創造的」翻訳の独自の形式は，ブラジルの詩人にも大きな影響を与え，その中にはブラジルのカニバリスト運動で主要な役割を担った Haroldo de Campos も含まれる．Else Vieira は，パウンドと de Campos の考えとの間の繋がりを次のように説明する．

創造的なテクストの翻訳とは，de Campos の主張では，いつも再生または類似した創造(訳注7)であり，直訳の反対のものであるが，常に相互的である．意味だけでなく，記号自体も，有形性の全て（音の特性，視覚的な像の使用，審美的記号の類像性を作り出す全てのもの）が訳される作業である．[…] パウンドにお

(訳注 7) 原文には「または類似した創造」と訳せる語はないが，Vieira (1999) を確認すると，この箇所に実際は，'or parallel creation' という三語が入っていることがわかる．著者の了承を得て，引用元にある三語を加え訳出した．

いて翻訳は，創作を期待しようと理論的に試み，選び，繰り返しを除去し，存命する部分のみを次世代が見つけられるような仕方で知識を体系化する限りにおいて，批評として捉えられる．パウンドの有名な ‘Make it new’（「新しくすること」）は，このように de Campos によって，翻訳を通して行われる過去の再活性化として言い換えられる．

（Vieira 1999: 105）

ブラジルの翻訳研究者にとってこの再活性化は，起点テクストの生命のエネルギーを摂取することと，滋養にあふれた目標テクストに再登場させることに見られる．パウンドは従って，多くの形で「生まれ変わり」あるいは「再消化」され続けている．

10. 3　翻訳者の使命：ヴァルター・ベンヤミン

ベンヤミンの 1923 年のエッセイ ‘Die Aufgabe des Übersetzers’（「翻訳者の使命」[訳注8]）も，実験的な翻訳観を示すものである．英語では ‘The task of the translator’ と題された Harry Zohn による翻訳が 1969 年に出ている（Benjamin 1969/2004）．このエッセイは初め，ボードレール（Charles Baudelaire）の “Tableaux Parisiens”[(2)]（『パリ風景』）のベンヤミンによるドイツ語訳の序文として発表されたものであるが，文芸翻訳についての影響力の大きい哲学的文章の一つとなった．

ベンヤミンのエッセイの中心となる考えは，翻訳は読者に原作の「意味」や情報内容を理解させるためにに存在するのではない，というものである．翻訳は独立し，しかし原作と共に存在し，原作の後に現れ，原作の「存(なが)える生[訳注9]（afterlife）」

（訳注 8）このエッセイの題目は，「翻訳者の課題」と訳されることもあり，例えば本章で引用した三ツ木訳（白水社）の表題がそうである．

（2）W. Benjamin 訳，“Tableaux Parisiens” の最初の発行は，Heidelberg: Richard Weissbach, 1923，再発行は，Frankfurt-am-Main: Suhrkamp, 1963.

（訳注 9）ベンヤミン，W. （1996）「翻訳者の使命」浅井健二郎（編）（内村博信・訳）『ベンヤミン・コレクション２』（387-411 頁）．筑摩書房．p.391 掲載の訳語より．なお，ベンヤミン，W. （2008）「翻訳者の課題」三ツ木道夫（編訳）『思想としての翻訳：ゲーテからベンヤミン，ブロッホまで』（187-207 頁）白水社．p.190 においては「生き延びた生命」と訳されている．

から出現するが，原作に「生命の持続 (continued life)」[訳注10]を与えもする．この再創造は，原作が既にいったん世に出た，「名声の時代」[訳注11]において，原作の生存を保証する[3]（Benjamin 1969/2004: 77）．

Benjamin によれば，良い翻訳は「言語間の中心的な互恵関係の表出」[訳注12]（p. 77）を行う．存在してはいるものの，翻訳なしでは隠れたままの，内在する関係を明らかにする．それは，原作と同一であろうとすることからではなく，二つの異なる言語を「調和」，あるいは接合することから行われる．この発展的で創造的な方法により，翻訳は自身の言語の成長にも貢献し（目標言語内に新しいテクストが出現することにより），また「純粋」な高次の言語という目標も達成しようとする．この「純粋言語 (pure language)」は，原作との共存と相補により解き放たれる．これを実現する方略は「シンタックスを移すという形での逐語性」[訳注13]であり，それによって「純粋言語」は輝くことになる．

真の翻訳とは，訳文を透けて輝き出るものであり，原作を覆い隠すこともな

（訳注 10）三ツ木訳（白水社）p.190 より．内村訳（筑摩書房）p. 391（及びその他 2 既訳）では，「死後の生」．

（訳注 11）「名声の時代」について，三ツ木訳（p. 191）には以下の説明がある．「偉大な芸術作品の歴史には，源泉に由来するものたち，芸術家による形成の時代，後続の世代で原理的に永遠な生命の持続の時期がある．名声と呼ばれているのは，この最後に現れてくる生命のことなのだ．つまり媒介以上の翻訳作品が成立するのは，生命の持続においてある作品が名声の時代に達した時だと言える．出来の悪い翻訳者は自分の仕事は原作の名声に寄与したなどと言いたがるが，翻訳が名声に寄与するのではない．むしろ名声のおかげで翻訳が成り立つのだ．」

(3) 皮肉なことに，ベンヤミンのエッセイのよく引用される英訳自体が，意味が不正確であると厳しく批判されるようになっている（例えば，Rendall（訳注）in Venuti 2004: 83-5 の批判を参照）．（訳注：原文には‘Randall’とあるが，引用元を確認し著者の了承を得て，綴りを訂正した）．

（訳注 12）「最も内的な関係」内村訳（筑摩書房）p. 393.「もっとも奥深い関係」三ツ木訳（白水社）p. 191.

（訳注 13）「シンタックスを移すという形での逐語性」は，英語原文では，‘a ‘literal rendering” である．本書における‘literal’の統一訳語とは異なるが，文脈から，また三ツ木訳（白水社）を参照した結果，このように訳出した．内村訳（筑摩書房）は訳注 14 に記載した．

> く，原作の光を遮るものでもない．そうではなく，翻訳という固有の触媒によって強められた分だけ，いよいよ豊かに純粋言語の影を原作の上に落としかける．これは，とりわけシンタックスを移すという形での逐語性によって可能となる．語が，文でなく語こそが，翻訳者の仕事の原要素であることが示される．[訳注14]
>
> (Benjamin 1969/2004: 81)

「純粋」言語を解き放つ能力は，翻訳だけが有するものである．

> 異邦の言語のうちに呪縛されているあの純粋言語を自らの言語において解放すること，作品のうちに囚われている純粋言語を，翻訳という改作において解放すること，これこそが翻訳者の課題である．[訳注15]
>
> (Benjamin 1969/2004: 82)

囚われの状態からの解放のメタファーは，起点テクストの意味を追い立て捕らえようとした聖ヒエロニムスなど昔の翻訳者が使用するイメージ（第2章参照）の対極にあるものである．Benjamin によれば（p. 82），これが起こるのは，目標言語が「外国語から強く影響を受ける」ことを翻訳者が許容した場合のみである．構文の逐語性と純粋言語の解放は，結合して行間翻訳[訳注16]となる．そして，「理想の」翻訳は，Benjamin の考えでは（p. 83）聖書の行間翻訳である．

（訳注14）三ツ木訳（白水社）p. 202 を引用．ただし，「シンタックス」の表記のみ変更した．内村訳（筑摩書房）は次の通り．「真の翻訳は透明なものであって，原作を被い隠すことも，その光を遮ることもなく，純粋言語を，それがこの翻訳に固有の媒質（メーデイウム）によって強められると，それだけいっそう隈なく原作のうえに注ぎこむ．それがなによりシンタックスの置き換えにおける逐語性のなしうることであり，この逐語性こそが，翻訳者の原要素（ウアエレメント）とは文ではなく語であることを証明するのである」（pp. 405-6）．

（訳注15）三ツ木訳（白水社）p. 204 を引用．内村訳（筑摩書房）は次の通り．「異質な言語の内部に呪縛されているあの純粋言語をみずからの言語のなかで救済すること，作品のなかに囚われているものを言語置換〔改作〕（ウムデイヒトウング）のなかで解放することが，翻訳者の使命にほかならない」（pp.407-8）．

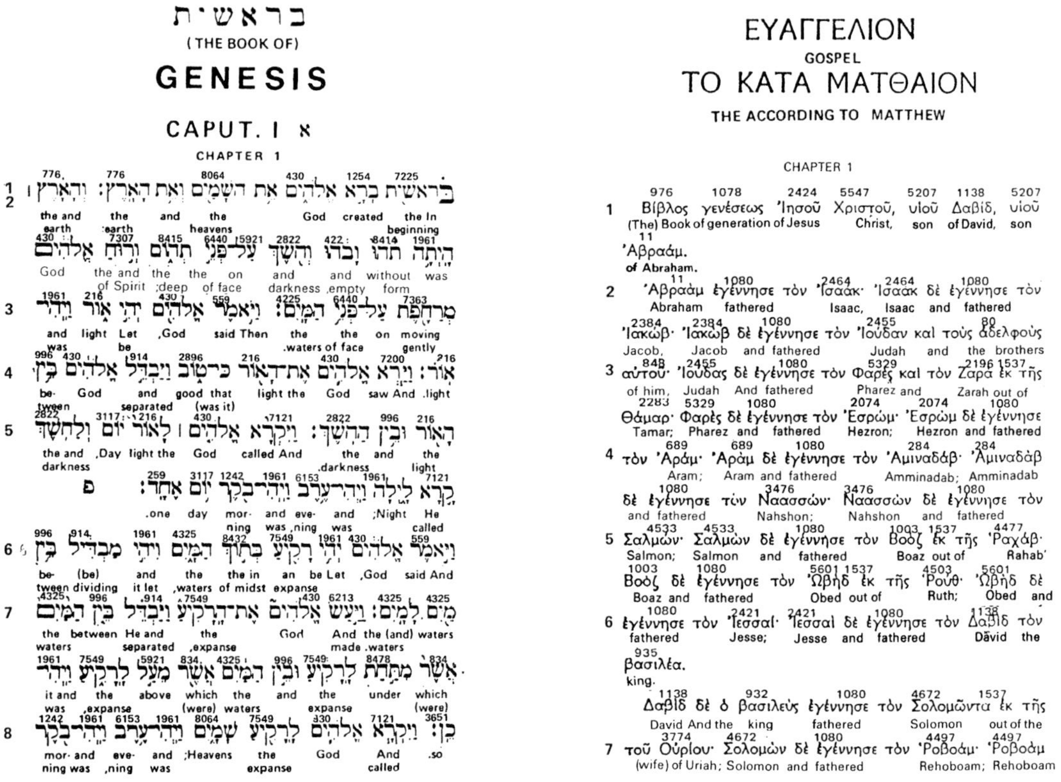

בראשית

(THE BOOK OF)

GENESIS

CAPUT. I א

CHAPTER 1

776, 776 8064 430 1254 7225

1 2 וְהָאָֽרֶץ׃ וְאֵ֥ת הָאָֽרֶץ׃ אֵ֥ת הַשָּׁמַ֖יִם אֱלֹהִ֑ים בָּרָ֣א בְּרֵאשִׁ֖ית

the and the and the God created the In
earth :earth heavens beginning

430 7307 8415 6440 5921 2822 422 8414 1961

אֱלֹהִ֔ים וְר֣וּחַ תְה֑וֹם עַל־פְּנֵ֣י וְחֹ֖שֶׁךְ וָבֹ֔הוּ תֹ֨הוּ֙ הָיְתָ֥ה

God the and the the on and and without was
of Spirit ;deep of face darkness ,empty form

1961 216 430 559 4225 6440 7363

3 וַיְהִי־ א֑וֹר יְהִ֣י אֱלֹהִ֖ים וַיֹּ֥אמֶר הַמָּֽיִם׃ עַל־פְּנֵ֥י מְרַחֶ֖פֶת

and light Let ,God said Then the the on moving
was be .waters of face gently

996 430 914 2896 216 430 7200 216

4 בֵּ֥ין אֱלֹהִ֔ים וַיַּבְדֵּ֣ל כִּי־ט֑וֹב אֶת־הָא֖וֹר אֱלֹהִ֛ים וַיַּ֧רְא א֖וֹר׃

be- God and good that light the God saw And .light
tween separated (was it)

2822 3117 216 430 7121 2822 996 216

5 וּלְחֹ֖שֶׁךְ י֔וֹם לָאוֹר֙ אֱלֹהִ֤ים ׀ וַיִּקְרָ֨א הַחֹֽשֶׁךְ׃ וּבֵ֥ין הָא֖וֹר

the and ,Day light the God called And the and the
darkness .darkness light

259 3117 1242 1961 6153 1961 7121

פ אֶחָֽד׃ י֥וֹם וַֽיְהִי־בֹ֖קֶר וַֽיְהִי־עֶ֥רֶב לָ֑יְלָה קָ֣רָא

.one day mor- and eve- and ;Night He
ning was ,ning was called

996 914 1961 4325 8432 7549 1961 430 559

6 בֵּ֥ין מַבְדִּ֔יל וִיהִ֣י הַמָּ֑יִם בְּת֣וֹךְ רָקִ֖יעַ יְהִ֥י אֱלֹהִ֔ים וַיֹּ֣אמֶר

be- (be) and the the in an be Let ,God said And
tween dividing it let ,waters of midst expanse

4325 996 914 7549 430 6213 4325 4325

7 הַמָּ֔יִם בֵּ֣ין וַיַּבְדֵּ֗ל אֶת־הָרָקִיעַ֮ אֱלֹהִים֮ וַיַּ֣עַשׂ לָמָֽיִם׃ מַ֖יִם

the between He and the God And the (and) waters
waters separated ,expanse made .waters

1961 7549 5921 834 4325 996 7549 8478 834

וַֽיְהִי־ לָרָקִ֑יעַ מֵעַ֣ל אֲשֶׁ֖ר הַמַּ֔יִם וּבֵ֣ין לָרָקִ֔יעַ מִתַּ֣חַת אֲשֶׁר֙

it and the above which the and the under which
was ,expanse (were) waters expanse (were)

1242 1961 6153 1961 8064 7549 430 7121 3651

8 וַֽיְהִי־בֹ֖קֶר וַֽיְהִי־עֶ֥רֶב שָׁמָ֑יִם לָֽרָקִ֖יעַ אֱלֹהִ֛ים וַיִּקְרָ֧א כֵֽן׃

mor- and eve- and ;Heavens the God And .so
ning was ,ning was expanse called

ΕΥΑΓΓΕΛΙΟΝ

GOSPEL

ΤΟ ΚΑΤΑ ΜΑΤΘΑΙΟΝ

THE ACCORDING TO MATTHEW

CHAPTER 1

976 1078 2424 5547 5207 1138 5207

1 Βίβλος γενέσεως Ἰησοῦ Χριστοῦ, υἱοῦ Δαβίδ, υἱοῦ

(The) Book of generation of Jesus Christ, son of David, son

11

Ἀβραάμ.

of Abraham.

11 1080 2464 2464 1080

2 Ἀβραὰμ ἐγέννησε τὸν Ἰσαάκ· Ἰσαὰκ δὲ ἐγέννησε τὸν

Abraham fathered Isaac, Isaac and fathered

2384 2384 1080 2455 80

Ἰακώβ· Ἰακὼβ δὲ ἐγέννησε τὸν Ἰούδαν καὶ τοὺς ἀδελφοὺς

Jacob, Jacob and fathered Judah and the brothers

848 2455 1080 5329 2196 1537

3 αὐτοῦ· Ἰούδας δὲ ἐγέννησε τὸν Φαρὲς καὶ τὸν Ζαρὰ ἐκ τῆς

of him, Judah And fathered Pharez and Zarah out of

2283 5329 1080 2074 2074 1080

Θάμαρ· Φαρὲς δὲ ἐγέννησε τὸν Ἐσρώμ· Ἐσρὼμ δὲ ἐγέννησε

Tamar; Pharez and fathered Hezron; Hezron and fathered

689 689 1080 284 284

4 τὸν Ἀράμ· Ἀρὰμ δὲ ἐγέννησε τὸν Ἀμιναδάβ· Ἀμιναδὰβ

Aram; Aram and fathered Amminadab; Amminadab

1080 3476 3476 1080

δὲ ἐγέννησε τὸν Ναασσών· Ναασσὼν δὲ ἐγέννησε τὸν

and fathered Nahshon; Nahshon and fathered

4533 4533 1080 1003 1537 4477

5 Σαλμών· Σαλμὼν δὲ ἐγέννησε τὸν Βοὸζ ἐκ τῆς Ῥαχάβ·

Salmon; Salmon and fathered Boaz out of Rahab'

1003 1080 5601 1537 4503 5601

Βοὸζ δὲ ἐγέννησε τὸν Ὠβὴδ ἐκ τῆς Ῥούθ· Ὠβὴδ δὲ

Boaz and fathered Obed out of Ruth; Obed and

1080 2421 2421 1080 1138

6 ἐγέννησε τὸν Ἰεσσαί· Ἰεσσαὶ δὲ ἐγέννησε τὸν Δαβὶδ τὸν

fathered Jesse; Jesse and fathered David the

935

βασιλέα.

king.

1138 932 1080 4672 1537

Δαβὶδ δὲ ὁ βασιλεὺς ἐγέννησε τὸν Σολομῶντα ἐκ τῆς

David And the king fathered Solomon out of the

3774 4672 1080 4497 4497

7 τοῦ Οὐρίου· Σολομὼν δὲ ἐγέννησε τὸν Ῥοβοάμ· Ῥοβοὰμ

(wife) of Uriah; Solomon and fathered Rehoboam; Rehoboam

聖書の行間翻訳．左：旧約聖書（ヘブライ語－英語），右：新約聖書（ギリシャ語－英語）

ベンヤミンが強調する，翻訳言語に異質性を持ち込むということは，シュライアーマハーの「異質化（foreignization）」と読者を異質なテクストへ近づけるという概念を思い起こさせる（第2章参照）．しかし，ベンヤミンの文体は分かりにくく，また二つの言語を調和させ「純粋」言語を創造するという哲学的な発想は，理想ではあるが抽象的な考えである．この抽象概念と，「意味」の翻訳ではなく言語の形を通した高次の「真実」の探求により，ベンヤミンはこの短い序文を通じ，翻訳学の分野において，デリダなど後のポストモダン派や脱構築主義者に多大な影響を与えることになった．それについては，次節10.4において論じる．

10.4　脱構築

ノリス（Christopher Norris）は，入門的な書“Deconstruction: Theory and Practice”（1991）（『ディコンストラクション』(訳注17)）の中で脱構築を次のように説明する．

> 脱構築は［…］目が回る限界まで作用し，言語や経験，人間のコミュニケーションの「普通の」可能性について私達が当然だと思い込んでいることの全てを宙づりにする．
>
> （Norris 1991: xi）

> 脱構築は，優先順位の所与の序列と，その序列を成り立たせている概念的対立の体系そのものを両方とも解消しようとする．［…］脱構築は，［…］問いの対象とするテクストと密接に結び付いたままの読む行為である．
>
> （Norris 1991: 31）

（訳注16）「行間翻訳」とは，STとTTを一行おきに記載する翻訳法である．聖書の行間翻訳は，原典であるヘブライ語，あるいはギリシャ語の行と訳の行が一行おきに印刷されたもので，STの各語の下にそれぞれに対応するTLの語が置かれるため，STの語順通りにTTが作られることとなる．従って，TLの統語法に則らないTTとなるが，STの語順に忠実なTTが生み出される．

（訳注17）ノリス，C.（1985）『ディコンストラクション』（荒井正純・富山太佳夫訳）．勁草書房．

ポストモダンやポスト構造主義運動と連携し，脱構築は言語の，そしてその言語により構成される言葉，体系，概念そのものについて問う．脱構築は，語に固定された意味の優位性を拒絶し，代わりにテクストが自身の想定を揺るがし，内部にある矛盾を露呈する方法を前景化，もしくは「脱構築」する．

この運動の発端は1960年代のフランスであり，中心となった人物はフランスの哲学者ジャック・デリダである．デリダの使用する用語は複雑で，解体しようとしている意味と同じように変化する．「差延（différance）」という用語は，おそらく最も重要である．この語はフランス語の動詞‘**différer**’の二つの意味（「延期する」と「差異化する」）を利用したもので，どちらの意味もこの語の意味全てを含むものではない．そして，「差異（différence）」から「差延（différance）」への文字（綴り）の変化は，音には表れないが視覚的であり，シニフィアンの不鮮明化，意味の転位もしくは延期を示す．このことを強調しながらノリスは，デリダの用語の重要性を簡潔に説明している．

> デリダが新しい場を開拓したのは，[…]「差異化する」が「延期する」へ徐々に変化する範囲においてである．これには，意味作用の戯れによって意味は常に「延期され」，永遠に終わることなく補足され続けるだろうという考えが伴う．「差延」は，このテーマを表わすだけでなく，自らの不安定な意味を通じ，そのプロセスの作用を生々しく例示する．
>
> （Norris 1991: 32）

脱構築はこのようにして，言語学の主要な前提のいくつかを解体し始めた．まず初めにソシュール（Ferdinand de Saussure）のシニフィエとシニフィアンの明確な区別を，さらに意味を規定，捕捉，固定できる概念は何でも解体したのである．ソシュールの記号はこの概念を指示するものであったし（第3章参照），またソシュールの言語学は差異の体系としての言語を基盤とするものであったが，「差延」が暗示する位置は，「差異化する」と「延期する」の間の時空のどこか不確かな点にある．明らかに，意味することと意味の基本概念を，このように疑問視することは，翻訳にとって格別な結果をもたらす．脱構築主義者は，

Benjamin の ‘Die Aufgabe des Übersetzers’ を解釈し論評することから翻訳に接近した．その解釈のうち最も重要なものは，Derrida の ‘Des tours de Babel’（1985）（「バベルの塔」）[訳注18] である．

この論文の題名がまさに言葉遊びであり，原題中の ‘tours’ には「回転」，「言い回し」，（バベルの）「塔」という意味が潜在的に含まれ，‘des tours’ は ‘détour(s)’（「回り道」の意）と同じ音である．このように，そもそも初めから翻訳の言語の基盤に対する疑問があり，意味についての理論や，「言語の統一性と固有性」に基づいた翻訳を拒否する．デリダは，ヤーコブソンによる言語内，言語間，記号法間翻訳の区分（第 1 章参照）に疑問をもち，ヤーコブソンの「言語間翻訳，すなわち本来の翻訳」という定義が，翻訳という語がそれ自身の翻訳として用いられていることから，非論理的であると指摘する．

次にデリダは，ベンヤミンのテクストについて，複雑な再読と解説に乗り出す．重要なのは，Derrida 自身が「翻訳に関する別のテクストの翻訳を［…］翻訳する」（p. 175）と呼ぶこの行為によって，翻訳理論が基盤としてきた他の多くの前提に疑問を呈したことである．その中には，翻訳行為を言語によって完全に記述，説明することの不可能性も含まれる．加えて，最も重要なこととして，デリダはベンヤミンの「純粋言語」を「差延」と再定義し（Venuti 1992: 7），起点テクストと目標テクストの区別を脱構築した．デリダは，解説を翻訳の翻訳と見なすだけでなく，原作と翻訳は互いに負うところがあるとする．原作と翻訳は又，翻訳行為もしくはバベル的行為が起これば，相互依存と生存も互いに負うことになる．

デリダは，翻訳の問題について 1998 年の ‘Qu'est-ce qu'une traduction “relevante”?’[訳注19] と題された講演において最も率直に語る．ヴェヌティによる英訳は，‘What is a “relevant”[訳注20] translation?’ である（Derrida 2001/2004）．翻訳者の聴衆を前に話した

（訳注 18）デリダ，J.（1989）「バベルの塔」高橋允昭（編訳）『他者の言語：デリダの日本講演』（1-58 頁）法政大学出版局．

（訳注 19）引用元を確認し，著者から了承を得て relevante に原文にはないダブル引用符を追加した．

（訳注 20）引用元を確認し，著者から了承を得て relevant に原文にはないダブル引用符を追加した．

デリダは，ガット（Ernst-August Gutt）の翻訳理論で主として使われる（1991/2000, 本書4.4節参照）「関連性（relevance）」という用語を扱った．デリダはガットの研究について直接には触れないものの，翻訳における関連性の概念を批判する．それは，デリダの考えでは，関連性のある（適切な）翻訳とはシニフィエとシニフィアンの関係が安定しているという推定に依存し（いかなるシニフィアンであれ，その取るに足らない媒体を通して，シニフィエをそのまま転移として自らを提示する（Derrida 2001/2004: 425）），完全なる透明性（現代翻訳用語で言えば「受容化」）を目指すものだからである．

デリダの講演録の題目は言葉遊びを含んでおり，それはデリダが，シェイクスピア（William Shakespeare）の "The Merchant of Venice"（『ヴェニスの商人』）のポーシャのセリフ，'when mercy seasons justice'（「慈悲（という味付け）が正義を和らげる時」）の自らのフランス語訳について論じていることからである．デリダは 'seasons' を，'relève'（調味料を加える，味付けする）と訳し，また 'relieves'（救済する）やその他の多くの意味も表し，'quand le pardon[訳注21] relève la justice' とした．デリダの分析が殊に興味深いのは，逐語訳（word-for-word）と意味対応訳（sense-for-sense）などの古い用語や，第2章で検証した文字と聖霊に関する概念を使っている点である．翻訳理論に関するデリダの知識は限られたものであるとも言えるだろうが，デリダによるテクストの文化的・宗教的批評は，翻訳プロセスの記述に深みと現在性を加え向上させた．これをデリダは，翻訳方略を戯曲の中で描かれる文化と宗教的イデオロギーと結びつけることで行った．「文字」がユダヤ教と，「聖霊」がキリスト教と関連するのと同様に，ポーシャが行ったシャイロックの言葉の解釈，即ち「関連性のある」翻訳は，ユダヤ教の「正義」を同化する支配的なキリスト教のディスコースにおける「慈悲」を表している．デリダ自身の翻訳方略は「関連性のある」ものではなく，この同化を明らかにしようとするものである．'relève' の選択は，テクスト間の関連を含むことから，一層この方略の助けとなった．この語は1967年にデリダが，「翻訳不可能」とされていたヘーゲル（G.W.F. Hegel）の用語で，'elevation'（「高

（訳注21）原文には 'pardon' ではなく 'merci' とあるが，引用元を確認し，著者から了承を得て訂正した．

めること」）と‘replacement’（「取りかえること」）の二つの意味をもつ‘Aufhebung’（「止揚」）を翻訳する際にも使用されている．当時，ヘーゲル特有の語法に内在する矛盾を明らかにしたのと同じように，デリダはここでも，権力の支配的ディスコースを暴露し，脱構築する．

デリダが翻訳理論の諸問題に公に取り組んだ講演録の重要性に加え，この講演録を英訳する際にどのような方法を用いるかという興味深い問題もある．これは，デリダと翻訳研究者であるヴェヌティとの共同作業である．ヴェヌティの翻訳は頻繁に斜字体の助けを借り，原テクストの専門用語を括弧に入れて保持するものであり，特に‘relève’は頻出する．さらに，ヴェヌティは序文と解説を自身の翻訳に付け，— Philip Lewis の言う書き換え，翻訳あるいは補完という新たな段階（下記参照）—使用した翻訳方略について説明する．

> デリダの講演録を翻訳するにあたり，私はデリダの翻訳についての考え，そしてデリダの考察に着想を得た他の理論家や翻訳者の作品中の概念や実践を実行しようとした．それは，デリダのフランス語に可能な限り接近し忠実であることを意味し，またデリダの統語，語彙，活字の体裁を，類似のテクスト効果を考案し再現しようと試みることである[訳注22]．それが英語を[訳注23]未知の新たな形へ曲げる恐れがある場合でも．
>
> （Venuti in Derrida 2001: 173）[訳注24]

異質化の方略であると同時にこれは，「濫用的忠実性（abusive fidelity）」の一種の例であると考えることもできるだろう．この概念は，Lewis がデリダの翻訳についての論文‘The measure of translation effects’（Lewis 1985/2004）の中で主張したもので，この論文はデリダの‘Des tours de Babel’と同じ本に収録されている．

（訳注 22）「テクスト」にあたる語は原文にはないが，引用元を確認すると‘textual’とあるので，著者の了承を得て訳出した．

（訳注 23）原文には，‘the English’とあるが，引用元を確認すると，‘English’（‘the’なし）であるので，著者の了承を得て引用元のほうに基づき訳出した．

（訳注 24）原文には，‘174-200’とあるが，引用元を確認し，著者から了承を得て訂正した．

Lewisは比較文体論と応用談話分析を用い，フランス語から英語への翻訳について論じ，英訳では「より十全で結束性のある描写のために，より明示的，正確，具体的な概念規定」（p. 258）への傾向があると指摘した．Lewisは，翻訳者が伝統的に流暢な型，目標言語における「使用価値」に従う傾向にあると述べる．Lewisはこれとは別の翻訳方略について論じ，その方略を「濫用的忠実性」と呼ぶ．この方略は，言語の表現・修辞様式のリスクを伴う実験を伴い，起点テクストを補完し更新された力を与える．これは，「実験に重きをおいた力強く強引な翻訳であり，言語の慣用法に手を加え，原作のもつ多価性や多義性[訳注25]や感情表出的強勢と，独自に作り出したものとが一致することを求める」（p. 262）[訳注26]．シニフィアンとシニフィエの区別が脱構築されたデリダ作品を翻訳するには「忠実性の新しい公理が必要となり，それにはシニフィアンの連鎖や，統語処理，談話構造，言語メカニズムが思考と現実形成にどう作用するかなどに，注意を払うことが求められる」．

Lewisは，翻訳で不可避の損失を，原作には存在していた濫用の損失を翻訳者が補償する必要があると考える．翻訳において必要とされる濫用は，Lewisによれば（p. 263）[訳注27]，ただの濫用ではなく，テクスト内の「主要な作用素[訳注28]，或いは決定的なテクストの核心に関係」し，「使用価値」の受容化に対し「抵抗」することが必要である．Lewisは仏英翻訳を性格づけるものとして特定された特徴，そして濫用と使用の間，原作と翻訳の間の緊張関係に基づき，デリダの論文‘White mythology’[訳注29]（「白い神話」[訳注30]）（Derrida 1974）の既刊英訳の中のシフト，Lewisのいう「差異」の分析を行った．シフト，「差異」には次のものが含まれ

（訳注25）原文には‘pluralivocities’とあるが，引用元を確認すると‘plurivocities’とあるので，著者の了承を得て，後者の語に基づき訳出した．

（訳注26）原文には‘p. 261’とあるが，引用元を確認し，著者から了承を得て訂正した．

（訳注27）原文には‘p. 262’とあるが，引用元を確認し，著者から了承を得て訂正した．

（訳注28）原文には‘the key operator’とあるが，引用元を見ると，‘a key operator’とあるので，著者の了承を得て，後者に基づき訳出した．

（訳注29）フランス語原題‘La mythologie blanche’．

（訳注30）「白い神話」（『哲学の余白』（下）藤本一勇訳，法政大学出版局，2008所収）．他の邦訳には，「白けた神話」豊崎光一訳（『世界の文学38 現代評論集』集英社，1978所収）がある．

る（Lewis 1985/2004: 265-71）.

＊句読の変化：斜字体の省略，重要な専門用語に括弧や引用符を足して囲む.
＊接尾辞の脱落：‘métaphorique’ は ‘metaphorics’ とならずに ‘metaphor’ となる.
＊言語学と哲学用語の翻訳における正確さの喪失：‘effet’，‘valeur’，‘articulation’ が，‘phenomenon’，‘notion’，‘joint’ と訳出される.
＊統語的，ディスコース的順序の変更.
＊‘tour’ を用いた言葉遊びの再現の失敗：翻訳では ‘turn’ ではなく ‘metaphor’ となっている.

このような理由から Lewis は，‘White mythology’ の英訳は，フランス語テクストの濫用が消滅しているので，濫用的忠実性を達成していないと考える．デリダの言語の「遂行的特質」（p. 272）はテクストの考えを脱構築するものだが，それが英訳にはない．別の方略が必要であり，Lewis の提唱した実験的翻訳方略（experimental translation strategy）が，この種の哲学テクストを翻訳する際の問題に対応する上で特に重要であろう．このようなテクストでは，言語が自身の依って立つ前提を脱構築する，その一翼を担う．Lewis のアプローチも非常に興味深いもので，哲学の翻訳を学際的観点から分析するために対照談話分析の要素を取り入れている.

脱構築主義の文章の複雑さやアプローチの実践への応用について不満を感じる向きもあるかもしれないが，脱構築主義者は新しい読みの方法を翻訳に持ち込み，意味と記号の優位性と安定性のような長く保持されてきた信条に疑問を呈したのである.

事例研究

事例研究 1

一つ目の事例研究は，著名な詩人・翻訳者の翻訳方略が，スタイナーの解釈プロセスのモデルによってどの程度に説明されるかを見ようとするものである．対象となるテクストは，アイルランドの詩人ヒーニー（Seamus Heaney）によるアングロ・サクソンの叙事詩 “Beowulf”[4]（『ベーオウルフ』）の現代詩翻訳である.

英国で1999年に出版された際，多くの批評家の称賛を受け，程無く権威あるホイットブレッド文学賞[訳注31]（Whitbread Award）を受賞している．この本の重要な部分はヒーニーによる序文であり，翻訳のプロセスについて，及び，千年以上前に起源をもつ古い叙事詩のために現代語を創出したことが述べられている．

Seamus Heaney（1999: x）は，アングロ・サクソン語や描かれるスカンジナビア文化の初歩を理解し詩の意味を何とか把握しようと苦闘する今日の英語研究者に対し，詩がもつ奇妙な関係について説明する．現代語訳の読者が感じる時間的・文化的な距離感についてHeaney（p. xii）は，アングロ・サクソン言語に没入することから生じた言葉で述べている．

> 不可解な言及内容の「遮蔽壁（shield-wall）」と古く奇妙な「語彙（word-hoard）」の間に挟まれたような感覚を読者が持ったとしても，同時にある種の「新しいものの衝撃」も感じるのは必至だ．それはこの詩が神話的な力をもっているからである．Shield Sheafson（‘Scyld Scēfing’）のように，経験の限界を超えたどこかからやって来て，目的を達成すると（これもまたShieldのように）再び彼方へと消え去るのである．
>
> （Heaney 1999: xii）

遮蔽壁と語彙という言い方は，目標テクストの言語から生じており，その言語自体がラテン語ではなくアングロ・サクソン語をモデルとしているものである．そして，言及されている「神話的な力」もやはり言語と関係づけられる．‘Scyld Scēfing’の名前は現代的にされているものの，異なる時と場所の不思議さを維持している．さらに，詩がもつ「経験の限界」を越えたところからの移動力というヒーニーの神話的なイメージは，この詩には歌われている詩句やページ上の言葉以上の意味があることを示している．

上で引用した言葉から，やはりヒーニーが原作の詩に意味があると信頼して

---

(4) “Beowulf”，Seamus Heaney 訳（1999），London: Faber & Faber.

（訳注31）『英語文学事典』（2007，ミネルヴァ書房）に掲載の，‘Whitbread Book Awards’の訳語．

いることは明らかであり，これはスタイナーの解釈学的運動でいえば第一の段階である．時間的・空間的転位にも拘らず，詩が「既知の経験の限界を超えた」ところからやって来るのにも拘らず，つまりは詩の「差異の抵抗性」にも拘らず，ヒーニーは詩の力に引かれ，翻訳を試みる意欲をもつ．言うなれば，アングロ・サクソン語のテクストに対するヒーニーの熱意は，選択的親和力を実証するものである．抵抗する差異と共に創り出される緊張関係は，偉大な翻訳の創造に繋がる．

詩の不思議さ，そして未開の過去と現代の読者の緊張関係は，異質なものを現在に持ち込むことのメタファーにより浮き彫りにされる．例えばHeaney（p. xiii）は，アングロ・サクソンのイングランドの霞がかった風景から「第3千年紀のグローバル・ヴィレッジ」へと詩を持って来ることについて述べ，又，詩の中の挿話を今日のザッピングと同様に見なしている．このようなメタファーは，スタイナーの「露天掘り鉱山」とはかなり異なる現代版であるが，取り出して（extracting —鉱山から掘り出す）運ぶ，という考え方は変わらず残っている．これは，スタイナーの第二の動きである，攻撃の行為であると見なせる．

序文の中の時間・空間的移動と並行して，言語も移動する．Heaney（p. xvi）は，当時のキリスト教徒の英語と古い異教徒の言語文化という原文の詩の中の対照について言及しているが，その対照は，翻訳でふさわしい「声」を探すことを難しい問題にする．ヒーニーはこの時，テクストから意味を取り出しているが，目標言語にその意味を持ち込むための言語を見つけようと苦闘しており，これは解釈学的運動の第三の動きである．ところがヒーニーは，自身の過去にその声を見つける．「“Beowulf”は私の声の権利（voice-right）の一部だと考える」と述べ，新しい言葉を作り，自身の過去を詩の言語と文化に結びつける．この結びつきは，ヒーニーの経歴にある．ヒーニーは北アイルランドのカトリック教徒であり，アイルランド語の学習を余儀なくされたことで英語が影響を受けた(訳注32)．ヒーニーは学生のときに，年長のアイルランド人の親類が話す英語の方言にまだ含まれていた‘lachtar’という語が，実はアイルランド語に由来するものだと知った．この経験は「意識の鋭い剣先が，言語喪失と文化強奪の認識で私を刺し，言語に関して二元的な思考へと誘った」（p. xxiv）．言語の強奪と抑圧のこのような描写は，第8章で考察したポストコロニアリストの議論と似ているようである．例えばクローニン（Michael Cronin）は，支配的なイングランドの言語・文化と，アイルランド土着のものとの間の葛藤について述べている．それは又，スタイナーの，原作の意味と言葉が新しい言語に入り変化（dislocation）を起こすという説明とも，多くの点で一致する．

しかしHeaneyはこの段階を超える．自身がどのようにして，「文献学による啓示」と呼ぶものによって，文化的「決定」から逃れたかを語る（pp. xxv-vi）．それは，“Beowulf” に出てくる古英語の単語 ‘þolian’（苦しむ）を翻訳しようとし，それが ‘thole’ という形で，自身が育ったアイルランドの農村地域にまだ残っていたことに気づいた時に起こった．ヒーニーにとってこれは，目標テクストの声と音楽への「通行権」であった．彼は馴染みある声をもっていたのであり，それはアングロ・サクソンの物語にぴったりの，牧草地にいる貧しい農夫たちの重たい話し方であった．これにヒーニーは，‘bawn’（砦）という，「畜牛のための砦（囲い）」を意味するアイルランド語の ‘bó-dhún’ に起源をもつ，エリザベス朝の英語で使われた単語などの古い言葉を加えている．結果は，過去から，そして別の文化からの要素をもつ英訳の言語の挑戦であり，再活性化であった．これはスタイナーの第四の段階である補償の説明と，非常によく似ている．翻訳は他言語からの影響が入ることで活気づき，新しい時間枠の中で機能し，そしてその方略と成功によって原文のアングロ・サクソン詩を高め，解釈のプロセスに均衡をもたらす．

翻訳方略は，個人の必要も満たす．ヒーニー自身の経歴と言語により形成される翻訳の基盤は，「アイルランド詩人が，征服と植民，同化と抵抗，融和と対立の複雑な歴史と折り合いをつける一つの方法」（p. xxx）である．従って，ヒーニーが詩に対し感じる選択的親近感と，時間的な距離の抵抗の間にある緊張関係は，起点と目標文化を繋げる翻訳者の言語的・文化的背景の中にある要素により解決される．

（訳注 32）Heaney（1999）自身による “Beowulf” への序文では，以下のように記述されている．Sprung from an Irish nationalist background and educated at a Northern Irish Catholic school, I had learned the Irish language and lived within a cultural and ideological frame that regarded it as the language that I should by rights have been speaking but I had been robbed of（Heaney 1999: pp. xxiii-xxiv）．

事例研究 1 の考察

この事例研究は，翻訳への哲学的アプローチがどの程度，現代の翻訳の実践の中に存在するかを見ようというものである．ヒーニーの序文は，言語の探求，そしてそれ故に以前の翻訳の言語に対する疑問が，現代の“Beowulf”の創出にあたりどのように不可欠な役割を担ったかを示唆的に表している．その翻訳の言語に過去の文化（アングロ・サクソンとスカンジナビア）と，対立状況にある文化と言語（アイルランド）双方への意識的な繋がりを吹き込み，自身が過去と現在の間に挟まれている翻訳者の言語は，支配的な言語に神話を運びこみ，そして自身の過去の声によって混乱させる．この翻訳者の言語は，スタイナーの解釈学的運動との間に強固な関係をもち，また第 8 章で考察したポストコロニアル理論家の議論の一部と同調する．解釈理論を基盤としたスタイナーのモデルは，高い評価を得ている現代の文芸翻訳者の実践を非常に詳しく説明することが可能である．

事例研究 2

この事例研究が扱うテクストは，言語そのものが翻訳に抵抗するために書かれたかのようなものである．問題のテクストは，アルゼンチンの作家・翻訳者である，故 Héctor Libertella の短篇“Níneve”である[(5)]．英国の考古学者 Sir Henry Rawlinson の実話に基づくもので，そもそもはラテンアメリカ小説の翻訳集のために私が訳したものである．Libertella は考古学者が粘土板文書を理解しようとする試みを描写し，疑問視し，また損なう為に言語を用いる．10.4 節[(訳注33)]のデリダや Lewis が採用した翻訳へのアプローチが，このようなテクストの考察においてどの程度「関連がある」かどうかを見るのは興味深いことである．

物語の中心となるテーマは，錯覚と虚偽であり，それは‘efectivamente’（効果的に／確かに）を‘efectivo demente’（効果的な心神喪失者／精神の）とするなど，スペイン語の言葉遊びと言葉の混乱を並べ連ねることによって示される．この

(5)“¡Cavernícolas!”（1985），Buenos Aires: Père Abbat editora，pp. 105-46 収録．
(訳注 33) 原文には‘11.4’とあるが，著者の了承を得て訂正した．

ような言葉遊びが英語では機能しない時，一つの可能性は，他の箇所で補償を模索することであり，言葉遊びと混乱が表わす意味をページ上の言葉の形そのものと結びつけることであった．物語の主題は，古い文書を繋ぎあわせ古代象形文字を解読することなので，これは稀な事ではない．次の一節は，Sir Rawlinson —当時の英語のテクストでは，‘Sir Henry’として知られている—がそのような碑文の一つを夢中で調べているところである．

> prolongando por estas líneas su mirada Sir Rawlinson las releyó mil veces, hasta donde lo permitieron sus ojos distraídos, y por la pura repetición acabó agotándolas y agotando un punto más cuanto leía otra vez. Y otra vez.

> extending his gaze over these lines, Sir Henry reread them a thousand times, as far as his dis tracted eyes allowed him, and by dint of pure repetition petition he eventually ex hausted the lines and ex hausted one letter more every time he re read them. And re red them.

> （その数行を凝視し，混乱した目が許す限り，Sir Henry は何度も何度も繰り返し読み，純粋な繰り返しの祈願によって，ついにその行を消耗し，また一つの文字を消耗する，繰り返し読むたびに．そしてまた繰り返し読んだ．）

この一節の中心的な狙いは，繰り返しと読み返すこと，及び，読み手を惑わす，部分的に解読されたテクストを読むたびに消耗することである．‘Re’は，物語の別の箇所において Libertella が配置を変えている接頭辞の一つである（例：‘re partimos’，‘re pone’）．上記の一節では，スペイン語にはなくても，この技法を用いて，‘re petition’や‘re read’などと訳出した．ページ上のこの繰り返しの（re petitive）プロセスを繰り返し強調（re emphasize）するために，‘re petition *petition*’を付け足した．Sir Henry が読むにつれて個々の‘punto’が消える様は，英語テクストにおいても視覚的に表せる．‘punto’を‘letter’と訳出し，‘re *read* them’（過去時制）というフレーズを二度目には文字を一つ減らして‘re *red* them’とした．音を保ちながら，読者を視覚的に驚かせたのである．赤（red）粘土の銘板が考古学者を驚かし，惑わすのと同じように．物語の筋，語呂合わせ，（実際の，また隠喩的）イメージがこうして同時に起こる（co in side）のである．

事例研究2の考察

Libertellaの起点テクストの中で虚偽は，自身をゆがめ，ねじり，混乱させる言語によって表わされている．私が用いた翻訳方略は，Lewisの「濫用的忠実性」と多少似ている．つまり，リスクをいとわずに，目標言語の標準的「使用価値」の受け入れを部分的に拒絶すること（接頭辞‘re’の位置をずらすことや，‘re red’という表現において‘punto’の消失を接頭辞によって表すことなど）を伴う実験により，起点テクストの力を再創造しようと努力するのである．重要なのは，このような翻訳方略は，単に純粋に滑稽な言葉遊びであるべきでなく，Lewisが述べるように「鍵となる作用素，あるいは決定的なテクストの核心に関係」(訳注34)すべきだという点なのである．それ故，私の翻訳は，粘土板文書が解読不能になること，意味の不安定さ，そしてテクスト全体を貫くテーマに重点を置いた．Libertellaはこれらをスペイン語の「使用価値」を攻撃することで示しており，翻訳者は同じような攻撃を英語で創造的に構築または脱構築する必要がある．

デリダがベンヤミンの読解において起点テクストと目標テクストの区別を曖昧にしたのと同じく，Libertellaの両テクストにも融合する要素がある．考古学者の名前自体がまさに二つのテクストから接合される必要がある．スペイン語では‘Sir Rawlinson’で，英語では‘Sir Henry’である．彼はこの二つのテクストの間の，又は両者にまたがったどこかに置かれている．両テクストを並べて調べた時，おそらくより高い説得力をもって言語の虚偽が明らかになるだろう．翻訳は惑わしを強調し，原作への忠実性を「濫用」する．例えば‘read’を‘red’へシフトすることにより，スペイン語では存在しないが，赤粘土板の文書と，Sir Henryの疲れて赤いが貪欲な目を思わせる，新しい色という要素の導入により読者を驚かせる．

（訳注34）原文には‘the key operator’とあるが，引用元を見ると，‘a key operator’とあるので，著者の了承を得て，後者に基づき訳出した．また，原文には‘knots’とあるが，引用元を見ると，‘knot’であり，こちらも著者の了承を得て，後者に基づき訳出した．さらに，原文には省略記号があるが，引用元を確認すると実際は省略された語はないことがわかるので，著者の了承を得て削除した．

それにしても，このような実験的な翻訳方略は，翻訳者の実験はただの軽薄な言葉遊びではない，と容認できるある種の「盲信」を読者に要求するものである．問題となるテクストが哲学的なものであればこれは容易であるかもしれない．しかし私は，Libertella の “Níneve” に関しては，私の取ったものよりも伝統的な方略では，原作の力の再現は期待できないと主張したい．最後に，英国の出版社が，この実験は目標読者が理解できないだろうと思ったまさにそれ故に，“Níneve” の翻訳が最終的な翻訳集に収録されなかったことは重要である．これは，第 9 章でみた，出版社が持つ究極の権力のさらなる実例である．

まとめ

本章では，哲学的性質をもつ作品を発表した理論家数名について考察した．スタイナーはドイツの解釈学の伝統に依拠して，文芸翻訳の極めて重要な記述である “After Babel”（1975）を書き，当時，多くの非専門家を翻訳に注目させた．スタイナーの「解釈学的運動」は，意味すること（mean-ing）の解釈を考察する．パウンドの翻訳と批評は，言語が翻訳においてテクストを活性化できる方法を強調し，他方，ベンヤミンの ‘Die Aufgabe des Übersetzers’ は，「逐語」訳による「純粋」言語の解放について緻密に，詩的に論じている．最後にデリダは，翻訳について長く確実とされてきたことのいくつかを「脱構築」し，そこには起点・目標言語間の対立や，言語記号の安定性も含まれる．このように言語学的翻訳理論の原則に異議を唱えることで，翻訳学のための新たな秩序の問題が提起される．

参考文献案内

翻訳への哲学的アプローチは広範囲にわたる．翻訳についてのパウンドの著作は，Pound（1951, 1953, 1954）を参照．パウンドの影響を受けたブラジルのカニバリストについては，Vieira（1997, 1999）と de Campos（1992）を参照．Venuti（1995）はパウンドの作品についてかなり詳細に考察している．ベンヤミンの論考は他にも多くの理論家に影響を与え，Niranjana（1992）もそのうちの一人であり，ベンヤミンとデリダについてある程度深く論じている．

Norris（1991）は脱構築の入門書として読みやすい．Graham（1985）は，デリダの‘Des tours de Babel’のほかにも重要な論文を収録している．「差延」の概念については，Derrida（1972/82）と Bennington and Derrida（1993）を，そして翻訳のポスト構造主義的解釈の説明に関しては Venuti（1992）の序文を参照のこと．

解釈学の入門には，Palmer（1969）を参照，また Schleiermacher（1813/2004）と Heidegger（1962, 1971）も参照されたい．Benjamin の‘Die Aufgabe des Übersetzers’を含むドイツ語原文の多くは，Störig（ed.）（1963）に収録されている．最後に，Guenthner and Guenthner-Reutter（eds）（1978）の翻訳における哲学と意味についての論文を編纂した興味深い一冊，そして Andrew Benjamin の複雑だが重要な作品である“Translation and the Nature of Philosophy”（1989）がある．

討論と研究のために

1. スタイナーの解釈学的運動は，翻訳者の解釈行為の分析を提案した．ドイツ・ロマン派の運動に関する文献のいくつかを調べ，解釈学の起源を確かめよう．
2. スタイナーの用語を使って，自分の翻訳を分析してみよう．その結果を Heaney の“Beowulf”序文の事例研究と比べよう．
3. Chamberlain（1988/2004）と Simon（1996）にある，フェミニストによるスタイナーへの批判を読もう．フェミニストの意見にどのくらい同意するだろうか？　性差別の問題に関する論争が，翻訳理論へのスタイナーの貢献を取り消すと感じるだろうか？
4. パウンド自身の翻訳と詩をいくつか読んでみよう．パウンドの翻訳方略を確認しよう．そのうちいくつかの方略を自分で詩を訳す際に使ってみよう．どのような種類の結果が得られるだろうか？
5. ニランジャナやデリダなど他の理論家がベンヤミンの‘Die Aufgabe des Übersetzers（The task of the translator）’をどのように読んでいるか調べよう．この論考は何故このような影響力をもっているのだろうか？
6. 哲学のテクストは，特殊な専門用語と実験的な構造を持つ．哲学テクストの哲学的翻訳はどのような形をとるだろうか？　ベンヤミンやボルヘス（Jorge Luis Borges），ハイデガー，デリダなどの著作の翻訳書を見て，どのような方略が用いられているか調べてみよう．Lewis の概念である「濫用的忠実性」にどこまで従っているように見えるだろうか？　Venuti（2003）が，デリダの論文を訳した経験について説明しているものと比較しよう．

7. 他に文芸翻訳者の書いた序文を調べてみよう．自身の作品を哲学的に考察しているような翻訳者は何人くらいいるだろうか？

第11章　新メディアからの新たな方向性

主要な概念

＊新メディアは翻訳実践を変え，翻訳理論に再考と新概念の包摂をもたらした．

＊コーパスベース翻訳研究は，翻訳された言語を調査する方法である．

＊視聴覚翻訳，特に字幕作成は，応用記述研究でますます人気になっている．

＊「弱い立場の翻訳」と「創造翻訳」の概念．

＊ローカリゼーションとグローバリゼーション：等価と権力の考え方を変える新しい翻訳の実践と環境．

主要文献

Delabastita, D. (1989) 'Translation and mass-communication: film and TV translation as evidence of cultural dynamics', *Babel* 35.4: 193–218.

Chaume, F. (2004) 'Film studies and translation studies: two disciplines at stake in audiovisual translation', *Meta* 49.1: 12–24.

Cronin, M. (2003) *Translation and Globalization*, London and New York: Routledge.

Díaz Cintas, J. and **A. Remael** (2007) *Audiovisual Translation: Subtitling*, Manchester: St Jerome.

Gottlieb, H. (1994) 'Subtitling: Diagonal translation', *Perspectives* 2.1: 101–21.

Olohan, M. (2004) *Introducing Corpora in Translation Studies*, London and New York: Routledge.

Pym, A. (2004a) *The Moving Text: Localization, Translation, and Distribution*, Amsterdam and Philadelphia: John Benjamins.

11.0　はじめに

新技術の登場と普及は，それ自体が新理論モデルを提示するには至っていないが，翻訳実践に変化をもたらし研究に影響を与えている．その結果として，翻訳の理論構築にもその波は押し寄せてきている．本章では，コーパスベース翻訳研究（11.1節），視聴覚翻訳（audiovisual translation）（11.2節），ローカリゼーションとグローバリゼーション（11.3節）の三つの例を概観する．

11.1　コーパスベース翻訳研究

2001年に執筆した本書の初版では，文学テクスト分析を支援するコーパス言語学ツールを用いた学際的事例研究を最後に紹介した．現在では「コーパスベース・アプローチ」として知られるようになったが，当時はまだ「翻訳研究の新パラダイム」として提案されていた（Sara Laviosa 1998a）．このアプローチは，単言語コーパス（主に英語）言語学のツールとその技術を用いたもので，1980年代に故シンクレア（John Sinclair）のチームが，バーミンガムでコウビルド英英辞典を編纂する際に開発したのが最初である（Sinclair 1987, 1991）．急速なコンピューター・システムの発展により，自然発生的なテクスト（すなわち，言語研究者によって人工的に作られたものではなく，コミュニカティブなコンテクストのために書かれたテクスト）のコーパス（corpus，複数形は corpora）の電子化が可能になり，ソフトウェアで処理と分析を行うことで，テクストに含まれる語彙形式の用法やパターンを調査することができる．コンピューター・コーパスを用いる最大の利点は，根拠となる言語データ（linguistic evidence）の質が高いことで，特にコロケーションと語彙項目の典型的な使用法の調査では，分析者の直感と比較すると格段に優位である（Sinclair 1991: 42）．

翻訳研究におけるコンピューター・コーパスの使用を強く主張したベーカー（Mona Baker）の論文（Baker 1993, 1995）では，翻訳の典型的特性（typicality）の概念が考察されたが，これはトゥーリー（Giden Toury）が研究していた規範，法則，普遍的特性（universals）の概念と関連してくる（第7章参照）．ベーカーは，翻訳されたテクストのコーパスに見られる典型的特性を同定することに焦点を合わせ，それを翻訳ではない言語と比較することで相違が見られるならば，訳出プロセスや規範に起因する要素を明らかにできると考えた．翻訳の典型的特性としてベーカーが提案（Baker 1993: 244-5）したのは，明示化，文法的標準化，'say'など一般語彙の使用頻度上昇である．同様の仮説は，コンピューターが使われる以前から考えられていた．例えば Jiří Levý（1969: 108）は，翻訳とは，文法的に正確ではあるが芸術的には月並みな表現の過剰使用によって特徴づけられる，と指摘する．Shoshana Blum-Kulka and Eddie Levenston（1983）は，語彙の簡素化が翻訳に典型的にみられると述べる．また Jean-Paul Vinay and Jean Darbelnet（1958/1995，本書第4章参照）は，目標テクストが起点テクストより通常は長くなるなどの指摘を含め，訳出プロセスの一般化を多く行った．電子化された大規模データベースと容易に利用できるようになったツールの出現によって初めて，これらの仮説は実際に膨大なテクストで検証できるようになった．

11.1.1　コーパスの種類

Laviosa（1998b）編の "Meta" 特集号に掲載された論文は，理論的・方法論的問題を扱ったものと，新しいコーパスツールを用いた実証的研究とに二分されていた．出版から時間が経過し，技術の急速な進歩と電子テクストが容易に利用可能になったことで（またはそれが原因で），これら二つの課題は進展したものの，いまだ一般的に受け入れられる研究方法にはなっていない．その原因は，方法論が研究目的に依拠することが避けられないこと，また翻訳学研究は通常，元々の辞書作成プロジェクトとは相当に異なった目的を有することなどが挙げられる．おそらく最大の問題は，コーパスの種類とそのデザインにある．Silvia Bernadini et al.（2003）による翻訳者教育におけるコーパス使用の特集では，この分野の「用語が不統一であることを認めながらも」（p.5），コーパスの類型と各種類の使用例を以下のように簡潔にまとめている．

（i）単言語コーパス（monolingual corpora）．大規模なテクストの収集で，言語の自然性分析に用いられる（例：翻訳者が第二言語に翻訳したテクスト）．加えて重要なこととして，British National Corpus（BNC）や Cobuild Bank of English のような単言語コーパスは，言語の逸脱を測定するための基準となる，代表的なレファレンス・コーパス（reference corpora）として役立つかもしれない（下記参照）．

（ii）二言語比較コーパス[訳注1]（comparable bilingual corpora）．通常，二言語の類似す

（訳注1）比較コーパスとは，起点テクストと翻訳された目標テクストのコーパスではなく，同じテクスト・タイプの二言語のコーパスである．（iii）の並列コーパス（parallel corpora）と混乱しないように注意が必要．

る起点テクスト特殊データで，専門用語及び他の等価の「採掘」に使用される（Bowker and Pearson 2002 参照）.

(iii) 並列コーパス（parallel corpora）. 起点－目標テクストのペアを（センテンス単位もしくはパラグラフ単位で）並べると，翻訳者が用いる方略を調査できる（Kenny 2001 参照）.

重要なのは，Bernadini et al.（2003: 6）による指摘で「単言語の起点及び目標コーパスと併用すれば，並列コーパスによって学習者（もしくは研究者）は，翻訳という制約下で生成されるテクストの特徴を，両言語の「オリジナル」テクストと比較できる」という点である．すなわち，目標テクストの語彙や文法の主要な特徴を同定した上で，同じ言語の翻訳でないテクストにおいて，これらの特徴が同様に際立っているかどうかを見ることが可能になる．このようにして Maeve Olohan and Mona Baker（2000）はマンチェスター大学の Translational English Corpus（TEC）で関係代名詞 ‘that’ の使用を分析し，その頻度をレファレンス・コーパスとなる British National Corpus（BNC）小説ジャンルのサブ・コーパスと比較した．暫定的な結果として，BNC で関係代名詞 ‘that’ は，短縮形と共に使用される際に省略されることが多く，これはテクストがインフォーマルであることを示しているのかもしれない．他方，TEC での関係代名詞 ‘that’ は，短縮形があっても頻繁に出現しており，翻訳言語の特徴であるかもしれないことを示唆する．

11. 1. 2　他のコーパスベース研究

オロハン（Maeve Olohan）著 “Introducing Corpora in Translation Studies”（2004）では，本研究分野の最先端の概略が提供されているほか，統語その他の特徴など他の事例研究も紹介されている．オロハンによる調査の大半は TEC コーパス中心であり，つまり英語の目標テクスト内のパターンを見ており，起点テクストへのアクセスは殆どないか皆無である．それでも Wordsmith Tools（Mike Scott 2007）などの市販ソフトウェアをいくらかは入れており，これにより，研究者が構築した並列コーパスの分析が容易になる．これは例えば，電子媒体で利用可能な形態になっているか，あるいは著作権に問題がなくダウンロードやスキャンされた，起点テクストと目標テクストのペアである．これにより可能になる分析の種類は，量的研究（語彙頻度，語彙分布，語彙密度，文の長さ，キーワードなどを起点テクストと目標テクストの統計で比較）と質的研究（個別事例のコンコーダンス・ラインの詳細分析）の両方である．このような方法により，コーパスを基にした研究は，他の方法論やアプローチ，特に訳出物を考察し翻訳の典型的特徴の同定に関心を寄せる記述的研究とのつながりを持つ．コーパスは量的データという「全体像」にいち早く到達できる利点があり，それを社会文化的環境におけるテクストの詳細な批判的分析によって裏付けることで学際的方法論を補完し，他の方法では見逃すようなパターンが明らかになる．オロハンはインフォーマルな短縮形とキーワードを検索して，テクスト内の文体パターンを翻訳者のイデオロギーや環境と関連づけようと試みた．しかし，このアプローチの正否は，コンピューターが生成できる結果と，その範囲内で根拠をもつ解釈とに制限されてしまう．それでも，異なる翻訳者の訳出物を比較し，その結果をレファレンス・コーパス（BNC）に対比させ三角測量を行えば，テクストの文体（style）に関する直感的洞察が確認されるかもしれず，翻訳言語に関する仮説が生まれるかもしれない．これは，結果的に Baker（2000）が示す方向に進むことになる．ベーカーは，ブッシュ（Peter Bush）（スペイン語からの翻訳）とクラーク（Peter Clark）（アラビア語からの翻訳）の2人の翻訳者の文体分析を行うにあたり，動詞 'say' の出現頻度を標準化と語彙変種減少のマーカとして用いた．結果として，クラークがブッシュに対して2倍の頻度で 'say' を使用していることが判明した．しかしこの結果は，起点テクストであるアラビア語の 'qaal' が高頻度で用いられることに起因している可能性がある．これこそが，ベーカーの研究の問題である．文体分析の方法論を開発しているというものの（'Towards a methodology for investigating the style of a literary translator'），起点言語と起点テクストが殆ど考慮されていない．トゥーリーの干渉の法則（Toury 1995）を信じるのであれば，起点言語と起点テクストは目標テクストに何らかの影響を与えるはずである．

並列コーパスを使った最も革新的な研究プロジェクトのひとつとして，オスロでヨハンソン（Stig Johansson）が始めた英語－ノルウェー語の双方向型コーパスが挙げられる．しかし Johansson（2003）は，多言語コーパスに適当なテクストを収集する難しさを論じ，英語から翻訳される方が，その逆方向（英語へ訳される）よりも圧倒的に多いことが問題のひとつであるとする（Lawrence Venuti, 本書第9章参照）．一案として（p. 140），英語を出発点として使い，例えばスウェーデン語やフィンランド語に翻訳されたテクストを用いることがある．もう一つヨハンソンが追究した方法は，違いを研究するためにプロの翻訳者に委託し，同一の文学テクストの翻訳を複数入手することである．このようなテクストは見習い翻訳者にとって教育の役目も果たし，プロによる翻訳との比較をすることで翻訳方略の意思決定を向上させる助けとなるかもしれない（pp. 140-1）．

他にも特筆すべきは，数多くの研究が対照分析アプローチを採用しており，ジャンル別の類似コーパス分析を行っているということだろう．Sylviane Granger et al.（2003）が編纂した論集は，コーパス言語学，翻訳研究，対照分析を集めているのが特色である．一方，ウィリアムズ（Ian Williams）（例：2007）の最近の研究は，50万語規模の生医学論文コーパスに基づいており，その内訳は，英語の起点テクスト，スペイン語の翻訳テクスト（訳注2），同じジャンルの，翻訳でないスペイン語起点テクストの比較コーパスである．このようなコーパス・デザインにより，スペイン語の翻訳テクスト内の逸脱を（英語の起点テクストとの比較により）統計的に同定できるほか，スペイン語の起点テクストと翻訳テクスト間における逸脱も同様に考察できる．Williams はスペイン語の動詞 'observar' の頻度とコロケーションを調査し，スペイン語の起点テクストより翻訳テクストの方に頻繁に現れることを発見した（2007: 101）．これは，「目標言語の規範にもかかわらず（即ち，スペイン語の起点テクストでは，より多くのバリエーションが見られる），翻訳では語彙範囲がより制約を受け，はるかに均一になる」ことを示している．コーパスを使ったアプローチは，本章の最後で再び論じる．

（訳注2）原文はTT（目標テクスト）となっているが，ここでは混乱を避けるため 'translated text'（翻訳テクスト）として訳出した．目標テクストには，翻訳されたテクストと翻訳でないテクスト（つまりオリジナルの言語で直接書かれたテクスト）がある．厳密に区別するために，前者をTT（translated text），後者をNT（non-translated text）と表記する場合もある．Chesterman（2004）参照．

11.2　視聴覚翻訳

11.2.1　萌芽期：研究未開拓の分野

翻訳研究でさらに劇的な進展が，視聴覚翻訳の分野，特に字幕翻訳で起きている．ライス（Katharina Reiss 1971/2000，本書第5章5.1節参照）は「オーディオ媒体（audio-medial）」と自ら名づけたテクスト・タイプを入れたが，それ以上は発展させることなく，その定義も映画やドキュメンタリーの翻訳より，むしろ広告などの分野への言及が多かった．ホームズ（James S. Holmes）の「地図」（本書第1章）でも，「媒体限定」の理論範疇が提供されているものの，視聴覚翻訳についは何も述べられていない．Mary Snell-Hornby（1988/95）は統合化理論の中で，「映画」を「文芸」翻訳に関連づけた（図5.2参照）．Christopher Titford（1982）と Roberto Mayoral et al.（1988）の初期の論文では，「制約された翻訳（constrained translation）」という造語を用い，視聴覚翻訳の特徴とされる非言語的要素に焦点を当てた．それでも，デラバスチタ（Dirk Delabastita）が画期的な論文‘Translation and mass-communication: film and TV translation as evidence of cultural dynamics’で，膨大な参考文献にも拘わらず，この分野が「研究未開の地」（Delabastita 1989: 202）であると指摘したのは妥当である．この論文が目指したのは，この種の翻訳における特徴で重要なものを同定することであった．すなわち，「映画は多重チャンネル・多重コード型のコミュニケーションを成立させる」ということである（p.196）．デラバスチタが説明するコードは以下の通りである．

＊言語的（多様な文体と談話の特徴を含む）
＊文学的及び演劇的（プロットや対話などジャンルに適合したもの）
＊近接的及び身体的（非言語行動の多くと関係する）
＊映画的（技術，ジャンル，その他）

特筆すべきは Delabastita が映画翻訳を，常に演劇など他形式の翻訳と比較し，その特異性及び「映画翻訳の問題の核心」（p. 197）を特定する方法としていたことである．演劇と映画の大きな違いは，デラバスチタの考えでは，演劇の場合は上映される毎に若干異なるのに対し，映画は録画されるので「物理的に完全に再生されうる」という点である．つまり映画は，いったん収録されれば配給され，様々な聴衆に向けて，もしくは視聴者により，再生されるが，稀な例外を除き，その内容は変化しない．これは映画翻訳を左右する極めて独特な制約となる．つまり音声チャンネルと映像チャンネルの共存であり，翻訳者が選べる訳出手順を規制する．Delabastita によれば，シェークスピアの『オセロー』で，デズデモーナにハンカチの代わりに十字架を持たせたフランスの演劇翻訳家もいたという（p.198）．映画の場合は，視覚媒体と矛盾してはならない要件があるので，このようなことは不可能になる．しかしながらデラバスチタは，言語と非言語の違いを単純に区別するのは避け，視覚チャンネルが言語記号（例：クレジット・タイトル（出演者，制作スタッフ一覧），字体，店の看板など）を伝えることがあり，聴覚チャンネルが非言語記号（音楽，背景の雑音など）を伝える場合がある点を強調した．そして，これらを古代の修辞技法（レトリック）にある5種類の操作化[訳注3]（反復，追加，省略，変形，代用）に照合して描き，翻訳可能な手順を数多く提案した（pp. 199-200）．

この論文は字幕と吹き替えの両方を網羅するが，まだこの種の翻訳のための「適正モデルの発展に向けた第一歩に過ぎない」（p. 201）．重要なのは，デラバスチタがベルギーを拠点に，規範ベースの記述的枠組を用いて（第7章参照），言語現象と社会文化的及び歴史的環境の両方を包括しようとしたことである．デラバスチタは映画翻訳を翻訳研究の延長に位置づけ，各方式（mode）に固有の研究が必要だと考える．

> 研究者は当然ながら，各方式に伴う固有の技術的及び記号的制約に関する自らの知識と，一般的な翻訳プロセスについて知っていることを融合しなければならない．翻訳研究という学問分野が発展させてきた種々の記述的範疇は，

（訳注3）レトリックの技法に関する訳語について，原文では，'repetition, addition, reduction, transmutation and substitution' だが，Delabastita（1989）は，'repetitio, adiectio, detractio substitutio, transmutatio' となっており，古代レトリックの技法を映画とその翻訳の技法に適用している．佐藤信夫他（1999）『レトリック事典』（大修館）では「反復，挿入，省略，転換，代換」の訳語が用いられているが，本書では addition は「追加」，transmutation は「変形」，substitution を「代用」とした．

従って，この目的達成の為に不可欠であろう．

（Delabastita 1989: 201-2）

だがデラバスチタは，理論と実践の地位に関する別の疑問も呈し，翻訳研究初期の議論を想起する．（映画翻訳という）現象の名称について，「翻案」でなく本当に「翻訳」に分類できるのだろうかという疑問である（第1章参照）．この点は恐らく論文執筆の時期の問題で，当時は翻訳研究がまだ言語学中心であったからであろう．しかしデラバスチタは，映画という新たな現象を包摂する「テクスト転移」として翻訳を広義に，かつ「柔軟」に理解する考えを採用し結論とする．

11.2.2　視聴覚翻訳分野の名称と性質

デラバスチタの論文は，いろいろな意味で多くの研究をこのメディアへと導いた．この分野の名称と，「翻訳研究」という包括的な用語との関係についての議論は確かに大きく注目された．George-Michael Luyken et al.（1991）は，「映画翻訳（film translation）」ではなく，「視聴覚言語転移（audiovisual language transfer）」という言葉を用いた．また，Henrik Gottlieb（1994）は，言語間字幕を「斜め翻訳（diagonal translation）」の一形式として説明する．通訳（音声対音声）や言語間翻訳（文字対文字）にみられる従来の「水平転移（horizontal transfer）」とは対照的に，起点言語が目標言語に訳されるだけでなく，音声がテクストとして提示されるからである．Gottlieb は，ヤーコブソンによる翻訳の種類（1.1節参照）に関連づけ，字幕翻訳は「記号法内翻訳（intrasemiotic）」であると考えた（p. 105）．

字幕制作は，映画とテレビ媒体という制限の下で作用し，話し言葉のコード内に留まる．字幕翻訳者は，オリジナルを変更することさえない．字幕に何かの要素を加えることがあるかもしれないが，視聴覚的全体からは何も削除しない．

（Gottlieb 1994: 105）

Yves Gambier（2003）は，“The Translator” がこのテーマを特集した号の序で，

競合する用語である「視聴覚翻訳」「映像翻訳（screen translation）」「マルチメディア翻訳」を論じた．これらは，それぞれ少しずつ異なる傾向があるが，これは急速に進歩する技術によるもので，例えば字幕は，映画からドキュメンタリー，ニュース，娯楽へと移り，ビデオからDVD，そしてビデオゲームへと，さらには，映画から，オペラ，コンピューター画面，そして携帯メディアなどへと移行してきている．**Gambier** 自身は「翻訳適合（transadaptation）」という言葉を提案し（フランス語では 'tradaptation'，Gambier 2004 参照），これにより，通常の二項対立（直訳／意訳，翻訳／翻案など）を越えて，目標となる聴衆をより直接的に考慮できると考えた（2003: 178）．しかし今日に至るまで，この用語は使われず，**Gambier** 自身も再び「視聴覚翻訳」（2003: 178）や「映像翻訳」（p. 189）という表現に戻っている．ディアス・シンタスとリミール（Jorge Díaz Cintas and Aline Remael）は「翻訳適合」について考察したが，結局，「視聴覚翻訳（audiovisual translation =AVT）という用語が最近では定着してきており，標準的な呼び方になりつつある」としている（2007: 11-12）．

それでもガンビエ（Yves Gambier）の論文は，様々な種類の翻訳活動を同定し，翻訳を基盤とする古い範疇を再考させるに至った点において，特に時宜を得ていた．多々ある中で，いくつかを以下に記す．

* 異言語間字幕（interlingual subtitling）．現在では，映画，ビデオ，DVD 用に様々な形式がある．映画・ビデオ字幕は「オープン字幕」といわれ，字幕が映画フィルム版の欠かせない一部をなしている．DVD 字幕は「クローズド（closed）」かもしれず，視聴者が字幕の有無もしくは言語を選択することができる．
* 2 カ国語字幕（bilingual subtitling）．ベルギーなど，国によっては字幕が 2 カ国語で同時提供される．
* 同一言語内字幕（intralingual subtitling）．聴覚障害者のためのもので，規定要件になりつつある．
* 吹き替え（dubbing）．「口合わせ（lip-synchronization）」もしくは「リップシンク（lip-sync）」を指し，起点言語の音声トラックが目標言語の音声トラックに入れ替えられる．

* ボイスオーバー（voice-over）．ドキュメンタリーやインタビューで主として使用される．
* 舞台字幕（surtitling）．オペラや劇場の舞台の上部，もしくは座席の背中部分に表示する字幕．
* 音声ガイド．舞台や映画の動きについての，主として同一言語による視覚障害者用の音声解説．

これまで大半の研究が，異言語間字幕翻訳や言語的翻訳方略及び技術的な要件や制約を中心に行われてきたとはいえ，教育と研究の両方の観点から，これは大きな成長が期待できる分野である．Zoe De Linde and Neil Kay（1999:3）は，異言語間字幕翻訳と書記言語翻訳との違いを，特に時間と空間の制約であると指摘する（メディアにもよるが，通常，最長でテクスト2行，各行約37ローマ字（Roman characters）(訳注4) 以内．字幕表示時間はキャプション一回につき約6秒）．これが，スクリーン上の語数低減の必要性を強いる．さらに強調されたのは，映画には映像という，通常は絶対に従わなければならない制約が当然ながらあり，また起点言語の音声トラックも保持される点である．従って字幕翻訳者は，撮影カットなど映画撮影技術の側面を尊重し，字幕表示時間を対話のリズムに合わせなければならない．

11. 2. 3　字幕研究の言語的及び規定的性質

ディアス・シンタスとリミールによる広範な字幕研究において，「字幕の記号論」に関する章は短いものであったが，翻訳プロセスにおける複雑な技術的要素と文体論，言語学的側面に関して詳細な考察がなされた．両者がまとめた「字幕作成ガイドライン」は以下の通りである．

字幕のスタイルはジャンルによりいくらか変化し，顧客は常に何かしらの意見をもっている．しかし，字幕作成ガイドラインの中には普遍的に近いもの

(訳注4) ローマ字アルファベットを指す．日本語の横字幕の場合は一般的に，1行13〜15字が2行までとされている．

もある．文法と語彙項目は簡素化され整理される傾向がある一方で，相互行為的特徴とイントネーションは，ある程度だけは保持される（例：語順，修辞疑問，時に感嘆詞，そして不完全な文により）．換言すれば，すべての発話の特徴が失われてしまうわけでなく，多くは文字に残されるが，すべてを再現すると過剰に長く判読できない字幕になってしまう．字幕は情報的に最も関連のある項目に焦点を合わせるので，コンテクストが変わったことを示す節は維持される場合が多く，逆にコンテクストを確認する節は省略される．

（Díaz Cintas and Remael 2007: 63-4）

これらは「ガイドライン」として分類できるが，トゥーリーの視点からは（第 7 章参照），著者の研究と経験から生まれた「一般化（generalizations）」ということになり，「ほぼ普遍的な」特徴であるので，別のコンテクストで，視聴覚翻訳の記述的「法則」をいくらかは決定できるかもしれない．したがってディアス・シンタスとリミールは，翻訳学における用語と方法論の伝統を援用している．両者が指摘する顕著な「翻訳の問題」もこのケースにあてはまり（pp. 184-236），「有標の発話」（スタイル，レジスター，地域方言／社会方言／個人語，タブー語），文化依存的用語，音楽，ユーモアがこれに含まれる．ほとんどが，他のジャンルでも翻訳が難しい問題とされている．例えばブロンテ姉妹，D.H. ロレンス，ジョン・スタインベックの小説又は演劇の会話の翻訳では（Anderman 2005: 325-6 の Pirandello に関する論考を参照），登場人物が方言及び／又は社会方言の強い声（voice）で話すが，目標言語には等価がなく，そのまま表わすことは到底無理である．方言を置き換える試みは，例えば“La Haine”（『憎しみ』）などのように，フランス語の非標準語が準黒人米語（semi-black American dialect）に置き換えられている箇所が，批判を招くかもしれない（Díaz Cintas and Remael 2007: 192，本書第 6 章の事例研究で見た映画における対照的な標準化方略と比較）．また，従来の翻訳研究が取り上げた問題からの逸脱は興味深い．例えば句読点，短縮，改行が非常に目立つが（pp. 102-43, 145-71, 172-80），他の形式の翻訳では，これほど詳細に扱われることは殆どない．

ディアス・シンタスとリミールは，良い翻訳実践を強調することに強い懸念を表明する．良い翻訳というような規範主義は，視聴覚翻訳に関する著作では全く珍しくない．そのような例として挙げられるのは，イバルソンとキャロル（Jan Ivarsson and Mary Carroll）著の“Code of Good Subtitling Practice”で，European Association for Studies in Screen Translation（ESIST）に採用されている．その「決まりごと」には以下のようなものがある．

> すべてのイディオムや文化的ニュアンスを十分に考慮し，翻訳の質を高くしなければならない［…］．
> 単純明快な意味単位を用いなければならない．
> 対話を圧縮する必要がある場合でも，その結果は一貫性があるものでなければならない［…］．
> 言語レジスターは適切で話し言葉に対応していなければならない．
> 字幕は読み書きのモデルとなるので，字幕の言語は（文法的に）「正確」でなければならない［…］．
> 映画の対話と字幕の内容とは密接な相関関係がなければならない．起点言語と目標言語は可能な限り同調すべきである．
>
> （Ivarsson and Carroll 1998: 157-9）

このような「決まり」は，字幕のありかたを文書にして課そうとしている．実践的観点からは有益かもしれないが（ESISTの目的も，主として職業的基準を確立することにある），同時に，これらの規定は言語の性質を過度に単純化する危険がある．例えば，「正確」な言語を要求するが，この用語自体がイデオロギー的意味合いに満ちており，それでありながら同時に，言語は「話された言葉に対応」すべきだとしている．しかし周知の通り，発話された語を識別して文字に起こすことは悪名高いと言って良いくらい困難である．

11.2.4　規範，書き起こし，コード，そしてナラティブ

字幕の技術的かつ言語学的側面については多く執筆されているが，字幕を広範な分析モデルと統合することに関しては，これまで余り注目されてこなかった．そのような方向に進まなければ，視聴覚翻訳研究は，それ自体の理論的部門を包摂するような進展がないまま，規定的で実践ベースの事象研究に留まる

ことになりかねない．本節では視聴覚翻訳研究に用いられた理論的枠組で，カラミトログロウ（Fotios Karamitroglou）（規範），テイラー（Christopher Taylor）（テクスト書き起こし（transcription）），ショーム（Frederic Chaume）（コード（codes））により実践された例を見る．

Fotios Karamitroglou（2000）は，多元システム理論（polysystem theory）と規範（norms）の概念を用いて，ギリシャでは吹き替えと字幕のどちらが好まれるのかを考察した．Karamitroglou は制作過程に関与する人的要素（human agents）と「視聴者の触媒的役割」をも検討する必要性を強調し，また映画の種類とジャンルの違いを明確にすることの重要性も説いている（p. 105）．考察された要素の一覧は，次の通りである．

*人的要素
*訳出物（目標テクスト）
*受け手（対象者と顧客）
*方式（視聴覚翻訳の特性）
*社会制度（批評家，配給者，TV チャンネルなど映画の準備と制作に加わる）
*市場（映画館，映画同好会等，目標テクストの上映を決める）

人的要素に含まれるのは次の通りである．点検担当，タイムコーダー（時間記録係），脚色家，吹き替えディレクター，声優，音声技師，ビデオ専門家，校正後編集者，翻訳エージェント，映画配給業者，そして最後に翻訳者自身である（p. 71）．Karamitroglou は業界の専門家にアンケートを実施したが，結果はやや限定的で，いかにも当時（1990 年半ば）の研究らしいと言えそうである．研究結果の第一は，「視聴覚翻訳研究は，翻訳研究の枠組で行うことができる」（p. 250）というもので，視聴覚翻訳が信頼と認知を獲得しようと闘っていた当時は重要であった．だからこそ，正式な理論的枠組を使いこなすことを強調したのであろう．それでなければ，この研究での二番目の結果を得るために，理論基盤を本当にこれほど精緻化する必要があるのだろうか，と疑問に思ってしまう．二番目の結果というのは，ギリシャではテレビ番組の大半は吹き替えが行われ，映画は，読解能力に限度がある子ども向け以外は，ほぼすべて字幕がつけられるというものであった（pp. 253-5）.

Karamitroglouのマクロ・コンテクスト的研究とは対照的に，Christopher Taylor（2003）は多モードのテクスト書き起こし（multimodal transcription）に関するミクロ・コンテクスト的な問題に取り組んだ．つまり，多モードの映画のテクストを紙面上でどのように記録し分析するのかという問いである．テイラーは，Paul J. Thibault（2000）のモデルを用いて，映画とテレビの広告を分析した．映画の一続きの場面をフレーム／カット／フェーズに分割し，次のような多層的で複数欄の記述を行っている．

(1)フレームの長さと提示の順序
(2)映像フレームの提示
(3)視覚映像の構成要素（カメラ位置，視点，焦点，距離，主要項目，衣装，配色など）
(4)配役の「動作学的行動」（ジェスチャー，動きなど）
(5)対話と音声トラックの記述
(6)映画がどのように意味を創造するかというメタ機能的解釈（Talyor 2003: 192-3）

六番目の要素はハリデー言語学（観念構成的・対人的・テクスト形成的意味，詳細は第6章参照）と，視覚テクストの様々な記号的モダリティを統合するGunther Kress and Theo van Leeuwen（1996/2006）の視覚設計の文法を援用している．このテクスト書き起こしの形式を使って，テイラーは，ベニーニ（Roberto Remigio Benigni）監督“La vita è bella”（『ライフ・イズ・ビューティフル』）の1シーンなどの分析を行った．テイラーは，字幕者が字幕をつける最適な場所を「見極め」たり，どの言語要素を省略するかを決定する際に研究結果が役に立つと主張するが，字幕翻訳の記述的研究の立場からは，長い箇所は扱いにくいとはいえ，テクスト書き起こしの形式が恐らく最も役立つといえるだろう．これについても又，「対人的構成要素（interpersonal component）は極めて重要で，その多くが音声韻律（voice prosodies）と動作学的行動によって伝えられ，これは多モードの書き起こしで，すべてが詳細に記述される」（Taylor 2003: 197）という結果は，非言語的材料の役割についての興味深い例証であるが，同時に，疑問も生まれる．

多モードの時代にあって，著作権が許可されれば，このような研究でこのような分析を視覚的に提示するのはどのみち標準になるか，少なくとも視覚的資料と書記情報が併用されるのではないだろうか．それゆえディアス・シンタスとリミールは，抜粋を DVD にして著書に付け加え，考察の補足とすることにしたのである．

Frederic Chaume（2004）は翻訳研究と映画研究の連携を提案し，「映画言語の意味作用コード」の分析を行う為の「規則」と規範を「統合」した分析モデル構築を試みた（Chaume 2004: 13, 16）．Chaume は 10 のコードを提案している（pp. 17-22）．最初の四点は，聴覚チャンネルに関するものである．

(1) 言語コード：ここで，Chaume（p. 17）の重要な指摘は，言葉遊び，多言語の共存，文化固有の要素の問題というのは，「他の翻訳タイプ（例：司法，科学，技術等）にも共通にみられ，視聴覚翻訳特有の問題として考えるべきでない」とした点である．Chaume にとって，視聴覚テクストにみられる言語コードの特徴は，それが台本化されている場合がほとんどでありながら，「話すために書かれているにもかかわらず，あたかも書かれていないように話される」ことである．これは翻訳者に，似たようなレジスターに一致させるよう，厳しい要求を課す．
(2) パラ言語コード：吹き替え用の台本には，笑いやポーズなどを示す記号が加えられており，字幕では図式サイン（大文字，感嘆符，保留マークなど）により，声の大きさ，トーン，ポーズが示される．
(3) 音楽と特殊効果のコード：曲の歌詞の表現と編曲，及びその機能．
(4) 効果音配置のコード：スクリーンに話者が映っているか否かによって 違いがある．字幕では，表記のバリエーションが必要になり（話者が不在のスクリーンでは，登場人物の台詞がイタリック体で記されるなど），また吹き替えでは，翻訳手順と音質の両方が影響を受ける（スクリーンに映っている話者の言葉は唇の動きと同調する必要がある）．

以下の六種のコードは視覚チャネルに関係する．

(5)図像コード：視聴者が気づきにくい図像シンボル（例：起点言語文化において著名な人物の写真や肖像画）は，テクストを理解する上で重要な場合，言葉で説明する必要があるかもしれない．ただし，映像との整合性は保たれなければならない．同様に，スクリーンに映る物に言及しての言葉遊びは，特異な問題を引き起こす．「この意味では，視聴覚翻訳は他の翻訳とは違うと言える．他の翻訳では話されたテクストと結びついた映像が存在しないので，例えば既存の文章もしくは言葉の遊びや冗談などを，目標テクストの記号構造内で一貫性に誤りを生じることなく，自由に翻訳する余地がある」（p. 19）．

(6)写真コード：ここで問題となる例は，字幕の色を変えることを余儀なくされる照明の変化や，文化特有の映像や色の使い方が目標テクストの視聴者に混乱や誤解を招く場合が挙げられる．例えば，英国では11月初めに赤色のポピーが着用されるが，これは11月11日の日曜を戦死者の追悼記念とするからである．他方，余り多くはないが，反戦の立場をアピールして白色の「平和」ポピーを着用することもある．

(7)計画コード：クローズアップでの吹き替えが唇の動きと同調する必要性や，また特別な語彙要素の翻訳（ポスターなど）に関連する．

(8)動作コード：吹き替えの場面における登場人物の位置や，動きと言葉を調和させる必要性に関わる（例：ほとんどの文化で，首を振ることと否定的表現）．

(9)グラフィック・コード：インタータイトル（訳注5），タイトル，テクストと字幕が起点テクストのスクリーンに映る場合の表示形態．吹き替えをする場合に特に問題となる．

(10)構成コード：編集の原理に関する．例えば，言語的テクスト要素と他の記号的形式との関係及び場面の始まりと終わりとの関係を確認する．

ショームのコードは，非言語的部分，特に視覚的要素に着目させる上で有益である．結局のところ10あるコードのうち言語的なものは一つだけであり，

（訳注5）場面と場面の間に表示される字幕．

大半の翻訳研究の規範から大きく離れている．主眼は応用，つまり教育的応用モデルと字幕訓練生への技術指導である．しかし，ショームの論文では，恐らく紙幅の制限によるのだろうが，これらのコードがスクリーン上で実際にどのように具現されるのかについては殆ど述べられていない．言語コードに関して言えば，視聴覚翻訳では，そのような問題は比較的，数が限定されているという一般的な合意があるようなので（短縮，省略，レジスターの種類，ユーモア，句読点など，Gambier 2003: 153 参照），今後，記述的研究が進展するとすれば，他のコードについての探求や，だいぶ前から翻訳研究の「主流」でよく見られるようになっている権力，文化，イデオロギー面をマクロ・レベルで統合しようというディアス・シンタス（Díaz Cintas 2003: 32）の呼びかけに応えることから始まる，と言っても過言ではないであろう．

11.2.5 「弱い立場の翻訳」としての字幕

本書を執筆している段階で最新の文献でさえも，（字幕の）研究対象が翻訳であると正当化することを余儀なくされ―「これらの実践の性質に関しては，今や闘いに勝利した［…］と我々は考える」（Díaz Cintas and Remael 2007: 11）―そして字幕を「より広範な翻訳学分野で最も盛んな分野のひとつ」（p. 1）と位置づける必要を感じている．視聴覚翻訳研究と他形態の翻訳研究との相互関係については今後ますます再検討されねばならない．

Gottlieb（1994）は，字幕の可視性が字幕翻訳に内在することから，字幕翻訳をハウス（Juliane House）による「顕在化翻訳（overt translation）」（第6章参照）の一形態と呼ぶ．さらに，この媒体では物理的な位置が主要であるとする．その理由は，目標テクストが「オリジナルの修正」であり，オリジナルには「非言語的要素がそのまま残されるから」（Gottlieb 1997: 309）である．事実，当然のことながら起点テクストの言語的要素も維持されるので，字幕は「瞬間的かつ多重記号的テクスト・タイプを，書記言語で同期的に追加する種類の翻訳」（p. 312）となる．この物理的条件は，字幕翻訳者にとって矛盾する状況を引き起こす．字幕はすべての人に見えるという一方で，翻訳者名が明記されることはなく，(訳注6)「強制的に見えない」状態に留まることが多い（Díaz Cintas and Remael 2007: 40）．起点テクストの音声トラックと目標テクストの字幕の共在は，別の緊張関係を生み，これは「弱い立場の翻訳（vulnerable translation）」という概念で表現される．「字幕は，時間やスペースの制約を尊重しなければならないだけでなく，オリジナル言語を多少なりとも知る視聴者の厳しい吟味にも耐えなければならない」（p.57）．換言すれば，起点テクストをいくらかでも理解する視聴者は，字幕翻訳がこうなるという期待を持つが，予想が裏切られた時（例：省略，短縮，誤りがある場合），字幕の質に疑問を抱くかもしれない．この脆弱性は他の翻訳分野では滅多にないので，字幕翻訳者にとっては一層のプレッシャーを意味する．

11. 2. 6　ファンサブとビデオゲーム：創造の場

急速な技術革新は，視聴覚翻訳の実践に大きな波及効果をもたらすとともに，翻訳研究に新たな挑戦をもたらした．翻訳の新しい形態が生み出されており，そのうちの二つが，ファンサブ（fansubs ファンによる字幕）とビデオゲームである．ファンサブ（Díaz Cintas and Muñoz Sánchez 2006）は，アマチュアによる字幕作成及び映画とテレビ・シリーズをオンライン配信する（法的にはかなり疑わしい）実践である．最初は，主として日本のマンガとアニメの翻訳に始まり，字幕翻訳ソフトウェアの低価格化と普及により大きく広がった．Díaz Cintas（近刊）は，ファンサブでは注釈やメタ言語情報を字幕に加えるという変わった特色があること，この分野の研究がこれまで殆どないことを指摘する．アマチュアによる翻訳実践は字幕作成のみに限定されない．『ハリー・ポッター』シリーズは無許可で数カ国語に翻訳され，ドイツ語ではファンが力を合わせ，第5巻を48時間以内に翻訳し，フランス語ではアマチュア翻訳者が著作権違反で逮捕された[(1)]．

ビデオゲーム翻訳（video game translation）は，視聴覚翻訳とソフトウェア・ロ

（訳注6）日本では字幕翻訳者の氏名が映画の冒頭に紹介されるが，海外では全く紹介されない場合が多いようである．

（1）Krysia Driver, ‘Germans in a hurry for Harry’, “The Guardian Unlimited” 1 August 2005, http://books.guardian.co.uk/harrypotter/story/0,,2144206,00.html, and Kim Willsher, ‘Harry Potter and the boy wizard translator’, “The Guardian Unlimited” 8 August 2007, http://books.guardian.co.uk/harrypotter/story/0,,2144206,00.html

ーカリゼーションの融合である．ビデオゲームでは，字幕もしくは吹き替え，または両方を用いる場合があるため，Carmen Mangiron and Minako O'Hagan（2006: 11）は，実際にこの種の活動を「ゲーム・ローカリゼーション」と呼ぶ．特徴として重要なのは，「創造性と独創性」が翻訳者に求められる点である．ゲームの娯楽性を確保する為に，「ソフトウェアのローカリゼーションでは，機能性が最優先されているが，ゲームの場合，この機能性は高度な創造性と独創性と共に達成されなければならない」（P. 13）．ここでいう創造性には，新造語を使ってアイテムやキャラクターの改名を行うことや，意図的に非標準的な言葉を選ぶことなどが含まれる．Mangiron and O'Hagan によれば，『ファイナルファンタジー』というゲームの米国版に登場する「風林火山（wind, forest, fire, mountain）」という武器が，スペース上の制約とこのジャンルの慣習に従い，より簡明な「Conqueror（征服者）」と翻訳されている（p. 17）．またユーモアの効果をねらい（ステレオタイプであると言えるが），商人「オオアカ屋」のしゃべりには，実際は標準の日本語を話しているにもかかわらず，ロンドンのコックニー訛り(訳注7)があてられた．

Bernal Merino（2006: 32-3）は，「創作翻訳（transcreation）」という用語について考察を行った．この言葉は，「既存の翻訳会社から距離を置こうとする新たな企業群が用いた」．当初はインドの翻訳者であり研究者の P. Lal（1964）がサンスクリット語の演劇を受容化（domesticating）英訳にするのに使い（Lakshm Holmstrom 2006 参照），その後ブラジルの作家アロウド・ヂ・カンポス（Haroldo de Compos）とブラジルのポストコロニアル理論家 Else Vieira（1999，本書第 10 章参照）によって用いられた．Bernal Merino 及び Mangiron and O'Hagan の論文の中で，創作翻訳は「受容化」「ローカリゼーション」「スコポス」などの用語と関連づけられている．実際に Mangiron and O'Hagan（2006: 20）は用語を混合することさえして，「ゲーム・ローカリゼーションのスコポスは，オリジナルの「ルック・アンド・フィール(訳注8)（look and feel 見た目と感覚）」を維持して目標言語の

（訳注 7）a Cockney accent：コックニーなまり（ロングマン『英和辞典』）．Cockney は（生粋の）ロンドン子（特に East End の労働者階級をさす）（大修館『ジーニアス英和大辞典』）．その人たちの話すロンドンなまりを「コクニー」「コックニー」と呼ぶ．
（訳注 8）コンピューターやゲームなどの画面上の見た目や操作性．

バージョンを作りながらも，あたかもオリジナルであるかのように装うことである」と述べる．ここで「創作翻訳」は，翻訳過程における創造的かつ変容的な性質を強調するために用いられているが，「ルック・アンド・フィール」という記述は，ローカリゼーションで使われる語をそのまま使っている．

11.3　ローカリゼーションとグローバリゼーション

コンピューター時代にあって翻訳は大きなビジネスとなり，業界（特にソフトウェア業界）ではGILTという略語に包括されることが多い．GILTは，グローバリゼーション（Globalization），インターナショナリゼーション（Internationalization 国際化），ローカリゼーション（Localization），翻訳（Translation）の頭文字である．ローカリゼーションと翻訳の違いは曖昧であるが，業界では一般的にローカリゼーションは，翻訳を含む上位語として考えられている[2]．したがって，LISA（Localization Industry Standard Association）による定義は以下の通りである．

> ローカリゼーションとは，ある製品を，それが販売され使用される目標となる場（locale 国／地域及び言語）に持ち込み，言語的かつ文化的に適切なものにすること[3]．

この場合，皮肉にも，新概念である「ローカリゼーション」と「ロケール（locale）」という用語を理論に提供しているのは，翻訳の実践である．

このような新たな環境下で，新技術の機械的な日々の運用を解説する書籍の数は増え続けているが（例：Bert Esselink 2000, Fank Austermühl 2001），同時に，このような変化が翻訳者や翻訳の概念化にどのような意味を持つものか論じる革新的な理論研究も生まれている．ピム（Anthony Pym）の“The Moving Text: Localization, Translation and Distribution（2004a）”は，その一部を前著“Translation and Text Transfer”（1992）から書き改めたものだが，翻訳の理論的考察に多大

(2) この頭字語は，GILと短縮されることもある．翻訳はローカリゼーションの一部と考えるからである．
(3) www.lisa.org

な貢献をした．この中では，翻訳に共通の問題が，新たなコンテクストで再考されている．例えば翻訳理論の視点を国際化に応用し，それにより従来のコミュニケーション・モデルを修正している．したがって，複数の目標言語版を制作するということは（例：現地語でローカライズして世界に出荷されるソフトウェア），起点テクストから目標テクストに転移という「単純な」モデルを修正する．国際化した中間言語（interlingua）バージョン（この用語は機械翻訳から採用）が，目標言語ロケールのバージョンを制作する基盤として使用される．ゆえに，この中間言語バージョンが頻繁に更新される基となるので，元々あった起点言語のステイタスや役割は消滅する（Pym 2004a: 34-5，José Lambert 1989 より）．国際化では，等価は起点言語に対してして目標テクストを測るというより，何よりも目標テクストの機能性を重視する．ピムはこの新しい業種における現象の特徴を，環境の複合性と規模であるとしている．

> おそらく，これらの違いで最も明らかなのは，その規模である．国際化，まさにローカリゼーションという言説全体が，従来，狭い専門的ロケールのみを扱っている．それに対して翻訳的等価は，伝統的に広域で複雑な社会全体に関わり，文化の複合性と重複を扱わざるをえなかった．
>
> （Pym 2004a: 65）

ピムが描くローカリゼーション像は，人間文化よりむしろ市場のあるロケールを中心とした非人間化プロセス（dehumanizing process）にある．そこでは，プロジェクトがチーム単位で遂行され，各個人は全体像に目を向けることはなく，納期や規則，そして市場に支配される（p. 198）．

ヨーロッパでは，ローカリゼーション産業の中心は長年，アイルランドであった．従って，主要な理論的論評が，クローニン（Michael Cronin）の“Translation and Globalization”（2003）に代表される形で，この国から登場したのは驚くにあたらないかもしれない．情報技術によりますます支配され変革される世界にあって，クローニンは「（翻訳）情報交換ネットワーク」の近接（proximity）という概念について考察する．電子メールが容易に使えることになり，翻訳会社は，西洋ではなく，遠方にいても賃金の安い経済地域にいる翻訳者に委託することを選ぶかもしれないが，リソースへのアクセスに差があることは，どの国に居ようと，どんなに近くに居ようと，コンピューターにアクセスできない翻訳者は，翻訳活動から永遠に排除されるということも意味する（p. 47）．グローバリゼーション（globalization）の技術は，ここにきて，翻訳者の役割，関係，地位を再定義するに至った．情報スーパー・ハイウェイに繋がっていないということは，従って，グローバル経済では翻訳者として存在していないのとほぼ同じになる．

本書の最終章では，マイノリティー言語の問題を再度取り上げる（第8章参照）．クローニンは脆弱な「言語生態系」が主要な国際語によって脅かされていると論じながら，しかし，この状況における翻訳には，肯定的な価値と否定的な価値があると見る．クローニンの考えでは，翻訳理論はマイノリティー言語にとって「必要不可欠」であり，それにより翻訳政策を理解し，自らの利益の為に状況に対抗したり操作したりできるようになる（p. 149）．クローニンは「翻訳エコロジー（translation ecology）」を提唱する．「マイノリティー言語の話者と翻訳者に，何を，いつ，そして［…］どのようにテクストが自らの言語に，又はその言語から，翻訳されるかの支配権を与える」（p. 167）翻訳の実践である．これは，翻訳者の「活動家的側面（activist dimension）」を前提としており，「比較により自己を理解し未来への発展を期す為に，翻訳がいかに重要かを社会と文化に認識させる，同様に緊急な課題」と関係する（p. 134）．これが喫緊の課題なのは，翻訳は現在，過小評価されており，すなわち金銭的な意味では翻訳者は十分な支払いを得ておらず，また文化的かつ政治的な意味では，翻訳者も多国籍の政策立案者も，翻訳の歴史的コンテクストとその重要性に無知であることによる．おそらく，この理想主義的な課題は，翻訳者の役割を広げ活動的な発信者として期待するものであり，単なるレトリックとも言いきれない，払拭出来ない疑問に答えるものかもしれない．クローニンの書から飛び込んで来る問いは次の通りである．「翻訳者は，ローカルという枠の誘惑に抵抗する根っからの流浪の民として，そもそもグローバル化の取り組みに共感を示さないということがあろうか」（p. 54）

事例研究と考察

ここでは特定テクストの分析に基づいた事例研究の代わりに，コーパスベース翻訳研究と視聴覚翻訳の例を用い，原資料を参照しながら，翻訳研究の理論と応用に何がもたらされるのかを概観する．

著者（マンデイ）自身のコーパスベース研究への興味は，有数の辞書出版社でバイリンガルの辞書編纂者として働いた経験に遡る．個々の語彙形式成分の検索，検出，整列，表示できるコンピューターの力は驚くべきものだった．これは明らかに，単言語コーパスに限定されたことではないが，このような分析形式の潜在能力はまだ十分に実現されていない．その理由は，技術自体が経験と専門性を要することによるのかもしれない．特に，新規コーパスを構築することは，多大な時間を要し，困難に満ちている（ソフトウェアやハードウェアへの投資，テクストの選択，最適なフォーマットにするための準備，テクストを修正して不要なタグの削除を確実にする，研究目的に合わせて品詞やその他の素性にタグ付けを行う，統計結果の解釈など）．これが理由で，翻訳書や原著者についての大規模プロジェクトや徹底したコンピューター支援による研究の数はまだ少ない．加えて，産出と伝達の社会文化的コンテクストと関係づけられないと，調査結果が疑問視されることもある．コーパスベースのアプローチは単語やテクストに限定された翻訳であり過ぎると考える向きもあり，むしろ対照分析パラダイムに適しているという考えもある．

著者の最近の取り組みとして（Munday 近刊），スペイン語と英語における意味的なプロソディ（semantic prosody）もしくは連想（association）の研究を行った．BNC と Spanish *Real Academia Corpus*（www.rae.es）の用例分析に基づき，‘loom’ と ‘cernerse’ の辞書的等価を考察した．結果の一つとして判明したのは，スペイン語で ‘cernerse’ の典型的な語彙的及び統語的コロケーションは ‘una amenaza que se cierne sobre...’（‘a threat which hovers/looms over...’）ということである．英語コーパスでこれに対応するのは，‘a gathering threat’ もしくは ‘a threat gathering over...’ であるが，コロケーションと統語構造が異なる．このような発見は，言語の対照的な構図を徐々に構築できる点で有益であり，後に辞書編集者や翻訳者も応用可能になる．しかし現時点でこの種の研究は，翻訳研究の主流とはいえない．

視聴覚翻訳の中でも特に字幕翻訳は，11.2節で紹介したように，関心が非常に高く，分野内で多少なりとも別個の部門となっているほどである．しかし，独自の理論モデルが一般的に欠如しているのは意外である．これまでの研究の志向は，とりわけ規定的であり，字幕をどこに，どのようにつけるべきか，上手な字幕作成のための方略は何であるかを説明し判断することであった．最近では記述研究が多くなってきており，著者の経験からも，それが翻訳理論の学生の間では一層顕著である．映画メディアの人気とDVDで多数の起点テクストと目標テクストの組み合わせが簡単に入手可能なのが理由であろう．方言やユーモアの翻訳などの分野も盛んである．

しかしながら，研究の多くはいまだに，それが部分的なものでしかないのに拘わらず，スクリーン上に書かれた言葉と，研究者による話された台詞の書き起こしを比較することに限定されている．映画研究の技術とメタ言語をうまく取り込みつつ，視覚映像を理論的に満足いくように扱うことは最重要であると思われる（Chaume 2004参照）．やっかいな問題のひとつは，映像が目標テクストで修正されることはまずないので，書かれた言葉に焦点を置く方が簡単なことである．もうひとつは，殆どの翻訳理論研究者が十分な映画理論の知識基盤を持ち合わせていないことである．同じ状況は，時に「世界映画（world cinema）」として知られるものを扱うポストコロニアルやカルチュラル理論にも言える．高く評価されたベンガル映画，サタジット・レイ（Satyajit Ray）監督による“Aparajito”（『大河のうた』）（1956）を例にみてみよう．白黒フィルム3部作の2作目で，音楽はラヴィ・シャンカル（Ravi Shankar）による．映画は，ガンジス川ほとりに住む貧困家族の生活を追い，若い息子オプーに焦点を合わせている．1957年にベニスのゴールデンライオン賞を受賞．世界中の聴衆に影響を与え，また国際的に受け入れられたといえる．

この映画の映像的効果は特に印象的だが，冒頭シーンの字幕で際立って目立つ特徴は，台詞に使用されている借用語の数である．食べ物の多くは，英語では斜字体になっている―‘*mung dal, mung, marou, khichree, paan masala, pedha*’など．時には，文化特有の他の言葉と共に，同じ字幕に複数が登場する．

オプーは *khichree* をねだっている

先日 *ghat* で，少し食べてからずっと

khichree はヤエナリと米の料理で，*ghat* は川で水浴びをするために降りていく階段を意味している．時折，以下のように，明示化と借用とが混在して出てくる．

牛乳（起点テクスト［*dinche ladoo*］）で作ったお菓子
それと *pedha* も

これは，世界中の聴衆の大半は恐らく気づかないままであろう．しかし研究として大いに興味深いのは，このような借用語が目標テクストでの受容にどのような影響があるかという点，映像イメージと視覚との相互作用（映像からどれだけの意味を得られるか）という点，そしてこのような選択を通して見える字幕翻訳者，視聴者，被写体の位置（ポジショニング）である．特にこの映画では，文化固有のイメージや習慣が多くあり，大半はヒンズーのディーワーリー祭りにまつわるものだが，これらが明示化されず，映像のみで伝えられる．このような類の問題は深く探究すべきであり，映画，ポストコロニアル研究，翻訳学の理論家の知見を融合する必要がある．学際的な共同研究が求められる具体例として，これ以上のものはないだろう．

まとめ

この章では新技術を使用する，もしくは新技術によって決定される，新しい翻訳研究のシナリオを三種類，検討した．コーパスベース・アプローチ（11.1節），視聴覚翻訳（11.2節），ローカリゼーションとグローバリゼーション（11.3節）である．いずれも，翻訳理論と実践を新たに再評価する刺激的なきっかけとなっている．つまり，コーパス言語学は，一部の研究者にはまだ過小評価されているかもしれないが，翻訳言語のより精緻な分析と主要な特徴の発見を可能にする．視聴覚翻訳は，多くの記述的研究及び創造的実践の場である．そしてローカリゼーションとグローバリゼーションこそは，翻訳者にとって大きな挑戦となり，テクノロジー，翻訳者のアイデンティティ，さらにポストモダン

世界の接点として最も顕著である．しかしこれらは又，研究者の高度に特殊な専門性と指導，そして恐らくは学際的な協力が求められる場でもある．

参考文献案内

視聴覚翻訳には，Gambier（2003, 2004），Anderman and Díaz Cintas（2008）．を参照．非言語コミュニケーション（映画，吹き替えを含む）については，Poyatos（1997）．マルチメディア翻訳は Gerzymisch-Arbogast（近刊）を参照．コーパス言語学としては，オンライン：Federico Zanettin（http://www.federicozanettin.net/sslmit/cl.htm）及び Leeds corpora（http://corpus1.leeds.ac.uk/list.html），Laviosa（2002），McEnery et al.（2006），Anderman and Rogers（2007）．ローカリゼーションについては，Esselink（2000）を参照．

討論と研究のために

1. 自分の言語にどのようなオンライン・コーパス資料があるか調べよう．そのコーパスが構築された際に，どのような目的があったのだろうか（例：言語の標準化，言語パターンの共時的分析もしくは通時的分析，翻訳の普遍的特性の分析など）？　このコーパス資料を使って，どのような翻訳研究調査ができるだろうか？
2. 皆さんの国で，どのような視聴覚翻訳の形式が使用されているだろうか？　最も一般的なのはどれだろうか？　それは，本章で紹介したものと比較してどうだろうか？
3. 映画もしくはテレビ番組の短い 1 シーン（最大数分）を選び，テイラーのモデルを使ってそのシーンを書き起してみよう．書き起こしの作業で，どのような疑問が出るだろうか？　テクスト表現と分析にあたって，テイラーのモデルはどの程度有効だろうか？　ショームのモデルを使って，比較してみよう．皆さんの意見では，どちらのモデルの方が役に立つだろうか？
4. 可能な箇所のみで良いので，映画の DVD で字幕と吹き替えを比較してみよう．それぞれの翻訳手順をリスト化して，範疇化してみよう．二つの翻訳方式はどのように違うだろうか？
5. 地域方言もしくは社会方言を含む視聴覚翻訳の例を探してみよう．翻訳される手法にパターンはあるだろうか？　翻訳プロセスに関わる規範について何か分かるだろうか？　小説や劇など他ジャンルでの台詞の翻訳と比較してみよう．

6. 「翻訳の視点から最も難しい状況が起こるのは，言語的記号，語句が，比喩的に，起点文化と目標文化が共有しない図像記号やイメージに言及する場合である」（Díaz Cintas and Remael 2007: 46）．視聴覚翻訳でこれにあたる例を見つけよう．字幕翻訳者や吹き替え者は，どのように対処していただろうか？　また広告の観点から，この問題を分析してみよう（Adab and Valdés 2004 参照）．
7. 字幕翻訳者は実際にどの程度「脆弱（vulnerable）」なのだろうか？　他にどのような脆弱な翻訳のコンテクストが考えられるだろうか？　これは Pym（2008）の，翻訳をリスク回避と特徴づける見方にどの程度当てはまるだろうか？
8. Gambier（2003: 183）は，「研究者は，映画翻訳のコンテクストにおいて「テクスト」，「オリジナル」，「意味」，「規範」，「等価」，「操作」，「受容性」などの概念に疑問を持たなければならない」とし，多元システム理論，カルチュラル・スタディーズ，翻訳の機能モデル，心理言語学研究，そしてさらなる受容研究などの概念的枠組みを取り入れた研究をより進めることを提唱する．このような研究の可能性を考えてみよう．これらの方法で視聴覚翻訳を研究するとしたら，どのように進めるだろうか？　その結果は他の翻訳と大きく違うだろうか？　このような研究に，他にどのような方法を取り入れられるだろうか？
9. 皆さんの国のローカリゼーション産業について調べてみよう．この分野に従事するのは何人くらいで，仕事のやり方はどのようなものなのだろう？「ローカリゼーション」と「翻訳」の違いは何であると考えられているのだろうか？　得られた調査結果によると，クローニンの修辞的な質問に同意できるだろうか──「翻訳者は，ローカルという枠の誘惑に抵抗するどうしようもない流浪の民として，グローバル化の取り組みに共感を示さないということがあるだろうか？」（Cronin 2003: 54）．
10. 翻訳メモリやその他のコンピューター支援ツールは翻訳者の作業をどのように変えているだろうか？　等価や機能に関する理論は，この新しい翻訳のシナリオにどのように適合する必要があるだろうか？

第12章　結論のことば

本書の各章では，翻訳学の多様性と，とりわけこの半世紀にヨーロッパを中心に，どのように翻訳学が進展したかを明らかにしようと試みた．本書自体が，この分野を概念的に時系列的に旅するようなものである．この旅は，ここ数年来の研究の飛躍的な増大により，どんどん長くなる旅である．結論として，私は7年前の初版で述べた結論を再考したいと思う．当時の文章をあらためて読み直してみると，二つの主要な点が浮かび上がる．一つは，いつかの時点で翻訳分野が完全に分裂するだろうか，という疑問．これは，異なった流れによる分離かもしれないし，従来からの分野的断絶（言語，カルチュラル・スタディーズ，ポストコロニアリズム，言語学など）の強まりかもしれない．もう一つは，新しいテクノロジーが果たす役割と，それ（特にコーパス言語学）がどのように新たな研究手法を開拓するツールを提供するのか，という点である．これらの2点は，現在ではさらに重要になっているであろう．

翻訳学が分裂化する可能性は，言語学と文化理論とでも呼べるものの間にある絶えざる緊張に起因する．前者は1950年代60年代に支配的であり，1980年代後半からは研究者がカルチュラル・スタディーズの種々の形態を採用し移動することで，言語理論が周辺化された．関心は，単語の等価からテクストへ移り，さらに翻訳環境にある，あるいはそれを取り巻く権力関係を認識することへ移った．翻訳学の新たな「視点」が余りに普及したため（例えばジェンダー研究，ポストコロニアル研究，社会学，歴史学，グローバリゼーションに関する言説，談話分析の種々の形態，コーパス言語学等々），この議論はまだ争点となっており，何が共通項なのかは議論の最中である．“Target”に掲載されたチェスタマンとアロージョによる‘Shared ground’論文（Chesterman and Arrojo 2000）への反応を見ても，それは証明される．論文では，30本の博士論文を3種類に分類している．（1）翻訳の定義と範囲（翻訳とは何か），（2）ジャンルとしての翻訳テクストの特徴，（3）翻訳の効果（影響を調べるために翻訳の歴史を研究する必要性）．Chesterman（2005）では続いて，翻訳学の将来に関する懸念から，「融合（consilience）」へと動くことを提言している．この用語は，知識の統合を意味する古代ギリシャ語の概念に起源がある．チェスタマン（Andrew Chesterman）によれば，翻訳学は他分野から概念や方法論を取り入れてきたが，それは「表面的なレベル」であり，「誤解」に繋がる可能性がある．なぜなら，翻訳志向の研究者は往々にして，他分野での専門性に欠け，既に古くなった概念を借用するかもしれない（p.19）からである．これは重要な批判である．チェスタマンが提案する解決策は，他分野の研究者と協同しての研究であり，これはすぐにも始めなければならないことである．

チェスタマン論文は言語学とカルチュラル・スタディーズの隔たりを疑問視していることでも有効である．チェスタマンは代わりに，四つの「補完的（重複もするが）アプローチ」を提案する―テクスト的，認知的，社会学的，そして文化的（p.20）．恐らくこれは，主要な研究課題のいくつか（例：「翻訳」や「等価」の定義，翻訳の普遍的特性の記述，質の判断の大義名分と根拠に関する説明）について「かなり広範に合意されている」（p.24）と楽観的に感じているものの，理念的な問題についてはそうでないからであろう．この文脈で，融合が関係してくる，とチェスタマンは見る（p.25）．なぜなら，「近代の翻訳学は［…］，テクスト，社会と文化との関係を，より深く理解することを求めて境界を切り拓く新しい試みである，と自らを規定している」．したがって，今では他分野において翻訳学と進んで接点を求める場合があるのは興味深い．それらの研究は時として翻訳専門家からは気付かれないままに過ぎるが，それというのも，翻訳研究の主たる場ではない分野や出版社で登場するからである．そのような例のひとつとして，Nicole Guenther Discenza の“The King's English”（2005）がある．これは，9世紀末英国で，ボエティウス（Boethius）の“De consolatione philosophiae”（『哲学の慰め』）をラテン語から古英語に訳したアルフレッド王（King Alfred）が採用した翻訳方略を綿密に分析したものである．翻訳を通して国民を教育しようとしたアルフレッド王が目的を実現するにあたって採用した翻訳方略は，目標テクストを分かりやすくする為に，語彙と構文を受容化すること（domestication）であった（p.24）．ラテン語と英語では，権威と使用可能な語彙に差があったが，アルフレッド王は借用（borrowing）と語義借用（なぞり calques）を比較的少なくし（pp.15-16），目標テクスト読者が理解しやすく，受け入れられるような言葉を使うことを目指した．単語の‘craeft’を巡る議論（pp.87-122）は，見本となる分析例である．起点テクストと目標テクストを注意深く見ることと併せ，当時の他のテクストの電子コーパスを参照することで，アルフレッド王のアングロ・サクソン用語の使用における頻度と創造性を判定しており，その中にはラテン語の‘virtus’の訳語もある．この書は，アングロ・サクソン研究という専門領域から書かれているが，社会学，ブルデュー，翻訳学などの枠組みからのアプローチをあえて使って研究テーマに取り組んでいる（p.1）．結論で Discenza は，このような学際的アプローチの利点と考えられることを次のようにまとめている．

> 翻訳学の助けを借りることにより，翻訳の種々の目的や構成要素を認識するようになり，ひとつだけを重視したり他を軽視することなく，テクストへの忠実性という近代の考えから解き放たれ，特定の時代，動き，翻訳者における方略を再現することが可能になる．象徴資本や文化資本という考え，それが社会や言語に占める重要性は貴重な枠組みを与えてくれ，その中で，あるテクストがなぜ，誰のために，そしてどのように翻訳されたかを考えることができるようになる．
>
> （Discenza 2005:128-9）

ということで，Discenza の関心は翻訳の歴史学にあり，翻訳学から何かを得ようとする．これは歓迎すべき展開である（決してよくあることではない）．翻訳学がツールやメタ言語，概念や方法論を提供するわけで，無論，可能なモデルが多数あるということは選択を伴い，それによって得られる結果は左右される．しかし実際には，Discenza が知っている翻訳学での最近の研究というのは，主としてトゥーリーの記述的翻訳研究に限定されている．ただ，ブルデューの考えの使用，コーパスを使っての評価は最近の翻訳学の展開と軌を一にしており（第 9 章・第 11 章参照），共通の学際的基盤がここにあることを暗示している．

先に説明したチェスタマンの4分類は本書の構成と響きあうものがあるが，一つ強調したいのは，研究の主要な問題や課題は決して固定されたものではない点である．新しい「下位分野」もしくは独自の分野，例えば通訳学などが出現しており，将来的には視聴覚翻訳やローカリゼーション翻訳がそうなるかもしれない．しかし，これらの分野も翻訳者養成プログラム内で共存することで，ある程度は結びついているようであるし，言語内翻訳とでもいえる手話言語やオーディオ記述も同様である．等価のような問題も，新たな理論モデルや技術の発達（例：ローカリゼーション，視聴覚翻訳，コーパス・アプローチ）が新しい翻訳状況を創出していることで常に再考されている．このように刺激的な方法で，実践における変化は翻訳学の新たなビジョンを創り出す．翻訳の実践に携わる者が理論に対して辟易していることは続いているにしても．翻訳学の爆発的成長は，翻訳実践とは何であるかについての新たな理解と洞察をもたらした．ティモツコがいみじくも述べたように，我々が抱いている先入観は再考を迫られ続けるのであろう．

> 教師がもし頑なな教育で翻訳についての学習者の理解を制約し続けるなら，学生を害するだけになるのは明らかである．そうではなく，教師は，翻訳についての枠組みや前提が限定されたものであることを明確にするべきである．そうすることで初めて学生は将来に備えることができる．将来は，翻訳の定義がますます精緻になり，翻訳の規範や方略，翻訳テクノロジーなどは不可避的に変化を余儀なくされるからである．（Tymoczko　2000:1095）

翻訳学を未だに「萌芽的分野」と見る向きもあるし（例：Ricardi 2002），翻訳学の歴史は「流行を真似しているだけ」（House 2002:92）とする見方もある．しかしながら，世界中の翻訳研究の豊穣と，自身を翻訳学の中に位置づける研究者の数は，この分野の成長と人気の証である．流行や傾向はもちろん時間と共に変化するのであるが，今ぜひとも必要なのは，この分野にいる者が，新たなツールと方法論を専門化し理解し自在に使用することと，そして翻訳がいかになされるかについて，すべての面で一層の理解を深める為に協同することの両方を，継続することである．

監訳者あとがき

『翻訳学入門』は，ジェレミー・マンデイ（Jeremy Munday）著“Introducing Translation Studies”（2nd Edition, 2008, Routledge）の日本語訳である．2001年に初版が出ていたのを翻訳しようと計画していたところ改訂版が出版になり，時宜を得た訳書刊行となった．

本書は，2008年刊『通訳学入門』（みすず書房，原著 Franz Pöchhacker “Introducing Interpreting Studies”, 2004, Routledge）の姉妹編とも呼ぶべきものであり，立教大学大学院異文化コミュニケーション研究科の翻訳プロジェクトとして，教員と院生の協同作業で実現した．両企画とも，日本における通訳学・翻訳学の進展を願っての翻訳プロジェクトである．

訳出にあたっては，翻訳の常がそうであるように，数多くの困難に直面した．著者のマンデイ氏は本書で，「訳者による序文」には訳出上の方針や苦労や弁明が満載されているので，それを分析することも翻訳研究の対象になることを解説しているが，この「あとがき」においても，その通りにならざるをえない．訳出にあたっての方針や悩みの一端は以下の通りである．

まず，翻訳研究に関する専門書を翻訳するという，根源的な課題の重さがある．翻訳に間違いがあってはならないのは当然としても，翻訳に関する書だからこその重荷もあった．訳出には神経質にならざるをえず，ひとつひとつの単語，「てにをは」，句読点に至るまで拘泥せざるをえなかった．読者にとって読みやすく分かりやすい日本語をめざしながらも，原文に忠実であること，とりわけ内容が正確であることを期した．訳者の立ち位置を鮮烈に意識しながら，慎重に翻訳に取り組んだ．

その如実な例は翻訳関連用語である．例えば，「直訳」「意訳」などは日常的に使用される単純な言葉だと考えがちであるが，本書を読むと，その概念は時代や社会により微妙な違いが見られることが良く分かる．「翻訳方法」に関する用語は全章にわたり頻出するので，ある程度の統一が必要だと考えられ，議論の末，以下の訳語を選んだ．「直訳（literal translation）」「自由訳（free translation）」「逐語訳（word-for-word translation）」「意味対応訳（sense-for-sense translation）」「意味重視の訳（semantic translation）」「忠実性（fidelity）」「忠誠（loyal）」「正確性（accuracy）」「流暢さ（fluency）」「読みやすさ（ease）」等々．ただし，faithful のように，文脈によって「誠実」「忠実」など異なる訳語を使用した個所もあり，'free translation' についても「自由訳」よりは一般的な表現が適していると考えられる箇所は「意訳」とした．

困惑したのは，キリスト教用語の登場である．西欧での翻訳研究は聖書翻訳から始まったと言ってもよく，聖書の翻訳方針を巡っては一千年にわたって論議が続くなど，西洋翻訳学の理解にキリスト教の知識は不可欠になるわけだが，現代の日本で暮らしている私たちにとって，翻訳に関する記述に「聖霊（the Holy Spirit）」が出てくることに違和感があることは否めない．しかしキリスト教で「聖霊」は三位一体の神の一つの位格である．立教大学大学院キリスト教学研究科の西原廉太教授によれば，「三位一体の他の二つの位格，父が存在論的で，子なる神すなわちイエス・キリストが人格的な意味合いであるのに対して，聖霊は神の力」であり，「原語はヘブライ語の『ルアッハ』，ギリシャ語の『プニューマ』，原意は，風や息，すなわち神の風，息」を意味する．聖書は神の言葉だと考えるからこそ，訳語の選択で異端とみなされた翻訳者が死刑になった中世の歴史を考えれば，「聖霊」が登場して不思議はないと言える．ただし，'spirit' については，ラテン語の spiritus に由来し，the Holy Spirit という意味と，文学上の創造的インスピレーションを指す場合と，二つの意味で使われると原著の記述にあることから，文脈により「心」を使った．原語で soul とある箇所には「魂」という訳語を使用し，spirit と訳し分けた．

その他にも，西欧思想が下敷きになっていることは覚悟のこととはいえ，明示されないままマルクス用語（例えば valorization）やポストコロニアル用語（例えば appropriation）などが使われていたりすることが多く，また，欧米の社会や歴史に関する知識（例えばアイルランドなど）も内容理解には必須であった．その都度，文献を調べての訳出は得がたい学びの機会にもなった．

文献調査を余儀なくされたのには，翻訳学自体の学際性に負うところが多い．哲学，思想，文学，言語学から機能言語学，テクスト言語学，語用論，談話分析，さらには言語心理学，社会学，カルチュラル・スタディーズ，ポストコロニアル理論，ジェンダー学等々，さまざまな学術分野の用語が登場し，その正確な意味や定訳の調査に相当なエネルギーをとられた．カタカナ語で定着しているものも多く（例えば統語法を意味する「シンタックス」，品詞分類を意味する「クラス」，ゲイ用語を意味する「キャンプ」など），さらには同じ単語であっても分野が違えば異なる訳語が使われており（例えば transitivity「他動性」「過程構成」），本書における用語の統一は困難を極めた．明治時代の先達の苦労を思いながら新たな訳語を作り出すか，定着した専門用語を用いるかの選択を迫られ続けたと言って良い．時として，定着している用語は必ずしも適訳とは言えず，最初の訳語がそのまま流布しただけのこともあるので判断は難しかったが，人口に膾炙している用語が読者にとって分かりやすいと判断した箇所は既訳を使用した．又，原著が英語ではなく，原語から日本語へ翻訳した書が刊行されている場合は，日本語訳を参考にした（例えばベンヤミンの場合はドイツ語からの日本語訳）．吟味した上で既訳を選んで使用した際は，どの訳書で使用されているかを訳注で明記し，読者の参考に資している．創意工夫の余地がある翻訳分野の用語は，議論を闘わせ訳語を編み出した．例えば，シュライアーマハーの alienation/naturalization に演劇用語の「異化作用，同化作用」を当て，ヴェヌティの foreignization/domestication（異質化，受容化）と対比させた．

新しい分野への対応も容易ではなかった．今回の第二版では，視聴覚（audiovisual）翻訳，ローカリゼーション（localization）などの新分野にひとつの章を割いている．第 11 章の担当は幸いローカリゼーションの専門家であるため，専門的な内容理解や用語に支障はなかったが，問題は頻出する「カタカナ語」であった．コンピューター用語は大半がカタカナであり，国立国語研究所外来語委員会も言い換え提案を断念したほどの数であるが，関連分野だけあってローカリゼーション専門用語もカタカナ語の氾濫であることが判明した．読みやすさを考え，カタカナはなるべく避けるという訳出方針を採り，「インターナショナリゼーション」には「国際化」という訳語をあて，「オーディオビジュアル」は「視聴覚」としたが，中には，「見た目と感覚」で済むはずの“look and feel”でさえも「ルック・アンド・フィール」とカタカナ語が定着していたりする．「現場」「場」を意味する locale［louka:l, loukæl］も，原音とは異なる「ロケール」という発音表記が定着しているようである．新たな訳語創出に果敢に取り組むか，業界用語をそのまま用いるかは大いなる課題であり，訳注で解説を加える，文脈により使い分けるなどの対応が精一杯であった．

次に苦労したのが固有名詞の表記である．特に人名には神経を使った．確証が取れないものは原語のまま残し，確認がとれたものだけカタカナ表記にした．その際，原則として，(1)原語の発音優先，(2)なじみのある表記・発音優先，という統一方針を定めたが，どちらをとるか迷う場合もあった．例えばSchleiermacher は，「シュライエルマッハー」が定着しているが，2008 年刊行の三ツ木道夫『思想としての翻訳』（白水社）では原音優先の「シュライアーマハー」となっており，本書でもその表記を踏襲した．Nord の場合は「ノルト」が原語の音に近いかもしれないが，ドイツ語の‘r’はカタカナでは再現しきれない音であり，本人自身が英語的発音を使用していることもあり，「ノード」とした．Gutt は「グット」「ガット」の 2 種類が同程度に使われていることから，なじみがある「ガット」を採用した．悩んだのは，スコポス理論で知られる Vermeer である．原語（ドイツ語）発音には地域により「フェルメール」「フェアメーア」の両方があり，本人はどちらでも構わないと言っているとの情報を得た．二年前，「フェアメーア」と表記した書が刊行されたが（藤濤文子『翻訳行為と異文化間コミュニケーション』2007，松籟社），日本では同名の画家が知られていることから，本書では『通訳学入門』と同様に「フェルメール」を用いた．同一人物が，表記の違いで別人のようになってしまうのは残念であるが，どのように工夫してもカタカナ表記にした段階で，原音とはずれが生じることを考えれば，いたしかたない面もあろう．人名は，原著においてすべてフルネームで紹介されているわけではないが，読者の便宜を考え，調べて判明したものは初出の際に，原語でフルネームを示した．

原著にある誤りへの対応についても苦慮した．今回の翻訳では各メンバーの専門分野や関心に配慮して各章の担当を決めたこともあり，それぞれが綿密な調査を実施し，引用されている文献は可能な限り元の原著にあたった．その結果として，引用文が誤って記載されている，引用ページが違っているなどの間違いを発見した．単なる誤植であっても，例えば ‘linguistic’ ‘linguistics’ のように ‘s’ ひとつの違いで意味が異なってくる場合がある．このような誤りを著者に確認すると，その指摘について感謝され，次の改訂では反映させたいとの返事が来たが，第二版が刊行になったばかりでは，次の改訂がすぐというわけにはいかないであろう．誤植や内容的な誤りについて著者と相談したところ，本文自体を正しく直して日本語訳に反映させて欲しい，との依頼であった．そこで，間違いは訳文で訂正し，原著と違っていることを「訳注」で明記することにした．著者による「注」に誤りがある場合は，日本語訳の後に訳注を加え，修正してある旨を明記した．日本語訳が著者による改訂版に先行することになるが，これは著者本人の希望である．原著で記載されているウェブサイトのURL なども確認し最新のものを記載したが，これについては特に訳注はつけていない．また，原著では「注」が巻末にまとめられていたが，訳書ではすべて脚注とした．なお，引用元文献の原著者は「筆者」として著者マンデイと区別した．

本書の訳出分担は，以下の通りである．〈　〉は専門領域．

鳥飼玖美子：全体の監訳，著者まえがき，謝辞，第 1 章，第 12 章．
立教大学大学院異文化コミュニケーション研究科教授（委員長），日本通訳翻訳学会会長．〈通訳翻訳学，言語コミュニケーション論，英語教育学〉．

長沼美香子：表記・訳語統一など監訳補佐，第 5 章，第 6 章．
立教大学大学院異文化コミュニケーション研究科特任准教授，日本通訳翻訳学会理事．〈翻訳学，機能言語学〉．

水野的：第 3 章，第 4 章，第 7 章．
立教大学大学院異文化コミュニケーション研究科特任教授を経て同大学院兼任講師，日本通訳翻訳学会副会長，事務局長．〈通訳翻訳学，放送通訳〉．

斉藤美野：院生代表，第 10 章，表記統一，索引作成．
立教大学大学院異文化コミュニケーション研究科博士後期課程院生，日本通訳翻訳学会会員．〈文学翻訳〉．

坪井睦子：第 8 章，表記統一，索引作成，URL 最新版調査.
立教大学大学院異文化コミュニケーション研究科博士後期課程院生，日本通訳翻訳学会会員.〈翻訳学，メディア翻訳論，批判的談話分析〉.

吉田理加：第 9 章，スペイン語確認.
立教大学大学院異文化コミュニケーション研究科博士後期課程院生，日本通訳翻訳学会会員.〈通訳学，法廷通訳，言語人類学〉.

山田優：第 11 章，索引作成.
立教大学大学院異文化コミュニケーション研究科博士後期課程院生，モントレー国際大学翻訳通訳大学院客員研究員，日本通訳翻訳学会会員.〈翻訳学，ローカリゼーション，実務翻訳〉.

河原清志：第 2 章.
立教大学大学院異文化コミュニケーション研究科博士後期課程院生，東京外国語大学大学院非常勤講師，日本通訳翻訳学会幹事.〈通訳翻訳学，認知言語学〉.

各メンバーは，原書に登場する文献を綿密に点検しながら訳出に取り組み，その努力の一端は充実した訳注に表れている．ただし，本書全体の訳文については，その責任はすべて監訳者が負う.

本書の翻訳にあたっては，大勢の方々にお世話になった．著者であるマンデイ氏からは日本語訳刊行について快諾をいただき，様々な質問にも丁寧に答えていただいた．立教大学大学院異文化コミュニケーション研究科では野田研一，平賀正子，阿部治，小山亘，久米昭元の各教授が，翻訳プロジェクトを温かく支えて下さった．ロビラ・イ・ビルジリ大学のアンソニー・ピム（Anthony Pym）教授からはローカリゼーション翻訳について，松坂ヒロシ早稲田大学教授（英語教育学・英語音声学）からは音声学用語について，ご教示いただいた．日本通訳翻訳学会では，藤濤文子会員，武田珂代子会員をはじめとする会員諸氏に助けていただいた．その他にも各メンバーが個別に問い合わせるなど，ご助力を賜った方々も多く，すべての皆さんに感謝を申し上げたい.

最後に，みすず書房編集長の守田省吾氏と編集担当の島原裕司氏に深甚なる謝意を表したいと思う．『通訳者と戦後日米外交』（2007），『通訳学入門』（2008），そして今回の『翻訳学入門』と，通訳翻訳関連書が続けて出版されたことは，日本の翻訳通訳研究分野にとって極めて大きな意味を持つ．同じく，みすず書房から『東京裁判における通訳』（2008）を上梓した武田珂代子氏は，あとがきで「みすず書房は我々通訳・翻訳研究者のヒーローである」と述べているが，誠に同感である．翻訳学の意義を深く理解し，絶大なる協力を惜しまなかったことに対し，改めて心からのお礼を述べる次第である．

2009年3月21日

翻訳グループを代表して　鳥飼玖美子

参考文献

Adab, B. and C. Valdés (2004) *Key Debates in the Translation of Advertising Material*, special issue of *The Translator* 10.2.

Aijmer, K. and C. Alvstad (eds) (2005) *New Tendencies in Translation Studies: Selected Papers from a Workshop, Göteborg 12 December 2003*. Göteborg: Göteborg University, Department of English.

Álvarez, R. and M. C-A Vidal Claramonte (eds) (1996) *Translation, Power, Subversion*, Clevedon: Multilingual Matters.

Amos, F. R. (1920/73) *Early Theories of Translation*, New York: Octagon.

Anderman, G. (2005) *Europe on Stage: Translation and Theatre*, London: Oberon.

Anderman, G. and M. Rogers (eds) (2007) *Incorporating Corpora: The Linguist and the Translator*, Clevedon: Multilingual Matters.

Anderman, G. and J. Díaz Cintas (eds) (2008) *Audiovisual Translation: Language Transfer on the Screen*, London: Palgrave.

Arnold, M. (1861/1978) *On Translating Homer*, London: AMS Press.

Arrojo, R. (1999) 'Interpretation as possessive love: Hélène Cixous, Clarice Lispector and the ambivalence of fidelity', in S. Bassnett and H. Trivedi (eds) (1999), pp. 141–61.

Austermühl, F. (2001) *Electronic Tools for Translators*, Manchester: St Jerome.

Austin, J. L. (1962) *How to Do Things with Words*, Oxford: Oxford University Press.

Baker, M. (1992) *In Other Words: A Coursebook on Translation*, London and New York: Routledge.

— (1993) 'Corpus linguistics and translation studies: implications and applications', in: M. Baker, G. Francis and E. Tognini-Bonelli (eds) *Text and Technology: In Honour of John Sinclair*, Amsterdam and Philadelphia: John Benjamins: 233–50.

— (1995) 'Corpora in translation studies: an overview and suggestions for future research', *Target* 7.2: 223–43.

— (1996) 'Linguistics and cultural studies: complementary or competing paradigms in translation studies?', in A. Lauer, H. Gerzymisch-Arbogast, J. Haller and E. Steiner (eds) *Übersetzungswissenschaft im Umbruch. Festschrift für Wilss zum 70. Geburtstag*, Tübingen: Gunter Narr, pp. 9–19.

— (ed.) (1998/2008) *The Routledge Encyclopedia of Translation Studies*, London and New York: Routledge. 1st edition 1998 with K. Malmkjaer; 2nd edition 2008 with G. Saldanha.

— (2000) 'Towards a methodology for investigating the style of a literary translator', *Target*

12: 241–66.
— (2006) *Translation and Conflict: A Narrative Account*, Abingdon and New York: Routledge.
Bal, M. (1985) *Narratology: Introduction to the Theory of Narrative*, translated from the Dutch by C. van Boheemen, Toronto: University of Toronto Press.
Balderston, D. and M. Schwartz (eds) (2002) *Voice-overs: Translation and Latin American Literature*, Albany, NY: State University of New York Press.
Bandia, P. (1993) 'Translation as cultural transfer: Evidence from African creative writing', *TTR* 6.2: 55–78.
— (2008) *Translation as Reparation: Writing and translation in Postcolonial Africa*, Manchester: St. Jerome.
Bassnett, S. (1980, revised edition 2002) *Translation Studies*, London and New York: Routledge.
Bassnett, S. and A. Lefevere (eds) (1990) *Translation, History and Culture*, London and New York: Routledge.
Bassnett, S. and H. Trivedi (eds) (1999) *Post-Colonial Translation: Theory and Practice*, London and New York: Routledge.
Bassnett, S. and P. Bush (eds) (2006) *The Translator as Writer*, London: Continuum.
Bastin, G. and P. Bandia (eds) (2006) *Charting the Future of Translation History: Current Discourses and Methodology*, Ottawa: Ottawa University Press.
Beaugrande, R. de (1978) *Factors in a Theory of Poetic Translating*, Assen: Van Gorcum.
Beaugrande, R. de and W. Dressler (1981) *Introduction to Text Linguistics*, London and New York: Longman, available online at http://www.beaugrande.com/introduction_to_text_linguistics.htm
Bell, R. (1991) *Translation and Translating: Theory and Practice*, London and New York: Longman.
Benjamin, A. (1989) *Translation and the Nature of Philosophy: A New Theory of Words*, London and New York: Routledge.
Benjamin, W. (1923/63) 'Die Aufgabe des Übersetzers', in H. Störig (ed.) (1963), pp. 182–95.
— (1969/2004) 'The task of the translator', translated by H. Zohn (1969), in L. Venuti (ed.) (2004), pp. 75–82.
Bennett, K. (2006) 'Critical language study and translation: the case of academic discourse', in J. F. Duarte, A. Assis Rosa and T. Seruya (eds), pp. 111–28.
— (2007) 'Epistemicide: the tale of a predatory discourse', *The Translator* 13.2: 151–69.
Bennington, G. and J. Derrida (1993) *Jacques Derrida*, Chicago and London: University of Chicago Press.
Bernadini, S., D. Stewart and F. Zanettin (eds) 'Corpora in translation education: an introduction', in F. Zanettin, S. Bernadini and D. Stewart (eds), pp. 1–14.
Berman, A. (1984/92) *L'épreuve de l'étranger: culture et traduction dans l'Allemagne romantique*, Paris: Éditions Gallimard; translated (1992) by S. Heyvaert as *The Experience of the Foreign: Culture and Translation in Romantic Germany*, Albany, NY:

State University of New York.
— (1985a/99) *Traduction et la lettre ou l'auberge du lointain*, Paris: Seuil.
— (1985b/2004) 'La traduction comme épreuve de l'étranger', *Texte* 4 (1985): 67–81, translated by L. Venuti as 'Translation and the trials of the foreign', in L. Venuti (ed.) (2004), pp. 276–89.
— (1995) *Pour une critique des traductions*, Paris: Gallimard.
Bermann, S. and M. Wood (eds) (2005) *Nation, Language and the Ethics of Translation*, Princeton, NY: Princeton University Press.
Bernal Merino, M. (2006) 'On the translation of video games', *The Journal of Specialized Translation* 6: 22–36, http://www.jostrans.org/issue06/art_bernal.pdf
Bhabha, H. (1994) *The Location of Culture*, London and New York: Routledge.
Biber, D., S. Conrad and R. Reppen (1998) *Corpus Linguistics: Investigating Language Structure and Use*, Cambridge: Cambridge University Press.
Billiani, F. (ed.) (2007) *Modes of Censorship and Translation: National Contexts and Diverse Media*, Manchester: St Jerome.
Blum-Kulka, S. (1986/2004) 'Shifts of cohesion and coherence in translation', in L. Venuti (ed.) (2004), pp. 290–305.
Blum-Kulka, S. and Levenston, E. (1983) 'Universals of lexical simplification', in C. Faerch and G. Casper (eds) *Strategies in Interlanguage Communication*, London and New York: Longman, pp. 119–39.
Boase-Beier, J. (2006) *Stylistic Approaches to Translation*, Manchester: St Jerome.
Bobrick, B. (2003) *The Making of the English Bible*, London: Phoenix.
Bosseaux, C. (2007) *How Does It Feel?: Point of View in Translation: The Case of Virginia Woolf into French*, Amsterdam: Rodopi.
Bourdieu, P. (1977) *Outline of a Theory of Practice*, translated by R. Nice, Cambridge: Cambridge University Press.
— (1991) *Language and Symbolic Power*, translated by G. Raymond and M. Adamson, Cambridge: Polity Press.
Bowker, L. and J. Pearson (2002) *Working with Specialized Language: A Practical Guide to Using Corpora*, London and New York: Routledge.
Braden, G., R. Cummings and T. Hermans (eds) (2004) *The Oxford History of Literary Translation in English. Volume II: 1550–1660*, Oxford: Oxford University Press.
Broeck, R. van den (1978) 'The concept of equivalence in translation theory: some critical reflections', in J. S. Holmes, J. Lambert and R. van den Broeck (eds) *Literature and Translation*, Leuven: Academic, pp. 29–47.
Brown, M. H. (1994) *The Reception of Spanish American Fiction in West Germany 1981–91*, Tübingen: Niemeyer.
Brown, P. and S. Levinson (1987) *Politeness: Some Universals in Language Usage*, Cambridge: Cambridge University Press.
Bühler, K. (1934/65) *Sprachtheorie: Die Darstellungsfunktion der Sprache*, Stuttgart: Gustav Fischer.
Buikema, R. and A. Smelik (1995) *Women's Studies and Culture: A Feminist Introduction*,

London: Zed Books.

Bush, P. (1998) 'Literary translation: Practices', in M. Baker (ed.) (1998), pp. 127–30.

Bush, P. (2006) 'The writer of translation', in S. Bassnett and P. Bush (eds) *The Translator as Writer*, London: Continuum, pp. 23–32.

Butler, J. (1990) *Gender Trouble: Feminism and the Subversion of Identity*, London: Routledge.

Buzelin, H. (2005) 'Unexpected allies: how Latour's network theory could complement Bourdieusian analyses in translation studies', *The Translator* 11.2: 193–218.

Calzada Pérez, M. (ed.) (2003) *Apropos of Ideology: Translation Studies on Ideology – Ideologies in Translation Studies*, Manchester: St Jerome.

Caminade, M. and A. Pym (1995) *Les formations en traduction et interprétation. Essai de recensement mondial*, special issue of *Traduire*, Paris: Société Française des Traducteurs.

Campos, H. de (1992) *Metalinguagem e outras metas: ensaios de teoria e crítica literária*, São Paulo: Perspectiva.

Carter, R. (1987, 2nd edition 1998) *Vocabulary: Applied Linguistic Perspectives*, London and New York: Routledge.

Catford, J. C. (1965/2000) *A Linguistic Theory of Translation*, London: Oxford University Press (1965). See also extract ('Translation shifts') in L. Venuti (ed.) (2000), pp. 141–7.

Cattrysse, P. (2004) 'Stories travelling across nations and cultures', *Meta* 49.1: 39–51.

Chamberlain, L. (1988/2004) 'Gender and the metaphorics of translation', in L. Venuti (ed.) (2004), pp. 306–21.

Chan, Leo Tak-hung (2001) 'What's modern in Chinese translation theory? Lu Xun and the debates on literalism and foreignization in the May Fourth period', *TTR* 14.2: 195–223.

— (ed.) (2004) *Twentieth-century Chinese Translation Theory*, Amsterdam and Philadelphia: John Benjamins.

Chan, Sin-wai and D. Pollard (eds) (1995) *An Encyclopedia of Translation Chinese–English, English–Chinese*, Hong Kong: The Chinese University Press.

Chaume, F. (2004) 'Film Studies and Translation Studies', *Meta* 49.1: 12–24.

Chesterman, A. (ed.) (1989) *Readings in Translation Theory*. Helsinki: Finn Lectura.

— (1997) *Memes of Translation*, Amsterdam and Philadelphia, PA: John Benjamins.

Chesterman, A. (2002) 'On the interdisciplinarity of translation studies', *Logos* 3.1: 1–9.

— (2004) 'Beyond the Particular', in A. Mauranen and P. Kujamäki (eds), pp. 33–50.

— (2005) 'Towards consilience?', in K. Aijmer and C. Alvstad (eds), pp. 19–28.

— (2006) 'Questions in the sociology of translation', in J. Ferreira Duarte, A. Assis Rosa and T. Seruya (eds), pp. 9–28.

Chesterman, A. and R. Arrojo (2000) 'Shared ground in translation studies', *Target* 12.1: 151–60.

Cheung, M. (ed.) (2006) *An Anthology of Chinese Discourse on Translation. Volume 1: From Earliest Times to the Buddhist Project*, Manchester: St Jerome.

Cheyfitz, E. (1991) *The Poetics of Imperialism: Translation and Colonization from* The Tempest *to* Tarzan, New York and Oxford: Oxford University Press.
Chomsky, N. (1957) *Syntactic Structures*, Gravenhage: Mouton.
— (1965) *Aspects of the Theory of Syntax*, Cambridge, MA: MIT Press.
Christ, R. (1982) 'On not reviewing translations: A critical exchange', *Translation Review* 9: 16–23.
Cicero, M. T. (46 BCE/1960 CE) 'De optimo genere oratorum', in Cicero *De inventione, De optimo genere oratorum, topica*, translated by H. M. Hubbell, Cambridge, MA: Harvard University Press; London: Heinemann, pp. 347–73.
Classe, O. (2000) *Encyclopedia of Literary Translation into English*, Chicago: Fitzroy Dearborn.
Cronin, M. (1996) *Translating Ireland: Translation, Languages, Cultures*, Cork: Cork University Press.
— (1998) 'The cracked looking glass of servants: Translation and minority in a global age', *The Translator* 4.2: 145–62.
— (2003) *Translation and Globalization*, London and New York: Routledge.
Cunico, S. and J. Munday (eds) (2007) *Translation and Ideology: Encounters and Clashes*, special issue of *The Translator* 13.2.
Delabastita, D. (1989) 'Translation and mass-communication: film and TV translation as evidence of cultural dynamics', *Babel* 35.4: 193–218.
De Linde, Z. and N. Kay (1999) *The Semiotics of Subtitling*, Manchester: St Jerome.
Delisle, J. (1982, 2nd edition) *L'analyse du discours comme méthode de traduction*, Ottawa: University of Ottawa Press, Part I, translated by P. Logan and M. Creery (1988) as *Translation: An Interpretive Approach*, Ottawa: University of Ottawa Press.
Delisle, J. and J. Woodsworth (eds) (1995) *Translators through History*, Amsterdam and Philadelphia, PA: John Benjamins.
Derrida, J. (1972) *Marges de la philosophie*, Paris: Éditions de Minuit, translated by A. Bass (1982) as *Margins of Philosophy*, London and New York: Prentice Hall.
— (1974) 'White mythology', *New Literary History* 6.1: 5–74; original is 'La mythologie blanche', in *Marges de la Philosophie*, Paris: Minuit, 1972, pp. 247–324.
— (1985) 'Des tours de Babel', in J. F. Graham (ed.), French original pp. 209–48, translation in the same volume by J. F. Graham, pp. 165–207.
— (2001/2004) 'What is a "relevant" translation?', translated by L. Venuti, *Critical Inquiry* 27 (Winter 2001): 174–200, reprinted in L. Venuti (ed.) (2004), pp. 423–47.
Devy, G. (1999) 'Translation and literary history: an Indian view', in S. Bassnett and H. Trivedi (eds), pp. 182–8.
Dharwadker, V. (1999) 'A. K. Ramanujan's theory and practice of translation', in S. Bassnett and H. Trivedi (eds), pp. 114–40.
Díaz Cintas, J. (2003) *Teoría y práctica de la subtitulación: inglés–español*, Barcelona: Ariel.
Díaz Cintas, J. (forthcoming) 'Back to the future in subtitling', in H. Gerzymisch-Arbogast (ed.).

Díaz Cintas, J. and P. Muñoz Sánchez (2006) 'Fansubs: audiovisual translation in an amateur environment', *The Journal of Specialized Translation* 6: 37–52.

Díaz Cintas, J. and A. Remael (2007) *Audio-visual Translation: Subtitling*, Manchester and Kinderhook, NY: St Jerome.

Di Giovanni, N. T. (2003) *The Lesson of the Master*, London and New York: Continuum.

Di Pietro, R. J. (1971) *Language Structures in Contrast*, Rowley, MA: Newbury House.

Dickins, J. (2005) 'Two models for metaphor analysis', *Target* 17.2: 227–73.

Discenza, N. G. (2005) *The King's English: Strategies of Translation in the Old English Boethius*, New York: State University of New York Press.

Dolet, E. (1540/1997) *La manière de bien traduire d'une langue en aultre*, Paris: J. de Marnef, translated by D. G. Ross as 'How to translate well from one language into another', in D. Robinson (ed.) (1997b), pp. 95–7.

Dooley, R. (1989) 'Style and acceptability: the Guarani New Testament', *Notes on Translation* 3.1: 49–56.

Dryden, J. (1680/1697/1992) 'Metaphrase, paraphrase and imitation'. Extracts of 'Preface to Ovid's Epistles' (1680), and 'Dedication of the Aeneid' (1697), in R. Schulte and J. Biguenet (eds) (1992), pp. 17–31, also extracted in L. Venuti (ed.) (2004), pp. 38–42.

Duarte, J. F., A. Assis Rosa and T. Seruya (eds) (2006) *Translation Studies at the Interface of Disciplines*, Amsterdam and Philadelphia: John Benjamins.

During, S. (1999) *Cultural Studies Reader*, London and New York: Routledge, 2nd edition.

Easthope, A. (1991) *Literary into Cultural Studies*, London and New York: Routledge.

Eggins, S. (2004) *An Introduction to Systemic Functional Linguistics*, London: Continuum, 2nd edition.

Ellis, R. (ed.) (2003) *The Oxford History of Literary Translation in English. Volume I: to 1550*, Oxford: Oxford University Press.

Enkvist, N. E. (1978) 'Contrastive text linguistics and translation', in L. Grähs, G. Korlén and B. Malmberg (eds) *Theory and Practice of Translation*, Bern: Peter Lang, pp. 169–88.

Esselink, B. (2000) *A Practical Guide to Localization*, Amsterdam and Philadelphia: John Benjamins, 2nd edition.

Even-Zohar, I. (1978/2004) 'The position of translated literature within the literary polysystem', in L. Venuti (ed.) (2004), pp. 199–204.

— (1990) *Polysystem Studies*, Tel Aviv: Porter Institute of Poetics and Semiotics, Durham, NC: Duke University Press, special issue of *Poetics Today*, 11:1.

— (2005) 'Polysystem theory revised', in I. Even-Zohar *Papers in Culture Research*, pp. 38–49, http://www.tau.ac.il/~itamarez/works/books/EZ-CR-2005.pdf

Faiq, S. (ed.) (2004) *Cultural Encounters in Translation from Arabic*, Clevedon: Multilingual Matters.

Fairclough, N. (1989, 2nd edition 2001) *Language and Power*, London: Longman.

— (2003) *Analysing Discourse*, London and New York: Routledge.

Fairclough, N. (1989, 2nd edition 2001) *Language and Power*, London: Longman.

— (2003) *Analysing Discourse*, London and New York: Routledge.

Fawcett, P. (1995) 'Translation and power play', *The Translator* 1.2: 177–92.

— (1997) *Translation and Language: Linguistic Approaches Explained*, Manchester: St Jerome.

Felstiner, J. (1980) *Translating Neruda: The Way to Macchu Picchu*, Stanford, CA: Stanford University Press.

Firbas, J. (1986) 'On the dynamics of written communication in the light of the theory of functional sentence perspective', in C. R. Cooper and S. Greenbaum (eds) *Studying Writing: Linguistic Approaches*, Beverly Hills, CA: Sage.

— (1992) *Functional Sentence Perspective in Written and Spoken Communication*, Cambridge: Cambridge University Press.

Fish, S. (1981) 'What is stylistics and why are they saying such terrible things about it?', in D. C. Freeman (ed.) *Essays in Modern Stylistics*, London and New York: Methuen, pp. 53–78.

Flotow, L. von (ed.) (2000) *Translation and Ideology*, Special Issue of *TTR* (*Traduction, Terminologie, Rédaction*).

Fowler, R. (1986, 2nd edition 1996) *Linguistic Criticism*, Oxford: Oxford University Press.

France, P. (ed.) (2000) *The Oxford Guide to Literature in English Translation*, Oxford: Oxford University Press.

France, P. and K. Haynes (eds) (2006) *The Oxford History of Literary Translation in English. Volume IV: 1790–1900*, Oxford: Oxford University Press.

Frawley, W. (ed.) (1984) *Translation: Literary, Linguistic and Philosophical Perspectives*, Newark, London and Toronto: Associated University Presses.

Fyodorov, A. V. (1968) *Osnovy obshchey teorii perevoda* [Foundations of a General Theory of Translation], Moscow: Vysshaya shkola.

Gaddis Rose, M. (1997) *Translation and Literary Criticism*, Manchester: St Jerome.

Gambier, Y. (ed.) (2003) *Screen Translation*, Special issue of *The Translator* 9.2.

— (ed.) (2004) *Traduction audiovisuelle/Audiovisual translation*, Special issue of *Meta* 49.1.

García Yebra, V. (1982) *Teoría y práctica de la traducción*, Madrid: Gredos.

Gauvin, L. (1989) *Letters from an Other*, translated by S. de Lotbinière-Harwood, Toronto: Women's Press.

Genette, G. (1997) *Paratexts: Thresholds of Interpretation*, trans. by J. E. Lewin and foreword by R. Macksey, Cambridge: Cambridge University Press.

Gentzler, E. (1993) *Contemporary Translation Theories*, London and New York: Routledge.

Gentzler, E. (2001) *Contemporary Translation Theories*, Clevedon: Multilingual Matters, 2nd edition.

Gentzler, E. and M. Tymoczko (eds) (2002) *Translation and Power*, Amherst: University of Massachusetts Press.

Gerzymisch-Arbogast, H. (1986) 'Zur Relevanz der Thema-Rhema-Gliederung für den

Übersetzungsprozeß', in Mary Snell-Hornby (ed.), pp. 160–83.

— (ed.) (forthcoming) *Multidimensional Translation: Challenges*, Manchester: St Jerome.

Gile, D. (2004) 'Translation research versus interpreting research: kinship, differences and prospects for partnership', in Christina Schäffner (ed.), pp. 10–34.

Gillespie, S. and D. Hopkins (eds) (2005) *The Oxford History of Literary Translation in English. Volume III: 1660–1790*, Oxford: Oxford University Press.

Godard, B. (1990) 'Theorizing feminist discourse/translation', in S. Bassnett and A. Lefevere (eds), pp. 87–96.

Gouanvic, J-M. (1999) *Sociologie de la traduction: la science-fiction américaine dans l'espace culturel français des années 1950*, Arras: Artois Presses Université.

— (2005) 'A Bourdieusian theory of translation, or the coincidence of practical instances: field, "habitus", capital and illusio', *The Translator* 11.2: 147–66.

Gottlieb, H. (1994) 'Subtitling: Diagonal translation', *Perspectives* 2.1: 101–21.

— (1997) 'Quality revisited: the rendering of English idioms in Danish television subtitles vs. printed translations', in A. Trosberg (ed.), pp. 309–38.

Graham, J. F. (ed.) (1985) *Difference in Translation*, Ithaca, NY: Cornell University Press.

Granger, S., J. Lerot and S. Petch-Tyson (eds) (2003) *Corpus-based Approaches to Contrastive Linguistics and Translation Studies*, Amsterdam: Rodopi.

Grice, H. P. (1975) 'Logic and conversation', in P. Cole and J. L. Morgan (eds) *Syntax and Semantics*, vol. 3: *Speech Acts*, New York: Academic Press, pp. 41–58.

Grossman, E. (2003/2005) 'Translator's Note to the Reader', in M. de Cervantes *Don Quixote*, New York: Ecco, pp. xvii–xx.

Guenthner, F. and M. Guenthner-Reutter (eds) (1978) *Meaning and Translation: Philosophical and Linguistic Approaches*, London: Duckworth.

Gutas, D. (1998) *Greek Thought, Arabic Culture: The Graeco-Arabic Translation Movement in Baghdad and Early 'Abbasid society (2nd–4th/8th–10th centuries)*, London and New York: St Jerome.

Gutt, E. (1991, 2nd edition 2000) *Translation and Relevance: Cognition and Context*, 1st edition Oxford: Blackwell; 2nd edition Manchester: St Jerome.

— (2005) 'On the significance of the cognitive core of translation', *The Translator* 11.1: 25–49.

Hale, T. (1998) 'Publishing strategies', in M. Baker (ed.) (1998), pp. 190–4.

Halliday, M. A. K. (1978) *Language as Social Semiotic*, London and New York: Arnold.

— (1994) *An Introduction to Functional Grammar*, London, Melbourne and Auckland: Arnold, 2nd edition.

Halliday, M. A. K. and R. Hasan (1976) *Cohesion in English*, London: Longman.

Halliday, M. A. K. and C. Matthiessen (2004) *An Introduction to Functional Grammar*, London: Arnold.

Halverson, S. (1999) 'Conceptual work and the "translation" concept', *Target* 11.1: 1–31.

Hansen, G. (2006) 'Retrospection methods in translator training and translator research', *The Journal of Specialized Translation* 5: 1–40, http://jostrans.org/issue05/

art_hansen.pdf

Harvey, K. (2003a) *Intercultural Movements: American Gay in French Translation*, Manchester: St Jerome.

Harvey, K. (2003b) ' "Events" and "Horizons": reading ideology in the "bindings" of translations', in M. Calzada Pérez (ed.), pp 43–69.

Harvey, K. (1998/2004) 'Translating camp talk: Gay identities and cultural transfer', in L. Venuti (ed.) (2004), pp. 402–21.

Hatim, B. and I. Mason (1990) *Discourse and the Translator*, London and New York: Longman.

— (1997) *The Translator as Communicator*, London and New York: Routledge.

Hatim, B. and J. Munday (2004) *Translation: An Advanced Resource Book*, London and New York: Routledge.

Heaney, S. (1999) *Beowulf*, London: Faber and Faber.

Heidegger, M. (1962) *Being and Time*, translated by J. Macquarrie and E. Robinson, New York: Harper & Row.

— (1971) *On the Way to Language*, translated by P. D. Hertz, New York: Harper & Row.

Henry, R. (1984) 'Points for inquiry into total translation: a review of J. C. Catford's *A Linguistic Theory of Translation*', *Meta* 29.2: 152–8.

Herbrechter, S. (ed.) (2002) *Cultural Studies: Interdisciplinarity and Translation*, Amsterdam: Rodopi.

Hermans, T. (ed.) (1985a) *The Manipulation of Literature: Studies in Literary Translation*, Beckenham: Croom Helm.

— (1985b) 'Translation studies and a new paradigm', in T. Hermans (ed.) (1985a), pp. 7–15.

— (1995) 'Revisiting the classics: Toury's empiricism version one', *The Translator* 1.2: 215–23.

— (1996) 'Norms and the determination of translation: a theoretical framework', in R. Alvarez and M. C-A Vidal Claramonte (eds), pp. 25–51.

— (1999) *Translation in Systems*, Manchester: St Jerome.

— (ed.) (2006a) *Translating Others: Volume I*, Manchester: St Jerome.

— (ed.) (2006b) *Translating Others: Volume II*, Manchester: St Jerome.

— (2007) *The Conference of the Tongues*, Manchester: St Jerome.

— (forthcoming) 'Translation, ethics, politics', in J. Munday (ed.) *The Routledge Companion to Translation Studies*, London and New York: Routledge.

Hoeksema, T. (1978) 'The translator's voice: an interview with Gregory Rabassa', *Translation Review* 1: 5–18.

Hoey, M. (2005) *Lexical Priming: A New Theory of Words and Language*, Abingdon and New York: Routledge.

Holmes, J. S. (ed.) (1970) *The Nature of Translation: Essays on the Theory and Practice of Literary Translation*, The Hague and Paris: Mouton.

— (1988a) *Translated! Papers on Literary Translation and Translation Studies*, Amsterdam: Rodopi.

— (1988b/2004) 'The name and nature of translation studies', in L. Venuti (ed.) (2004), pp. 180–92.

Holmstrom, L. (2006) 'Let poetry win: the translator as writer – an Indian perspective', in S. Bassnett and P. Bush (eds), pp. 33–45.

Holub, R. C. (1984) *Reception Theory: A Critical Introduction*, London and New York: Methuen.

Holz-Mänttäri, J. (1984) *Translatorisches Handeln: Theorie und Methode*, Helsinki: Suomalainen Tiedeakatemia.

— (1986) 'Translatorisches Handeln – theoretische fundierte Berufsprofile', in M. Snell-Hornby (ed.), pp. 348–74.

House, J. (1977) *A Model for Translation Quality Assessment*, Tübingen: Gunter Narr.

— (1997) *Translation Quality Assessment: A Model Revisited*, Tübingen: Gunter Narr.

— (2002) 'Universality versus culture specificity in translation', in A. Riccardi (ed.), pp. 92–110.

— (2006) 'Text and context in translation', *Journal of Pragmatics* 38.3: 338–58.

Hung, E. and D. Pollard (1998) 'The Chinese tradition', in M. Baker (ed.) (1998), pp. 365–74.

Hung, E. and J. Wakabayashi (eds) (2005) *Asian Translation Traditions*, Manchester: St Jerome.

Hurtado Albir, A. (2001) *Traducción y traductología: Introducción a la traductología*, Madrid: Cátedra.

Hurtado Albir, A. and F. Alves (forthcoming) 'Translation as a cognitive activity', in J. Munday (ed.) *The Routledge Companion to Translation Studies*, London and New York: Routledge.

Inghilleri, M. (ed.) (2005a) *Bourdieu and the Sociology of Translation and Interpreting*, Special Issue of *The Translator* 11.2.

Inghilleri, M. (2005b) 'The sociology of Bourdieu and the construction of the "object" in translation and interpreting studies', *The Translator* 11.2: 125–46.

Ivarsson, J. and M. Carroll (1998) *Subtitling*, Simrishamn: TransEdit.

Ivir, V. (1981) 'Formal correspondence vs. translation equivalence revisited', *Poetics Today* 2.4: 51–9.

Jakobsen, A. and L. Schou (1999) 'Translog documentation', *Copenhagen Studies in Language* 24: 149–84.

Jakobson, R. (1959/2004) 'On linguistic aspects of translation', in L. Venuti (ed.) (2004), pp. 138–43.

— (1960) 'Closing statement: linguistics and poetics', in T. Seboek (ed.) (1960) *Style in Language*, Cambridge, MA: MIT Press, pp. 350–77.

James, C. (1980) *Contrastive Analysis*, London: Longman.

Jauss, H. R. (1982) *Toward an Aesthetic of Reception*, translated by T. Bahti, Brighton: Harvester Press.

Jerome, E. H. (St Jerome) (395 CE/1997) 'De optime genere interpretandi' (Letter 101, to Pammachius), in *Epistolae D. Hieronymi Stridoniensis*, Rome: Aldi F., (1565), pp. 285–91, translated by P. Carroll as 'On the best kind of translator', in D. Robinson (ed.) (1997b), pp. 22–30.

Johansson, S. (2003) 'Reflections on corpora and their uses in cross-linguistic research', in F. Zanettin, F., S. Bernadini and D. Stewart (eds), pp. 135–44.

Kade, O. (1968) *Zufall und Gesetzmäßigkeit in der Übersetzung*, Leipzig: VEB Verlag Enzyklopädie.

Karamitroglou, F. (2000) *Towards a Methodology for the Investigation of Norms in Audio-visual Translation*, Amsterdam and Atlanta: Rodopi.

Kelly, L. (1979) *The True Interpreter*, Oxford: Blackwell.

Kennedy, G. (1998) *An Introduction to Corpus Linguistics*, Harlow: Longman.

Kenny, D. (1998) 'Equivalence', in M. Baker (ed.) (1998), pp. 77–80.

— (2001) *Lexis and Creativity in Translation: A Corpus-based Study*, Manchester: St Jerome.

Kittel, H. and A. Polterman (1998) 'The German tradition', in M. Baker (ed.) (1998), pp. 418–28.

Kittel, H., A. Frank, N. Greiner, T. Hermans, W. Koller, J. Lambert, F. Paul (eds) (2004) *Übersetzung/Translation/Traduction: Ein internationales Handbuch zur Übersetzungsforschung/An International Encyclopedia of Translation Studies/Encyclopédie internationale des sciences de traduction*, Volume I, Berlin: Mouton de Gruyter.

Koller, W. (1979a) *Einführung in die Übersetzungswissenschaft*, Heidelberg-Wiesbaden: Quelle und Meyer.

— (1979b/1989) 'Equivalence in translation theory', translated from the German by A. Chesterman, in A. Chesterman (ed.), pp. 99–104.

— (1995) 'The concept of equivalence and the object of translation studies', *Target* 7.2: 191–222.

Komissarov, V. (1993) 'Norms in translation', in P. Zlateva (ed.) *Translation as Social Action: Russian and Bulgarian Perspectives*, London and New York: Routledge, pp. 63–75.

Kress, G. and T. van Leeuwen (1996/2006) *Reading Images: The grammar of Visual Design*, London and New York: Routledge, 2nd edition.

Krings, H. (1986) 'Translation problems and translation strategies of advanced German learners of French (L2)', in J. House and S. Blum-Kulka (eds) *Interlingual and Intercultural Communication: Discourse and Cognition in Translation*, Tübingen: Gunter Narr, pp. 262–76.

Kuhiwczak, P. (1990) 'Translation as appropriation: the case of Milan Kundera's *The Joke*', in S. Bassnett and A. Lefevere (eds), pp. 118–30.

Lal, P. (1964) *Great Sanskrit Plays in New English Transcreations*, New York: New Directions.

Lambert, J.-R. (1989/2006) 'La traduction, les langues et la communication de masse: les ambigüités du discours international', *Target* 1.2: 215–37.

— (1991) 'Shifts, oppositions and goals in translation studies: towards a genealogy of concepts', in K. van Leuven-Zwart and T. Naaijkens (eds), pp. 25–37.

Lambert J.-R. and H. van Gorp (1985) 'On describing translations', in T. Hermans (ed.) (1985a), pp. 42–53 reprinted in D. Delabastita, L. D'hulst and R. Meylaerts (eds) (2006) *Functional Approaches to Culture and Translation: Selected Papers by José Lambert*, Amsterdam and Philadelphia: John Benjamins, pp. 37–47.

Larose, R. (1989) *Théories contemporaines de la traduction*, Quebec: Presses de l'Université du Québec, 2nd edition.

Larson, M. L. (1998) *Meaning-Based Translation: A Guide to Cross-Language Equivalence*, Lanham, New York and London: University Press of America, 2nd edition.

Laviosa, S. (1998a) 'The corpus-based approach: a new paradigm in translation studies', *Meta* 13.4: 474–9.

— (ed.) (1998b) *The Corpus-Based Approach/L'approche basé sur le corpus*, special issue of *Meta* 13.4.

— (2002) *Corpus-based Translation Studies: Theory, Findings, Applications*, Amsterdam: Rodopi.

Lederer, M. (1994) *La traduction aujourd'hui: le modèle interprétatif*, Paris: Hachette, translated (2003) by N. Larché as *Translation: The Interpretive Model*, Manchester: St Jerome.

Leech, G. (1983) *Principles of Pragmatics*, London: Longman.

Leech, G. and M. Short (1981) *Style in Fiction: A Linguistic Introduction to English Fictional Prose*, London and New York: Longman.

Lefevere, A. (1977) *Translating Literature: The German Tradition from Luther to Rosenzweig*, Assen: Van Gorcum.

— (1981) 'Beyond the process: Literary translation in literature and literary theory', in M. Gaddis Rose (ed.) *Translation Spectrum: Essays in Theory and Practice*, Albany, NY: State University of New York Press, pp. 52–9.

— (1985) 'Why waste our time on rewrites? The trouble with interpretation and the role of rewriting in an alternative paradigm', in T. Hermans (ed.) (1985a), pp. 215–43.

— (1992a) *Translation, Rewriting and the Manipulation of Literary Fame*, London and New York: Routledge.

— (ed.) (1992b) *Translation/History/Culture: A Sourcebook*, London and New York: Routledge.

— (1993) *Translating Literature: Practice and Theory in a Comparative Literature Context*, New York: The Modern Language Association of America.

Leuven-Zwart, K. M. van (1989) 'Translation and original: similarities and dissimilarities, I', *Target* 1.2: 151–81.

— (1990) 'Translation and original: similarities and dissimilarities, II', *Target* 2.1: 69–95.

— (1991) 'The field of translation studies: an introduction', in K. van Leuven-Zwart and T. Naaijkens (eds), pp. 5–11.

Leuven-Zwart, K. van and T. Naaijkens (eds) (1991) *Translation Studies: State of the Art*, Amsterdam: Rodopi.

Levine, S. J. (1991) *The Subversive Scribe: Translating Latin American Fiction*, St Paul, MN: Graywolf Press.

Levinson, S. C. (1983) *Pragmatics*, Cambridge: Cambridge University Press.

Levý, J. (1967/2000) 'Translation as a decision process', in L. Venuti (ed.) (2000): 148–59.

— (1963/69) *Umenĕni překladu*, Prague: Československý spisovatel, translated by W. Schamschula (1969) as *Die Literarische Übersetzung: Theorie einer Kunstgattung*, Frankfurt: Athenäum.

Lewis, P. (1985/2004) 'The measure of translation effects', in L. Venuti (ed.) (2004), pp. 256–75.

Liu Yameng (2007) 'Towards "representational justice" in translation practice', in J. Munday (ed.), pp. 54–70.

Loffredo, E. and M. Perteghella (eds) (2006) *Translation and Creativity: Perspectives on Creative Writing and Translation Studies*, London: Continuum.

Luther, M. (1530/1963) 'Sendbrief vom Dolmetschen', in H. Störig (ed.) (1963), pp. 14–32.

Lyons, J. (1977) *Semantics*, Cambridge: Cambridge University Press.

Luyken, G-M., T. Herbst, J. Langham-Brown, H. Reid and H. Spinhof (1991) *Overcoming Language Barriers in Television: Dubbing and Subtitling for the European Audience*, Manchester: European Institute for the Media.

McCarty, W. (1999) 'Humanities computing as interdiscipline', Available online: http://www.iath.virginia.edu/hcs/mccarty.html

McEnery, T., R. Xiao and Y. Tono (2006) *Corpus-Based Language Studies: An Advanced Resource Book*, London and New York: Routledge.

Maier, C. (1990) 'Reviewing Latin American literature', *Translation Review* 34.5: 18–24.

— (2007) 'The translator as an intervenient being', in J. Munday (ed.), pp. 1–17.

Malblanc, A. (1963) *Stylistique comparée du français et de l'allemand*, Paris: Didier, 2nd edition.

Malmkjaer, Kirsten (2003) 'What happened to God and the angels: HW Dulken's translations of Hans Christian Andersen's stories in Victorian Britain OR An exercise in translational stylistics', *Target* 15.1: 37–58.

— (2005) *Linguistics and the Language of Translation*, Edinburgh: Edinburgh University Press.

Mangiron, C. and M. O'Hagan (2006) 'Game localisation: unleashing imagination with "restricted" translation', *The Journal of Specialized Translation* 6: 10–21, http://www.jostrans.org/issue06/art_ohagan.pdf

Mason, I. (2003/4) 'Text parameters in translation: transitivity and institutional cultures', in L. Venuti (ed.) (2004), pp. 470–81.

Mason, K. (1969/74) *Advanced Spanish Course*, Oxford: Pergamon.

Matejka, L. and K. Pomorska (eds) (1971) *Readings in Russian Poetics: Formalist and Structuralist Views*, Cambridge, MA: MIT Press.

Mauranen, A. and P. Kujamäki (eds) (2004) *Translation Universals: Do They Exist?*, Amsterdam and Philadelphia: John Benjamins.

May, R. (1994) *The Translator in the Text: On Reading Russian Literature in English*, Evanston, IL: Northwestern University Press.

Mayoral, R., D. Kelly and N. Gallardo (1988) 'The concept of constrained translation:

non-linguistic perspectives of translation', *Meta* 33.3: 356–67.

Mehrez, S. (1992) 'Translation and the postcolonial experience: the Francophone North African text', in L. Venuti (ed.) (1992), 120–38.

Miko, F. (1970) 'La théorie de l'expression et la traduction', in J. S. Holmes (ed.), pp. 61–77.

Mitchell, S. (2005) *Gilgamesh: A New English Version*, London: Profile.

Mounin, G. (1955) *Les belles infidèles*, Paris: Cahiers du Sud.

— (1963) *Les problèmes théoriques de la traduction*, Paris: Gallimard.

Munday, J. (1998) 'The Caribbean conquers the world? An analysis of the reception of García Márquez in translation', *Bulletin of Hispanic Studies* 75.1: 137–44.

— (2001) *Introducing Translation Studies: Theories and Applications*, London and New York: Routledge, 1st edition.

— (2002) 'Systems in translation: a systemic model for descriptive translation studies', in T. Hermans (ed.) *Crosscultural Transgressions. Research Models in Translation Studies II: Historical and Ideological Issues*, Manchester: St Jerome, pp. 76–92.

— (2007a) 'Translation and ideology: a textual approach', *The Translator* 13.2: 195–217.

— (ed.) (2007b) *Translation as Intervention*, London: Continuum and IATIS.

— (2008) *Style and Ideology in Translation: Latin American Writing in English*, New York: Routledge.

(ed.) (2009) *The Routledge Companion to Translation Studies*, Abingdon and New York: Routledge.

— (forthcoming) 'Looming large: a cross-linguistic analysis of semantic prosodies in comparable reference corpora', in A. Kruger (ed.) Corpus-based *Translation Studies: Research and Applications*. Manchester: St Jerome.

Newmark, P. (1981) *Approaches to Translation*, Oxford and New York: Pergamon.

— (1988) *A Textbook of Translation*, New York and London: Prentice Hall.

— (1993) *Paragraphs on Translation*, Clevedon: Multilingual Matters.

— (2009) 'The linguistic and communicative stages in translation theory', in J. Munday (ed.) *Routledge Companion to Translation Studies*, Abingdon and New York: Routledge.

Nida, E. A. (1964a) *Toward a Science of Translating*, Leiden: E. J. Brill.

— (1964b/2004) 'Principles of correspondence', in L. Venuti (ed.) (2004), pp. 153–67.

— (2002) *Contexts in Translating*, Amsterdam and Philadelphia: John Benjamins.

Nida, E. A. and C. R. Taber (1969) *The Theory and Practice of Translation*, Leiden: E. J. Brill.

Niranjana, T. (1992) *Siting Translation: History, Post-Structuralism, and the Colonial Context*, Berkeley, CA: University of California Press.

Nord, C. (1988) *Textanalyse und Übersetzen: Theoretische Grundlagen, Methode und didaktische Anwendung einer übersetzungsrelevanten Textanalyse*, Heidelberg: J. Groos; translated (2005, 2nd edition) as *Text Analysis in Translation: Theory, Methodology and Didactic Application of a Model for Translation-Oriented Text Analysis*, Amsterdam: Rodopi.

— (1997) *Translating as a Purposeful Activity: Functionalist Approaches Explained*, Manchester: St Jerome.

Norris, C. (1991) *Deconstruction: Theory and Practice*, London and New York: Routledge.

O'Brien, S. (2006) 'Eye tracking and translation memory matches', *Perspectives* 14.3: 185–205.

Olohan, M. (2004) *Introducing Corpora in Translation Studies*, Manchester: St Jerome.

Olohan, M. and M. Baker (2000) 'Reporting *that* in translated English: Evidence for subconscious processes of explicitation', *Across* 1: 142–72.

Orero, P. and J. Sager (eds) (1997) *The Translator's Dialogue: Giovanni Pontiero*, Amsterdam and Philadelphia, PA: John Benjamins.

Osgood, C., G. Suci and R. Tannenbaum (1957) *The Measurement of Meaning*, Urbana, IL: University of Illinois Press.

Palmer, R. (1969) *Hermeneutics: Interpretation Theory in Schleiermacher, Dilthey, Heidegger and Gadamer*, Evanston, IL: Northwestern University Press.

Parks, T. (2007) *Translating Style: The English Modernists and their Italian Translations*, Manchester: St Jerome, 2nd edition.

Peden, M. S. (1987) 'Telling others' tales', *Translation Review* 24.5: 9–12.

Pedrola, M. (1999) 'An interview with Peter Newmark', in G. Anderman and M. Rogers (eds) *Word, Text, Translation: Liber Amicorum for Peter Newmark*, Clevedon: Multilingual Matters, pp. 17–22.

Peer, Willie van (1989) 'Quantitative studies of literature: a critique and an outlook', *Computers and the Humanities* 23: 301–7.

Pöchhacker, F. (2004) *Introducing Interpreting Studies*, London and New York: Routledge.

Popovič, A. (1970) 'The concept "shift of expression" in translation analysis', J. S. Holmes (ed.), pp. 78–87.

— (1976) *Dictionary for the Analysis of Literary Translation*, Edmonton: Department of Comparative Literature, University of Alberta.

Pound, E. (1929/2004) 'Guido's relations', in L. Venuti (ed.) (2004), pp. 86–93.

— (1951) *ABC of Reading*, London: Faber & Faber.

— (1953) *The Translations of Ezra Pound*, London: Faber & Faber.

— (1954) *Literary Essays*, ed. T. S. Eliot, London: Faber & Faber.

Poyatos, F. (ed.) (1997) *Nonverbal Communication and Translation*, Amsterdam and Philadelphia: John Benjamins.

Proust, M. (2003) *In Search of Lost Time: Vol 1: The Way by Swann's*, edited by C. Prendergast, translated by L. Davis, London: Penguin.

Pym, A. (1996) 'Venuti's visibility' (Review of *The Translator's Invisibility*), *Target* 8.1: 165–77.

— (1998) *Method in Translation History*, Manchester: St Jerome.

— (2001) *The Return to Ethics*, special issue of *The Translator*, 7.2.

— (2004a) *The Moving Text: Localization, Translation, and Distribution*, Amsterdam and Philadelphia: John Benjamins.

— (2004b) 'Propositions on cross-cultural communication and translation', *Target* 16.1: 1–28.

— (2006) 'On the social and cultural in translation studies', introduction to A. Pym,

M. Shlesinger and Z. Jettmarová (eds), 1–25.

— (2008) 'On Toury's laws of how translators translate', in A. Pym, M. Shlesinger and D. Simeoni (eds). The chapter is available at www.tinet.org/~apym/on-line/translation/2007_toury_laws.pdf

Pym, A., M. Shlesinger and Z. Jettmarová (eds) (2006) *Sociocultural Aspects of Translating and Interpreting*, Amsterdam and Philadelphia: John Benjamins.

Pym, A., M. Shlesinger and D. Simeoni (eds) (2008) *Beyond Descriptive Translation Studies*, Amsterdam and Philadelphia: John Benjamins.

Qian, H. (1993) 'On the implausibility of equivalent response (part IV)', *Meta* 38.3: 449–67.

Qvale, P. (2003) *From St Jerome to Hypertext: Translation in Theory and Practice*, trans. L. Sivesind and K. Malmkjær, Manchester: St Jerome.

Rabassa, G. (1984) 'The silk purse business: A translator's conflicting responsibilities', in W. Frawley (ed.) (1984), pp. 35–40.

— (2005) *If This Be Treason: Translation and its Dyscontents*, New York: New Directions.

Rafael, V. (1993) *Contracting Colonialism: Translation and Christian Conversion in Tagalog Society Under Early Spanish Rule*, Durham, NC: Duke University Press.

Ramakrishna, S. (2000) 'Cultural transmission through translation: an Indian perspective', in S. Simon and P. St Pierre (eds), pp. 87–100.

Rao, S. (2006) 'From a postcolonial to a non-colonial theory of translation', in N. Sakai and J. Solomon (eds), pp. 73–94.

Rebenich, S. (1993) 'Jerome: The "vir trilinguis" and the "hebraica veritas" ', *Vigiliaie Christianae* 47.1: 50–77, http://www.jstor.org/view/00426032/ap050181/05a00050/0

— (2002) *Jerome*, London and New York: Routledge.

Reiss, K. (1971/2000) *Möglichkeiten und Grenzen der Übersetzungskritik*, Munich: M. Hueber, translated (2000) by E. F. Rhodes as *Translation Criticism: Potential and Limitations*, Manchester: St Jerome and American Bible Society.

— (1976) *Texttyp und Übersetzungsmethode: Der operative Text*, Kronberg: Scriptor Verlag.

— (1977/89) 'Text types, translation types and translation assessment', translated by A. Chesterman, in A. Chesterman (ed.) (1989), pp. 105–15.

— (1981/2004) 'Type, kind and individuality of text: decision making in translation', translated by S. Kitron, in L. Venuti (ed.) (2004), pp. 168–79.

Reiss, K. and H. J. Vermeer (1984) *Grundlegung einer allgemeinen Translationstheorie*, Tübingen: Niemeyer.

Rener, F. (1989) *Interpretatio: Language and Translation from Cicero to Tytler*, Amsterdam and Atlanta: Rodopi.

Riccardi, A. (ed.) (2002) *Translation Studies: Perspectives on an Emerging Discipline*, Cambridge: Cambridge University Press.

Robinson, D. (1997a) *Translation and Empire: Postcolonial Theories Explained*, Manchester: St Jerome.

— (ed.) (1997b) *Western Translation Theory from Herodotus to Nietzsche*, Manchester: St Jerome.

Rogers, M. (2006) 'Structuring information in English: a specialist translation perspective on sentence beginnings', *The Translator* 12.1: 29–64.

Rosenthal, F. (1965/94) *Das Fortleben der Antike im Islam*, translated (1994) by E. and J. Marmorstein as *The Classical Heritage in Islam (Arabic Thought and Culture)*, London and New York: Routledge.

Said, E. (1978) *Orientalism*, London: Penguin.

Sakai, N. and J. Solomon (eds) (2006) *Translation, Biopolitics, 'Colonial Difference'*, Hong Kong: Hong Kong University Press.

Santaemilia, J. (ed.) (2005) *Gender, Sex and Translation: The Manipulation of Identities*, Manchester: St Jerome.

Saussure, F. de (1916/83) *Cours de linguistique générale*, Paris: Éditions Payot, translated (1983) by R. Harris as *Course in General Linguistics*, London: Duckworth.

Schäffner, C. (1998) '*Skopos* theory', in M. Baker (ed.) (1998), pp. 235–8.

— (ed.) (2004), *Translation Research and Interpreting Research: Traditions, Gaps and Synergies*, Clevedon: Multilingual Matters.

Schleiermacher, F. (1813/1992) 'On the different methods of translating', in L. Venuti (ed.) (2004), pp. 43–63. Also in Robinson (ed.) (1997b), pp. 225–38.

Schulte, R. and J. Biguenet (eds) (1992) *Theories of Translation*, Chicago and London: University of Chicago Press.

Scott, M. (2007) *Wordsmith Tools* (software), Version 5.0, Oxford: Oxford University Press.

Shuttleworth, M. and M. Cowie (eds) (1997) *Dictionary of Translation Studies*, Manchester: St Jerome.

Simon, S. and P. St Pierre (eds) (2000) *Changing the Terms: Translation in the Postcolonial Era*, Ottawa: Ottawa University Press.

Simeoni, D. (1998) 'The pivotal status of the translator's habitus', *Target* 10.1: 1–40.

Simon, S. (1996) *Gender in Translation: Cultural Identity and the Politics of Transmission*, London and New York: Routledge.

Simpson, P. (1993) *Language, Ideology and Point of View*, London and New York: Routledge.

Sinclair, J. (ed.) (1987) *Looking Up – An Account of the COBUILD project in lexical computing*, London: Collins.

— (1991) *Corpus, Concordance, Collocation*, Oxford: Oxford University Press.

Snell-Hornby, M. (ed.) (1986) *Übersetzungs-Wissenschaft: Eine Neuorientierung*, Tübingen: Franke.

— (1988, revised 1995) *Translation Studies: An Integrated Approach*, Amsterdam and Philadelphia, PA: John Benjamins.

— (1990) 'Linguistic transcoding or cultural transfer: a critique of translation theory in Germany', in S. Bassnett and A. Lefevere (eds), pp. 79–86.

— (1991) 'Translation studies: art, science or utopia?', in K. van Leuven-Zwart and T. Naaijkens (eds), pp. 13–23.

— (2006) *The Turns of Translation Studies*, Amsterdam and Philadelphia: John Benjamins.

Snell-Hornby, M., F. Pöchhacker and K. Kaindl (eds) (1994) *Translation Studies: An Interdiscipline*, Amsterdam: John Benjamins.

Snell-Hornby, M., Z. Jettmarová and K. Kaindl (eds) (1996) *Translation as Intercultural Communication*, Amsterdam and Philadelphia, PA: John Benjamins.

Snell-Hornby, M., H. König, P. Kußmaul and P. Schmitt (eds) (1999) *Handbuch Translation*, Tübingen: Stauffenberg, 2nd edition.

Sperber, D. and D. Wilson (1986/95) *Relevance: Communication and Cognition*, Oxford: Blackwell.

Spivak, G. (1993/2004) 'The politics of translation', in L. Venuti (ed.) (2004), pp. 369–88.

Steiner, E. and W. Ramm (1995) 'On theme as a grammatical notion in German', *Functions of Language* 2.1: 57–93.

Steiner, G. (1975, 3rd edition 1998) *After Babel: Aspects of Language and Translation*, London, Oxford and New York: Oxford University Press.

Steiner, T. (ed.) (1975) *English Translation Theory: 1650–1800*, Assen and Amsterdam: van Gorcum.

Stolze, R. (2001) *Übersetzungstheorien: Eine Einführung*, Tübingen: Narr

Störig, H.-J. (ed.) (1963) *Das Problem des Übersetzens*, Darmstadt: Wissenschaftliche Buchgesellschaft.

Stubbs, M. (1996) *Text and Corpus Analysis*, Oxford: Blackwell.

Sturge, K. (2004) *'The Alien Within': Translation into German during the Nazi Regime*, Munich: Iudicium.

Švecjer, A. D. (1987) *Übersetzung und Linguistik*, translated by C. Cartellieri and M. Heine, Berlin: Akademie.

Taylor, C. (1990) *Aspects of Language and Translation: Approaches for Italian–English Translation*, Udine: Camponette.

— (2003) 'Multimodal transcription in the analysis, translation and subtitling of Italian films', *The Translator* 9.2: 191–205.

Thibault, P. (2000) 'The multimodal transcription of a television advertisement: theory and practice', in A. Baldry (ed.) *Multimodality and Multimediality in the Distance Learning Age*, Campobasso: Palladino Editore, pp. 311–85.

Thompson, G. (2004) *Introducing Functional Grammar*, London: Arnold, 2nd edition.

Tirkkonen-Condit, S. (ed.) (1991) *Empirical Research in Translation and Intercultural Studies*, Tübingen: Gunter Narr.

Tirkkonen-Condit S. and R. Jääskeläinen (eds) (2000) *Tapping and Mapping the Processess of Translation and Interpreting: Outlooks on Empirical Research*, Amsterdam and Philadelphia: John Benjamins.

Titford, C. (1982) 'Subtitling: Constrained translation', *Lebende Sprachen* 27.3: 113–16.

Toury, G. (1978/2004) 'The nature and role of norms in literary translation', in L. Venuti (ed.) (2004), pp. 205–18.

— (1980) *In Search of a Theory of Translation*, Tel Aviv: The Porter Institute.

— (1985) 'A rationale for descriptive translation studies', in T. Hermans (ed.) (1985a),

pp. 16–41.
—(1991) 'What are descriptive studies in translation likely to yield apart from isolated descriptions?', in K. van Leuven-Zwart and T. Naaijkens (eds), pp. 179–92.
—(1995) *Descriptive Translation Studies and beyond*, Amsterdam and Philadelphia, PA: John Benjamins.
—(2004) 'Probabilistic explanations in Translation Studies: welcome as they are, would they qualify as universals?', in A. Mauranen and P. Kujamäki (eds), pp. 15–32.
Trivedi, H. (2006) 'In our own time, on our own terms', in T. Hermans (ed.) (2006a), pp. 102–19.
Trosberg, A. (ed.) (1997) *Text Type and Typology*, Amsterdam and Philadelphia: John Benjamins.
—(2000) 'Discourse analysis as part of translator training', *Current Issues in Language and Society* 7.3: 185–228.
Tymoczko, M. (1999a) *Translation in a Post-Colonial Context: Early Irish Literature in English Translation*, Manchester: St Jerome.
—(1999b) 'Post-colonial writing and literary translation', in S. Bassnett and H. Trivedi (eds), pp. 19–40.
—(2003) 'Ideology and the position of the translator: in what sense is a translator "in between"?', in María Calzada Pérez (ed.), pp. 181–201.
—(2005) 'Trajectories of research in Translation Studies', *Meta* 50.4: 1082–97, http://www.erudit.org/revue/meta/2005/v50/n4/012062ar.html
—(2006) 'Reconceptualizing western translation theory', in Theo Hermans (ed.) (2006a), pp. 13–22.
Tynjanov, J. N. (1927) *Arkhaisty i novatory*, Moscow: Akademia, translated (1971) by C. A. Luplow as 'On literary evolution', in L. Matejka and K. Pomorska (eds), pp. 66–78.
Tytler, A. F. (Lord Woodhouselee) (1790) *Essay on the Principles of Translation*, Edinburgh: Cadell & Davies, extracted in D. Robinson (ed.) (1997b), pp. 208–12.
Vázquez-Ayora, G. (1977) *Introducción a la traductología*, Washington, DC: Georgetown University Press.
Venuti, L. (ed.) (1992) *Rethinking Translation: Discourse, Subjectivity, Ideology*, London and New York: Routledge.
—(1995/2008) *The Translator's Invisibility: A History of Translation*, London and New York: Routledge.
—(1998a) *The Scandals of Translation: Towards an Ethics of Difference*, London and New York: Routledge.
—(1998b) 'The American tradition', in M. Baker (ed.) (1998a), pp. 305–15.
—(1999) *L'invisibilitá del traduttore: una storia della traduzione*, translated by M. Guglielmi, Roma: Armando Editore.
—(ed.) (2000) *The Translation Studies Reader*, London and New York: Routledge, 1st edition.
—(2003) 'Translating Derrida on translation: relevance and disciplinary resistance', *The*

Yale Journal of Criticism 16.2: 237–62.

— (ed.) (2004) *The Translation Studies Reader*, London and New York: Routledge, 2nd edition.

— (ed.) (forthcoming) *The Oxford History of Literary Translation in English. Volume 5: 1900–2000*, Oxford: Oxford University Press.

Vermeer, H. J. (1989/2004) 'Skopos and commission in translational action', in L. Venuti (ed.) (2004), pp. 227–38.

Vieira, E. (1997) 'New registers in translation for Latin America', in K. Malmkjaer and P. Bush (eds) *Rimbaud's Rainbow: Literary Translation and Higher Education*, Amsterdam and Philadelphia, PA: John Benjamins, pp. 171–95.

— (1999) 'Liberating Calibans: readings of Antropofagia and Haroldo de Campos' poetics of transcreation', in S. Bassnett and H. Trivedi (eds), pp. 95–113.

Vinay, J.-P. and J. Darbelnet (1958, 2nd edition 1977) *Stylistique comparée du français et de l'anglais: méthode de traduction*, Paris: Didier, translated and edited by J. C. Sager and M.-J. Hamel (1995) as *Comparative Stylistics of French and English: A Methodology for Translation*, Amsterdam and Philadelphia, PA: John Benjamins.

Viswanatha, V. and S. Simon (1999) 'Shifting grounds of exchange: B. M. Srikantaiah and Kannada translation', in S. Bassnett and H. Trivedi (eds), pp. 162–81.

Warren, R. (ed.) (1989) *The Art of Translation: Voices from the Field*, Boston, MA: North-eastern University Press.

Weaver, W. (1989) 'The process of translation', in J. Biguenet and R. Schulte (eds), pp. 117–24, also available online at http://www.arts.ed.ac.uk/italian/gadda/Pages/resources/babelgadda/babeng/weavertranslation.html

Williams, I. (2007) 'A corpus-based study of the verb *observar* in English-Spanish translations of biomedical research articles', *Target* 19.1: 85–103.

Wilss, W. (1977) *Übersetzungswissenschaft. Probleme und Methoden*, Stuttgart: E. Klett, translated (1982) as *The Science of Translation. Problems and Methods*, Tübingen: Gunter Narr.

Wilss, W. (1996) *Knowledge and Skills in Translator Behaviour*, Amsterdam and Philadelphia, PA: John Benjamins.

Wolf, M. (2000) 'The third space in postcolonial representation', in S. Simon and P. St Pierre (eds), pp. 127–45.

Wolf, M. (2006) 'Women in the "translation field" ', in A. Pym, M. Shlesinger and Z. Jettmarová (eds), pp. 129–42.

Wolf, M. and A. Fukari (eds) (2007) *Constructing a Sociology of Translation*, Amsterdam and Philadelphia, PA: John Benjamins.

Zabalbeascoa, P. (2005) 'Humor and translation: an interdiscipline', *Humor* 18.2: 185–207.

Zanettin, F., S. Bernadini and D. Stewart (2003) *Corpora in Translator Education*, Manchester: St Jerome.

Zürcher, E. (2007) *The Buddhist Conquest of China: The spread and adaptation of Buddhism in early medieval China*, 3rd edition with a foreword by S. F. Teiser, Leiden: Brill.

インターネット・リンク

以下は，翻訳研究に役立つインターネット・サイト一覧である．

定期購読可能なオンライン文献データベース

* *Translation Studies Abstracts*（UK）: http://www.stjerome.co.uk/tsaonline/index.php
* *Translation Studies Bibliography*（the Netherlands）: http://www.benjamins.com/online/tsb/

主要な国際的学術雑誌

* *Across Languages and Cultures*（Hungary）: http://www.akademiai.com/content/119691/
* *Babel*（The Netherlands）: http://www.benjamins.nl/cgi-bin/t_seriesview.cgi?series=Babel
* *Cadernos de Tradução*（Brazil）: http://www.cce.ufsc.br/cadernos/
* *Journal of Specialized Translation*（UK）: http://www.jostrans.org/
* *Meta*（Canada）: http://www.erudit.org/revue/meta/2008/v53/n3/index.html
  または http://www.erudit.org/revue/meta/apropos.html
* *New Voices*（UK）: http://www.iatis.org/newvoices/
* *Perspectives*（Denmark）: http://engerom.ku.dk/forskning/publikationer/perspectives/
* *Target*（The Netherlands）: http://www.benjamins.nl/cgi-bin/t_seriesview.cgi?series=Target
* *Translation and Literature*（UK）: http://www.eupjournals.com/journal/tal
* *The Translator*（UK）: http://www.stjerome.co.uk/periodicals/journal.php?j=72&display=volumes
* *The Interpreter and Translator Trainer*（UK）: http://www.stjerome.co.uk/periodicals/journal.php?j=107&display=volumes
* *Translation Review*（USA）: http://www.utdallas.edu/research/cts/tr/
* *Translation Studies*（UK）: http://www.tandf.co.uk/journals/titles/14781700.asp
* *TTR*（Traduction, terminologie, rédaction）（Canada）: http://www.erudit.org/revue/ttr/2007/v20/n2/index.html
  または http://www.erudit.org/revue/ttr/apropos.html

翻訳関連学会ホームページと役に立つリンク

* *Anukriti*（India）: http://www.anukriti.net/
* *British Council literary translation website: http* : //www.literarytranslation.com/
* *Canadian Association for Translation Studies/Association canadienne de traductologie* : http://www.uottawa.ca/associations/act-cats/

* *European Association for Studies in Screen Translation* : http://www.esist.org/
* *European Society for Translation Studies* : http://www.est-translationstudies.org/
* *Fédération Internationale des Traducteurs* : http://www.fit-ift.org/
* *International Association for Translation and Intercultural Studies* : http://www.iatis.org/
* *Unesco literature and translation website* : http://portal.unesco.org/culture/en/ev.php-URL_ID=1523&URL_DO=DO_TOPIC&URL_SECTION=201.html

事項索引

ア 行

カ 行

サ 行

タ 行

ナ 行

ハ 行

マ 行

ヤ 行

ラ 行

ワ 行

欧文人名索引

訳者略歴

長沼美香子　〈ながぬま・みかこ〉
愛知県生まれ．東京大学大学院総合文化研究科博士課程修了，博士（学術）．現在，神戸市外国語大学英米学科教授．専門は機能言語学，通訳翻訳学．NHK「ニュースで英会話」「ニュースで英語術」原稿執筆担当．著書：『訳された近代』（法政大学出版局, 2017），『日本の翻訳論』（共編著, 法政大学出版局, 2010），訳書：『通訳学入門』（共訳，みすず書房，2008）ほか．

水野 的　〈みずの・あきら〉
福島県いわき市生まれ．東京外国語大学ポルトガル・ブラジル語学科卒業．元青山学院大学文学部英米文学科教授．元日本通訳翻訳学会会長．専門は通訳翻訳学．著書：『同時通訳の理論——認知的制約と訳出方略』（朝日出版社，2015）ほか．

斉藤美野　〈さいとう・みの〉
東京生まれ．テンプル大学ジャパン卒業，立教大学大学院異文化コミュニケーション研究科博士後期課程修了（異文化コミュニケーション学博士）．現在，順天堂大学国際教養学部助教．専門は文学翻訳．著書：『近代日本の翻訳文化と日本語——翻訳王・森田思軒の功績』（ミネルヴァ書房，2012）ほか．

坪井睦子　〈つぼい・むつこ〉
千葉市生まれ．津田塾大学学芸学部国際関係学科卒業．同大学院国際関係学研究科博士前期課程修了．立教大学大学院異文化コミュニケーション研究科博士前期課程修了．同研究科博士後期課程修了（異文化コミュニケーション学博士）．専門はメディア翻訳論，談話分析，言語人類学．著書：『ボスニア紛争報道——メディアの表象と翻訳行為』（みすず書房，2013）ほか．

吉田理加　〈よしだ・りか〉
大阪市生まれ．京都外国語大学外国語学部イスパニア語学科卒業．立教大学大学院異文化コミュニケーション研究科博士前期課程，同研究科博士後期課程修了（異文化コミュニケーション学博士）．現在，愛知県立大学非常勤講師．専門は法廷通訳研究，言語人類学．論文：「法廷通訳と言語イデオロギー」（『通訳翻訳研究』12号，2012）ほか．

山田 優　〈やまだ・まさる〉
東京生まれ．ウエストバージニア大学卒業．同大学大学院修士修了（言語学専攻）．立教大学大学院異文化コミュニケーション研究科博士後期課程修了（異文化コミュニケーション学博士）．現在，関西大学外国語学部・外国語教育学研究科教授．日本通訳翻訳学会理事．研究の関心は翻訳通訳学，翻訳プロセス研究，翻訳テクノロジー論，TILT．

河原清志　〈かわはら・きよし〉
岡山県生まれ．現在，拓殖大学教授．著書：『翻訳等価再考——翻訳の言語・社会・思想』（晃洋書房，2017）ほか．

訳者略歴

長沼美香子　〈ながぬま・みかこ〉
愛知県生まれ．東京大学大学院総合文化研究科博士課程修了，博士（学術）．現在，神戸市外国語大学英米学科教授．専門は機能言語学，通訳翻訳学．NHK「ニュースで英会話」「ニュースで英語術」原稿執筆担当．著書：『訳された近代』（法政大学出版局，2017），『日本の翻訳論』（共編著，法政大学出版局，2010），訳書：『通訳学入門』（共訳，みすず書房，2008）ほか．

水野 的　〈みずの・あきら〉
福島県いわき市生まれ．東京外国語大学ポルトガル・ブラジル語学科卒業．元青山学院大学文学部英米文学科教授．元日本通訳翻訳学会会長．専門は通訳翻訳学．著書：『同時通訳の理論――認知的制約と訳出方略』（朝日出版社，2015）ほか．

斉藤美野　〈さいとう・みの〉
東京生まれ．テンプル大学ジャパン卒業．立教大学大学院異文化コミュニケーション研究科博士後期課程修了（異文化コミュニケーション学博士）．現在，順天堂大学国際教養学部助教．専門は文学翻訳．著書：『近代日本の翻訳文化と日本語――翻訳王・森田思軒の功績』（ミネルヴァ書房，2012）ほか．

坪井睦子　〈つぼい・むつこ〉
千葉市生まれ．津田塾大学学芸学部国際関係学科卒業．同大学院国際関係学研究科修士課程修了．立教大学大学院異文化コミュニケーション研究科博士課程修了．博士（異文化コミュニケーション学）．現在，立教大学異文化コミュニケーション学部兼任講師．専門は翻訳学，言語人類学，談話分析．著書：『ボスニア紛争報道――メディアの表象と翻訳行為』（みすず書房，2013）ほか．

吉田理加　〈よしだ・りか〉
大阪市生まれ．京都外国語大学外国語学部イスパニア語学科卒業．立教大学大学院異文化コミュニケーション研究科博士前期課程，同研究科博士後期課程修了（異文化コミュニケーション学博士）．現在，愛知県立大学外国語学部ヨーロッパ学科スペイン語圏専攻准教授．専門は法廷通訳研究，言語人類学．論文：「法廷通訳と言語イデオロギー」（『通訳翻訳研究』12号，2012）ほか．

山田 優　〈やまだ・まさる〉
東京生まれ．ウエストバージニア大学卒業．同大学大学院修士修了（言語学専攻）．立教大学大学院異文化コミュニケーション研究科博士後期課程修了（異文化コミュニケーション学博士）．現在，立教大学異文化コミュニケーション学部教授．日本通訳翻訳学会理事．研究の関心は翻訳通訳学，翻訳プロセス研究，翻訳テクノロジー論，TILT．

河原清志　〈かわはら・きよし〉
岡山県生まれ．現在，拓殖大学教授．著書：『翻訳等価再考――翻訳の言語・社会・思想』（晃洋書房，2017）ほか．

翻訳学入門

2018年6月8日　新装版第1刷発行
2022年7月1日　新装版第10刷発行

著　者　ジェレミー・マンデイ
監訳者　鳥飼玖美子
発行所　株式会社 みすず書房
〒113-0033 東京都文京区本郷2丁目20-7
電話 03-3814-0131(営業) 03-3815-9181(編集)
www.msz.co.jp
印刷・製本　大日本印刷株式会社

Printed in Japan
ISBN 978-4-622-08726-7
[ほんやくがくにゅうもん]

本書は、みすず書房より2009年5月22日、第1刷として発行した『翻訳学入門』の2012年4月1日発行、第2刷を底本としています。